HISTORIA DEL LÉXICO ROMÁNICO

BIBLIOTECA ROMÁNICA HISPÁNICA

Dirigida por DÁMASO ALONSO

III. MANUALES, 33

HELMUT LŰDTKE

HISTORIA DEL LÉXICO ROMÁNICO

VERSIÓN ESPAÑOLA DE
MARCOS MARTÍNEZ HERNÁNDEZ

BIBLIOTECA ROMÁNICA HISPÁNICA
EDITORIAL GREDOS
MADRID

Título original: *GESCHICHTE DES ROMANISCHEN WORT-SCHATZES* I-II.

Depósito Legal: M. 32055 - 1974.

ISBN 84-249-1195-4. Rústica.

ISBN 84-249-1196-2. Tela.

Gráficas Cóndor, S. A., Sánchez Pacheco, 81, Madrid, 1974. — 4238.

PRÓLOGO DE LA EDICIÓN ALEMANA

El presente trabajo ofrece la materia de las lecciones que, con el mismo título, desarrollé durante el curso de 1965/1966 en la Universidad de Freiburg. Su publicación atiende a fines didácticos. Al especialista le ofrece, en el mejor de los casos, un cómodo resumen de hechos ya conocidos; no se ha buscado una originalidad científica.

La presente publicación se presenta en dos tomos [1], cuyo índice de materias ha sido ligeramente modificado con respecto al del curso, consiguiendo de esta forma una mayor precisión. El tomo I contiene, sobre todo, además de las definiciones y explicaciones previas, la historia del léxico en la Romania actual, incluyendo las influencias extranjeras más importantes durante la Edad Antigua, Media y Moderna.

La publicación de este libro difícilmente hubiera podido llevarse a cabo sin la abnegada ayuda del Dr. Ernst Ulrich Grosse, que ha convertido en un manuscrito listo para imprimir (mediante cambios en el orden de las palabras, abreviaturas, modificaciones y numerosas adiciones) la voz tomada directamente en el magnetófono.

---

[1] Así iba dispuesto en la edición alemana. En la española los dos tomos se han reducido a uno solo.

Los capítulos 4 y 6 del segundo tomo contienen las restantes partes del curso 1965/1966. En el capítulo 6 se han reelaborado algunas adiciones. El capítulo 5 contiene la mayor parte del curso desarrollado en 1968 bajo el título «Etimología e historia del léxico románico». Esta parte presenta por primera vez una extensa exposición de la diglosia latino-románica y por ello podría aportar algo nuevo al especialista.

De nuevo el Dr. Ernst Ulrich Grosse ha colaborado en darle al libro su forma actual. El índice de conceptos y palabras ha sido realizado por él en colaboración con Hans Stocker.

I

CAMBIOS DENTRO DE LA ROMANIA, DESDE LA ANTIGÜEDAD HASTA EL MOMENTO ACTUAL

1. CONCEPTOS BÁSICOS PARA EL TEMA

1.1. LÉXICO

En primer lugar quisiera exponer algunas definiciones y aclaraciones relacionadas con el tema, empezando con el concepto de *léxico*. Tomemos un caso concreto. ¿A qué se llama *léxico francés*?

Todos asociarán este concepto, de alguna forma, con el concepto del diccionario francés. ¿Cómo nace un diccionario? «Es muy sencillo: el autor copia de otros diccionarios que ya existen», dirá quizá alguien burlonamente. Pero, en último término, alguien habrá tenido que empezar a hacer un diccionario alguna vez, es decir, a recopilar el léxico. Habrá tenido que empezar con textos de diferentes clases y entresacar una a una las palabras que en ellos hubiera. Un trabajo de esta índole se denomina en el lenguaje técnico *extractar*. En contra de la opinión del profano, ésta es hoy día la regla, al menos, de los buenos diccionarios. Pero con esto sólo nos hemos referido al caso especial de una comunidad lingüística altamente civilizada que, como fuente de los diccionarios, por ejemplo, de la lengua francesa, ofrece textos *escritos* de la mayor variedad: textos literarios, filosóficos, historiográficos y de muchos otros dominios. Escribir y leer son para nosotros actividades cotidianas. Sin embargo, no debemos olvidar los siguientes hechos:

1) Muchas lenguas de la tierra, posiblemente la mayoría, no son lenguas escritas, sino sólo habladas. Es más, no hay una lengua que sea sólo escrita. La lengua hablada es universal, la escrita no.

2) Todas las lenguas escritas actuales fueron, en alguna época anterior, sólo lenguas habladas, no escritas.

3) Incluso en una sociedad altamente civilizada, con gran consumo de papel, no hay persona que, día a día, no hable mucho más de lo que escribe y oiga más de lo que lee.

De estos hechos se deriva la primacía de la lengua *hablada* sobre la escrita; se trata de una primacía triple: geográfica, cronológica y cuantitativa.

Así, pues, debemos partir de la lengua hablada «observando la boca de la gente». ¿Cómo llegamos, entonces, de la observación del habla (fr. *parole*) a la lengua (fr. *langue*) y, en último término, al léxico (fr. *lexique*) como una parte de la lengua? El habla no es algo establecido, no *existe*, sino que *sucede*. Pero solamente podemos describir lo que está sólidamente establecido. Nos aproximamos a esto cuando tenemos en cuenta que toda habla se produce según *normas*. El hablante se cree quizá libre en el sentido de la conciencia volitiva, pero lo cierto es que su habla, generalmente, está dirigida a un fin. Sirve como medio de influir sobre el prójimo. A esta influencia la llamamos *comunicación*. Para alcanzar el mayor efecto de comunicación se requiere la observación más exacta posible de las normas de la lengua. Si un francés quiere expresar, por ejemplo, el concepto «mesa», debe decir /*tabl*/ y anteponer el artículo /*la*/, que no puede ir detrás de /*tabl*/. El habla de muchos hablantes proporciona al lingüista las normas generales que están en la base del habla. La observación del habla es para el lingüista sólo un medio para el conocimiento de las normas. Denominamos *uso lingüístico* (fr. *usage*) al conjunto de las normas del habla de un grupo humano determinado; su parte léxica recibe el nombre de *uso léxico*. Denominamos *comunidad lingüística* a un grupo que se distingue de otros grupos por su uso lingüístico.

Podemos, pues, continuar en la abstracción, es decir, en el terreno de lo general y regular, que parte de lo empíricamente observable y diverso, y considerar las normas en su recíproca relación. Dicho de otra manera, podemos intentar establecer un sistema de normas. (*Cómo* puede realizarse, es una cuestión que pertenece a la teoría del lenguaje y no necesita discutirse aquí[1].) Además del sistema de normas tenemos *la lengua* (fr. *la langue*), como, por ejemplo, la lengua francesa. Debemos tener en cuenta, sin embargo, que la lengua no es un objeto observable empíricamente; sólo se puede observar así el habla, un fenómeno, y no un sistema establecido. Justificamos nuestra transformación del habla (*parole*) en lengua (*langue*) porque es más fácil captar un sistema que un fenómeno.

El *léxico* es una parte de un conjunto, el de la lengua, al igual que el sistema fonológico, la flexión, la construcción de la frase, el estilo y la formación de palabras (por derivación y composición, por ejemplo). He seguido, de manera aproximada, la estructuración sencilla de la lengua, pero quisiera señalar que existen otras posibilidades de estructuración.

El *diccionario* no es más que la fijación material del léxico. Corresponde a la totalidad de los libros lingüísticos,

---

[1] Coseriu, Eugenio, *Teoría del lenguaje y lingüística general. Cinco estudios*, Madrid, 1962. Especialmente recomendable es el artículo «Sistema, norma y habla», págs. 11-113.

es decir, a los libros que tienen por objeto los fonemas, la construcción de la frase, el léxico, etc., la fijación material de la lengua.

Para concluir, podemos esquematizar de la siguiente manera la relación de los conceptos utilizados:

Conceptos principales	*Conceptos subordinados*
Habla (*parole*), la «palabra» de un hablante (en su relación de sentido).	Palabras (*mots*), pronunciadas por un hablante en el momento del habla.
Uso lingüístico (*usage*).	Uso léxico (*usage lexical*).
Lengua (*langue*).	Léxico (*lexique*).
Conjunto de libros lingüísticos.	Diccionario (*dictionnaire*, *vocabulaire*).

Todavía habría que añadir que la fijación material de una lengua no necesita hacerse, necesariamente, por medio de los *libros* lingüísticos, ya que en el futuro podrá hacerse también por medio de otros métodos auxiliares, que no sean escritos, como, por ejemplo, discos y magnetófonos. Dicho de otra forma, la fijación material no sólo del habla, sino también de la lengua determinada por transformación, será posible algún día por métodos acústicos. En el siglo XXI pudiera bien suceder que ya no necesitáramos tomar un libro de la biblioteca para leerlo, sino que apretáramos determinados botones y nos fuera ofrecida la información deseada, no óptica, sino acústicamente.

1.2. HISTORIA

Hablemos ahora sobre el concepto de historia. Para explicarlo, quisiera partir de una diferencia importante que, al igual que la diferencia entre *langue* y *parole*, procede del lingüista ginebrino Ferdinand de Saussure: *sincronía* y *diacronía*.

Con *sincronía* se refería Saussure a la observación de una lengua tal y como se ofrece en una época determinada. El prefijo *sin-* significa «con, en compañía de». Los elementos de una lengua, por ejemplo, sus palabras o sus fonemas, están en recíproca relación, dependen unos de otros, de tal forma que un elemento determina al otro en su valor relativo.

Por *diacronía* (literalmente «a través del tiempo») entendía Saussure el continuo devenir lingüístico, es decir, la observación histórica de la lengua, la única usual en la Lingüística de su época, por cuya hegemonía luchó decididamente. Saussure representó ambos modos de observación con la siguiente figura:

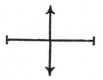

La línea horizontal representa la co-existencia y unión de los elementos en una época determinada; la línea vertical, por el contrario, representa el curso temporal. Así, pues, el modo de observación diacrónico es la observación en esta dirección. Supongamos que tenemos diferentes fases, por ejemplo, lat. *patrem*, fr. *père*. Según el modelo de la figura, los dos modos de observación se muestran irreconciliables. En el eje diacrónico observamos sólo la evolución de la lengua. En el eje sincrónico, por el contrario, consideramos la coexistencia y la unión: en un caso nos interesa la palabra *père* en tanto que está al lado de otras palabras como *mère, frère* y *soeur,* formando con éstas y otras las denominaciones del parentesco; en otro, nos interesa la palabra *père* en tanto que elemento de la frase, por ejemplo, *mon père écrit une lettre.* En la observación sincrónica estudiaremos, pues, la relación de este elemento *père* con otros elementos de la misma lengua, que existen en la misma época. Para Saussure una lengua, una *langue,* era un sistema en cierta manera cerrado en sí mismo en una época determinada, tanto el sistema del latín, con sus complicadas flexiones, como el del fr. antiguo, con su declinación algo más simplificada, su sistema de dos casos, o el del fr. moderno, con su «sistema de un solo caso» (exceptuando el de los pronombres como, por ejemplo, *il, lui, le*). Entre estos cortes sincrónicos, entre el plano del latín, del francés antiguo y moderno, veía Saussure una evolución no sujeta a un plan, una especie de pérdida. En el fondo, ésta es en Saussure una idea heredada, que había tomado del pasado. En el siglo XIX se creía que las lenguas como el latín, griego antiguo y sánscrito, con sus complicados sistemas de flexión, eran más perfectas que las lenguas modernas con su flexión simplificada. Este punto de vista está hoy ampliamente superado por otro más neutral. Además, se podría demostrar que en toda época, esto es, en todo plano sincrónico, hay ya algo de diacronía. En toda lengua, aun cuando la estudiemos como se presenta en el momento, existen los llamados *arcaísmos,* formas de las que el usuario actual de esa lengua sabe también que pertenecen más al pasado que al futuro. Del mismo modo, hay en toda lengua *neologismos,* elementos de los que sabemos que aún no existían en el pasado más reciente, que no pertenecen a la tradición y que quizá desaparezcan o quizá se mantengan. Todos conocen en alemán, por ejemplo, expresiones como *auf einen zukommen* o *drin sein,* en el sentido de «ser posible», o préstamos como *Mixer, Espresso, ciao.* Neologismos son también el fr. *anodin,* en el sentido de «inofensivo» y el fr. *réaliser,* con el significado tomado del inglés de «realizar», «actualizar».

Una conciencia como la que acabamos de ver de la diacronía en la sincronía, esto es, de la evolución lingüística en el hablante alemán o francés por ejemplo, nos muestra que está justificada la diferencia saussureana entre sincronía y diacronía, pero que estas formas de observación no se excluyen mutuamente. Dado que esto no resulta evidente, se dice hoy que esta afirmación se hace sincrónicamente, o bien que esta afirmación se hace diacrónicamente. Pero con ello se toma uno la libertad de pasar de un modo de consideración al otro.

Para Saussure, diacronía e historia eran términos equivalentes.

Pero, al igual que E. Coseriu[2], prefiero delimitar el concepto de diacronía y diferenciarlo del de *historia de la lengua.* Por *diacronía* entiendo la exposición de un hecho o de una cantidad limitada de hechos, desde el punto de vista del aspecto evolutivo en el curso del tiempo, como, por ejemplo, el cambio del lat. *patrem* al fr. *père.* Por *historia de la lengua* entiendo la exposición de un gran complejo de hechos lingüísticos, como, en el marco de este trabajo, el léxico románico en su evolución temporal y en relación con los grandes cambios políticos y culturales. Según estas dos nuevas definiciones, investigaciones aisladas son análisis diacrónicos, mientras que investigaciones más amplias, como las que establecen las transformaciones de la lengua en relaciones históricas más generales, pertenecen a la historia de la lengua.

---

[2] Coseriu, Eugenio, *Sincronía, diacronía e historia. El problema del cambio lingüístico,* Montevideo, 1958; 2.ª edic. Editorial Gredos, 1973.

Los grandes cambios políticos y culturales, como, por ejemplo, la aparición del Cristianismo o la ocupación de Inglaterra por los normandos de habla francesa, no causaron transformaciones inmediatas en el léxico. Todos los cambios en el léxico resultan más bien del habla, de *la parole*. A través del habla se producen los cambios en el uso léxico general, es decir, los cambios de las normas, y con ello nuevas normas. Así, por ejemplo, algunos cristianos primitivos han tomado un par de antónimos de la terminología militar romana: *miles* «soldado» y *paganus* «aldeano, civil». Ellos se llamaban a sí mismos *milites Christi*, pero quien no se adhería a la nueva fe era para ellos un *paganus*. Este cambio producido sólo en el habla penetró más tarde, con la progresiva cristianización de la sociedad, en el uso general de la lengua y con ello en el léxico del latín tardío. La nueva norma, la de que *paganus* tomara el significado de «pagano», se remonta a un cambio en el habla, pero ha de considerarse a la luz de la historia de la cultura.

Si dirigimos la mirada a lo *lingüístico* solamente, podemos decir que toda historia de la lengua es historia del habla. En toda lengua el cambio existe permanentemente en potencia; el cambio pertenece a la esencia de la lengua.

1.3. ROMÁNICO

«Románico» puede entenderse en sentido amplio y en sentido estricto. En sentido estricto son las lenguas románicas, las «continuadoras» del latín, es decir, rumano, sardo, italiano, retorrománico, francés, occitano (o provenzal), catalán, español y portugués; además habría que incluir aquí numerosos dialectos y también lenguas desaparecidas, como el dalmático. En sentido amplio, el latín pertenece también a las lenguas románicas, en tanto que existe como continuidad ininterrumpida entre la lengua de Roma, extendida geográficamente en una época determinada, y sus actuales formas de manifestación. En este aspecto, las lenguas románicas en sentido estricto no son hijas del latín hablado, que, como toda lengua viva, haya seguido evolucionando constantemente, sino que ellas mismas constituyen el latín hablado, son las diferentes variantes del latín hablado de nuestra época[3]. Del mismo modo, podemos designar, en cambio, al latín hablado en tiempos de Cicerón como el románico de entonces. No necesitamos alterar la separación usual entre «Filología clásica» y «Filología románica». Esta división tiene solamente fundamentos histórico-científicos y no está justificada por la materia. Si incluyo el léxico del latín clásico, del latín tardío y del medieval en la historia del léxico románico, ello tiene no sólo la razón práctica de intentar entender históricamente determinados dominios del léxico de lenguas actuales, dentro y fuera de la Romania, sino también el fundamento teórico de la continuidad ininterrumpida de la lengua procedente de Roma.

Sin embargo, no es necesario ascender aquí a los orígenes del léxico del latín clásico. Ahora bien, debemos establecer unos límites temporales. ¿De qué manera podemos establecerlos? La prehistoria del latín clásico empezó alrededor del año 1000 a. C., con la invasión de una comunidad lingüística indoeuropea, desconocida para nosotros, que procedía de un territorio situado al norte de los Alpes y se emplazó en un pequeño espacio a ambos lados del bajo Tíber. Varios siglos después, concretamente desde el siglo III a. C., esta lengua, con la expansión del dominio

---

[3] Sofer, Johann, *Zur Problematik des Vulgärlateins. Ergebnisse und Anregungen*, Viena, 1963.

romano, se extendió paulatinamente por un gigantesco espacio. Si establecemos un corte temporal entre estos dos procesos, entre la evolución «prehistórica» de la lengua en la zona del bajo Tíber y la expansión geográfica por una gran parte de la cuenca del Mediterráneo y territorios limítrofes, separamos, entonces, fases evolutivas de lenguas que propiamente coinciden. No obstante, podemos legitimar este corte con el hecho de que, al mismo tiempo, separamos dos épocas culturales que están fuertemente diferenciadas.

1.4. IRRADIACIÓN

Dentro de la historia del léxico románico, no sólo consideramos las lenguas románicas, sino que también ampliamos nuestro campo de investigación a varias lenguas de países próximos a la Romania. Las razones son fáciles de comprender. Las palabras no están unidas a fronteras lingüísticas, sino que pueden ser objeto de préstamo. Por esta razón, al léxico románico pertenecen no sólo las palabras latinas, sino también las palabras que han sido prestadas a las lenguas románicas, procedentes de numerosas lenguas no románicas. Pero, por otra parte, también el latín, el francés antiguo y otras lenguas románicas han proporcionado mucho material léxico a otras lenguas. Para la historia de las lenguas romances es significativo el hecho de que, por ejemplo, en una serie de casos, palabras latinas, desaparecidas en toda la Romania, o palabras del francés antiguo, de las que sólo han quedado en el francés moderno restos dialectales a lo sumo, sigan existiendo en algunas lenguas no románicas en calidad de *préstamos*. Otras veces encontramos una palabra conservada dentro y fuera de la Romania, pero con la particularidad de que fuera de ella ha mantenido un significado, que, debido al cambio semántico, no existe ya dentro de la Romania. Por esto he incluido en el tema del presente trabajo el análisis de los préstamos románicos a lenguas extranjeras. El préstamo de vocabulario románico a lenguas extranjeras es sólo un aspecto parcial de un fenómeno cultural más general, al que denomino, provisionalmente, *irradiación*. La parte lingüística de este fenómeno, la *irradiación lingüística*, es, naturalmente, aquel aspecto parcial que aquí nos interesa en especial.

Por supuesto, debemos establecer una diferencia entre el *proceso* de la irradiación, esto es, en este caso, del préstamo del vocabulario románico, y el *resultado* hoy visible. Es posible que hayan sido tomadas prestadas palabras que más tarde han desaparecido, de tal forma que no tengamos conocimiento del préstamo. En este caso la irradiación tuvo lugar, pero su resultado ya no existe. Muchas veces, sin embargo, podemos determinar tanto la irradiación como su resultado actual. Si investigamos fonética y semánticamente este resultado actual, como, por ejemplo, una serie de préstamos, se pueden reconocer, incluso, determinadas épocas y, a veces, también determinados centros de irradiación.

1.5. Préstamo

Así, pues, vamos a considerar la historia del léxico románico tanto dentro como fuera de la Romania. En el transcurso de este estudio nos encontraremos frecuentemente con el fenómeno del *préstamo*[4]. Con el concepto de présta-

---

[4] Una visión de conjunto sobre el fenómeno del préstamo, principalmente para todas las lenguas de la tierra, pero con especial atención a las de Europa, la ofrece Deroy, L., *L'emprunt linguistique*, París, 1956.

mo podemos dejar fuera de consideración la influencia *mutua* léxica de dos lenguas que, de algún modo, estuvieron o están en contacto y que aquí denominaremos A y B. Denominamos *préstamo*, pues, sólo a la influencia léxica de A sobre B, o, a la inversa, de B sobre A. Del mismo modo limitamos, en general, la palabra préstamo, o su plural préstamos, a la Lexicología, lo cual ya se expresa también en la definición dada. En este sentido, el término *préstamo* encierra los conceptos de *préstamos de vocabulario, préstamos de formación* y *préstamos semánticos.*

En los *préstamos de vocabulario* se conserva aproximadamente la misma forma fónica de la palabra extranjera. He dicho a propósito «aproximadamente», porque muy pocas veces se consigue una exacta reproducción de la pronunciación de la palabra extranjera. Por ejemplo, el al. *Tanz* es un préstamo de vocabulario que procede del fr. ant. *danse* y que muestra diversos cambios en su forma fónica: la consonante inicial se ha ensordecido en /t/, la /a/, a falta de un fonema vocal nasal en alemán (excepto en algunos dialectos), ha perdido la nasalización y la /ə/ final ha desaparecido. Partiendo de un ejemplo como éste quizá resulte posible diferenciar en los préstamos de vocabulario diferentes grados en el cambio de la forma fónica de la palabra extranjera y, con ello, diferentes grados en la apropiación, en la *fusión* con el léxico propio. En un sistema de tres grupos tendríamos, por ejemplo, un cambio y una apropiación mínimos en el al. /balkɔŋ/ frente al fr. /balkõ/, una apropiación algo más fuerte en el al. /prɛsidɛnt/ frente al fr. /presidã/, una fuerte apropiación en el alt. al. mod. /abəntɔiər/, comparado con el alt. al. med. /avɛntürə/, que está aún muy cerca de la etimología del francés antiguo. Pero en estos grados de cambio y apropiación hay siempre zonas de fluctuación, nunca límites fijos. Por ello quiero servirme del término *préstamo de vocabulario* y renunciar a una posterior clasificación en subgrupos. Sin embargo, quisiera hacer referencia a un grupo especial, fuera del léxico propio: al de los *préstamos de prefijos* y, sobre todo, al de los *préstamos de sufijos*. Entre los préstamos de sufijos tenemos, por ejemplo, al. *-ieren* < fr. ant. *-(e)ier, -(o)ier*, y al. *-ie* (más tarde también *-ei*, como, por ejemplo, en *Bäckerei* «panadería») < fr. ant. *-ie*. A los *préstamos de formación* pertenecen todas aquellas palabras que, bajo la influencia de un modelo extranjero, han sido recreadas a partir de un material léxico propio. El germanista W. Betz los divide en tres grupos [5]:

a) Calco del esquema: traducción exacta, miembro a miembro, de la palabra extranjera, como, por ejemplo, al. *Gross-vater* «abuelo» para el fr. *grand-père*, o fr. *auto-route* para el it. *auto-strada*.

b) Calco, que es algo más libre frente al modelo, como, por ejemplo, al. *Dunst-kreis* para *Atmo-sphäre*, neologismo culto del siglo XVII (gr. *atmós* «aire», pero gr. *sphaîra* «disco, esfera», a diferencia del gr. *kýklos* «círculo»).

c) Préstamo de creación: imitación libre, totalmente formal, de un modelo extranjero, como, por ejemplo, el neologismo del alt. al. ant. *findunga*, que reproduce el lat. *experimentum*, «experimento».

Por último, los *préstamos semánticos* son pura y simplemente préstamos de significado. Se trata de palabras antiguas, ya existentes, que, por influencia extranjera, adquieren un nuevo significado, un nuevo contenido. Así, para la traducción del lat. *credere* sirvió el alt. al. ant. *gilouben*, pro-

---

[5] Betz, W., *Deutsch und Lateinisch*, Bonn, 1949; Schumann, K., «Zur Typologie und Gliederung der Lehnprägungen», en *Zeitschrift für slavische Philologie*, 32 (1965), 61-90.

piamente «tener por agradable», tomando de esta forma un nuevo significado.

Un caso especial lo forman los *neologismos cultos*. No pertenecen al grupo de los préstamos, sino que son nuevas creaciones para designar ideas y cosas nuevas. Sus creadores han usado material preponderantemente del griego y del latín clásicos, y también del latín medieval y de las lenguas modernas. Tomemos, por ejemplo, la palabra *Atmosphäre*, que ya hemos citado anteriormente. En conceptos como *internacional* y *burocracia* podemos ver la relación existente entre los neologismos cultos y los préstamos. Desde el momento en que una nueva creación como el fr. *bureaucratie* (del fr. *bureau* y del gr. *kratía* «dominio») penetra en otras lenguas se trata ya en éstas de un préstamo. De la burocracia *en sí*, no podemos hacer responsables a los franceses; su origen, en último término, está en el primer estado centralizado, el del emperador Federico II de Sicilia.

Esto es suficiente para la definición de los términos. Si, al igual que Saussure, denominamos a la forma fónica de una palabra «significante» y al contenido «significado», podemos decir entonces también, de un modo más conciso, que en los *préstamos de vocabulario* tanto el significado como el significante proceden de una lengua extranjera, mientras que, por el contrario, en los *préstamos de formación*, para incorporar a la lengua propia el significado extranjero, sirve un significante reelaborado a partir de un material propio y en los *préstamos semánticos*, un significante ya existente.

De estos tres grupos son los préstamos de vocabulario los más fácilmente reconocibles y esto podría explicar el por qué hay ya muchas investigaciones sobre esta clase de préstamo, mientras que los préstamos de formación y los préstamos semánticos, identificables con mucha más dificultad, han sido todavía muy poco estudiados. Esto vale no sólo para la Romanística, sino también para la Germanística, Filología inglesa y otras especialidades. Por esta razón me ocuparé especialmente de los préstamos de vocabulario e intentaré sobre todo, a lo largo del presente estudio, seguir con ellos la historia del léxico romance.

Sobre las *causas* del préstamo, en último término siempre políticas y culturales, volveremos más adelante.

2. LA FRAGMENTACIÓN LINGÜÍSTICA DE EUROPA EN LA ACTUALIDAD Y HACE DOS MIL AÑOS

Ofreceré, en primer lugar, una visión de conjunto sobre las lenguas y zonas en las que han tenido lugar préstamos del léxico románico-latino. Para ello partiré de la actual fragmentación lingüística de Europa y expondré luego la situación, totalmente diferente, de hace dos mil años. De esta forma resultarán, quizá, más claros los cambios acaecidos.

2.1. FRAGMENTACIÓN ACTUAL

Actualmente tenemos en Europa tres grandes comunidades lingüísticas, tres grandes familias de lenguas: la románica, la germánica y la eslava. Estas tres grandes familias representan, aproximadamente, tres cuartos de la extensión de Europa. *Románico* es, sobre todo, el sur y suroeste de Europa: la Península Ibérica, gran parte de Francia, Italia, las islas del Mediterráneo y Rumanía. *Germánico* es, esencialmente, el centro y el noroeste de Europa, esto es, Alemania, Austria, Suiza (en la mayoría de sus Cantones), los Países Bajos, la parte flamenca de Bélgica, una gran parte de las Islas Británicas, Dinamarca, Noruega, Suecia e Islandia. *Eslava* es la mayor parte de Europa oriental, así como una parte del sureste de Europa, Yugoslavia y Bulgaria. Además de estas tres grandes familias tenemos, en la parte más occidental y en territorios laterales, la familia *celta*. A ella pertenece el bretón, en el oeste de la Bretaña, el címbrico en el País de Gales, el irlandés en Irlanda y, por último, el escocés en el noroeste de las tierras altas escocesas y en las islas adyacentes, las Hébridas. Hace doscientos años se contaba también entre ellas la lengua de Cornualles, hoy desaparecida. En Europa encontramos también familias menores, menores en tanto que se han fragmentado mucho menos, como el *griego*, que todavía se habla casi exclusivamente en la Grecia actual; el *albanés*, hablado en Albania, en una parte limítrofe con Yugoslavia y en algunas comarcas de Grecia; por último, las lenguas *bálticas*, en el este de Europa, entre las que siguen existiendo hoy el lituano y el letón. Todas las lenguas citadas hasta ahora están emparentadas en último término unas con otras. Esto lo podemos probar por medio del sistema de flexión y con ayuda de palabras coincidentes. Todas estas lenguas, y algunas más que no son europeas, se denominan lenguas *indoeuropeas*[1].

Todavía hoy, algunos territorios aislados de Europa tienen una lengua no indoeuropea. Entre éstos se cuenta un territorio a orillas del Atlántico, a ambos lados de la frontera hispano-francesa, en el que se habla el *vasco*; en la antigua Panonia el *húngaro*, con una gran isla lingüística en medio de Rumanía, en Transilvania; por último, el *estonio* y el *finés*, dos lenguas que están estrechamente empa-

---

[1] Al. *indogermanisch*, fr. *indo-européen*, it. *indoeuropeo*, ing. *Indo-European*. Algunos autores alemanes prefieren también la expresión *indoeuropäisch*.

rentadas. Con estas dos está emparentado el húngaro, aunque sólo remotamente. Por último, habría que citar aún el *turco*, que se habla en la parte europea de Turquía, y además en diferentes territorios dispersos de la Península de los Balcanes, que antiguamente pertenecieron al imperio turco.

2.2. FRAGMENTACIÓN EN EL AÑO 0

Si, después del examen de la actual división lingüística de Europa, retrocedemos a la situación de hace dos mil años, es decir, si empezamos en el año 0, encontramos una división totalmente diferente. Precisamente en el espacio que aquí nos interesa sobre todo, esto es, en Europa occidental y en los países del mar Mediterráneo, han tenido lugar importantes cambios. De todas las familias de lenguas que hemos citado anteriormente, la más ampliamente extendida hace dos mil años era la celta, que actualmente está reducida a unos cuantos restos geográficos. Además existían otras lenguas indoeuropeas que, en el curso de los siglos, han desaparecido. Se las denomina con nombres colectivos, como, por ejemplo, *ligur* o *ilirio*. Sin embargo, con dichas denominaciones ya no se entienden, generalmente, las lenguas que se hablaban en las provincias romanas de los ligures o de los ilirios, sino, más bien, lenguas indoeuropeas que estuvieron emparentadas con el latín y, sobre todo, con el celta, pero que por determinadas características se diferencian claramente de estas lenguas. Por otra parte, se hablaron también fuera de las provincias romanas de los ligures y de los ilirios incorporadas más tarde: el ligur hasta la Península Ibérica y el ilirio hasta la alta Panonia. En la zona que estudiamos encontramos también en el año 0 una gran cantidad de lenguas no indoeuropeas, como en la Península Ibérica, donde además del *vasco*, que subsiste todavía, tenemos, sobre todo, el *ibérico*. Pero probablemente sea también el ibérico un nombre colectivo, bajo el cual se agrupen lenguas totalmente diferentes. Por lo demás, no sabemos exactamente cuántas lenguas había en el sur de la Península Ibérica.

En el norte de África, en la zona habitable del Sáhara, que en parte fue territorio romano, se habló, y todavía hoy se habla, el *bereber*. A causa de la conquista romana, el bereber se vio algo reducido, pero no desapareció del todo. Más tarde, hacia el 690 aproximadamente, vuelve a experimentar una reducción territorial aún más considerable en el transcurso de la conquista árabe. Sin embargo, continúa hablándose en partes del norte de África e incluso en Marruecos por la mitad de la población aproximadamente. Además del bereber hay que citar aquí una lengua de Cerdeña, de la que no sabemos casi nada. Se nos ha transmitido sólo una serie de nombres que no podemos relacionar con ninguna de las lenguas que nos son conocidas. A esta lengua la denominamos *paleosardo* (gr. *palaios* «antiguo»). En Sicilia, al menos en una parte de la isla, existía una lengua no indoeuropea que denominamos *sículo*. Por último, en la parte central de Italia, se hablaba el *etrusco*, desde la desembocadura del Tíber, en las inmediaciones de Roma, hasta la Toscana, y desde los Apeninos, en la comarca de Rávena y Bolonia, hasta el Po y, quizá, incluso un poco más allá. Probablemente estaba emparentado con el etrusco el *rético*, que se hablaba en la parte oriental de los Alpes suizos (al este de San Gotardo) hasta el Tirol. Pero ello no es muy seguro. Sólo sabemos que las dos lenguas se escribían con el mismo alfabeto y esto, naturalmente, no dice mucho.

De todas las lenguas no indoeuropeas que hemos citado,
sólo el vasco y el bereber siguen existiendo hoy en día.

2.3. LÍMITES ENTRE LAS ZONAS DE INFLUENCIA LATINA Y GRIEGA
DENTRO DEL IMPERIO ROMANO

Hablemos ahora de la influencia del latín o, dicho de
manera más general, del influjo de la cultura mediterránea,
en tanto que lengua latina. Esta influencia se extendió fun-
damentalmente a todas las lenguas del Imperio romano.
Bien es verdad que la parte oriental (aproximadamente la
mitad oriental) tuvo una situación privilegiada. Antes de
la llegada de los romanos era el griego el que dominaba
en esta parte, como consecuencia de la conquista de Alejandro Magno. Mantuvo su posición dominante durante todas
las épocas del Imperio romano. Los límites entre las zonas
de influencia latina y griega estaban en la comarca del bajo
Danubio. Era latina, pues, toda la parte occidental de África,
Iberia, las Galias, Germania, Bretaña y, naturalmente, Italia,
a excepción de algunos territorios griegos, como el noreste
de Sicilia, el sur de Calabria y Apulia. Más al sur, al otro
lado del mar Mediterráneo, los límites estaban, más o menos,
en la zona más cercana al mar: la parte occidental de
África, latina, estaba separada de la oriental, griega, por
una frontera escasamente poblada. Más al norte, los límites
iban desde Durazzo, o algo más al sur, al este, a través de
la actual Macedonia, al sur de Scopie, y después a la comarca de Sofía, continuando, a través del norte de Bulgaria,
al sur del Danubio, en dirección al Mar Negro. A los dominios lingüísticos del griego pertenecían, además, Tomis, la
actual Constanza, y algunas otras ciudades costeras, a orillas
del Mar Negro, que ya habían sido colonizadas por los
griegos antes de la conquista romana.

3. HISTORIA DEL LÉXICO ROMÁNICO DENTRO DE LA ROMANIA MISMA

3.1. Panorama de los cambios más importantes

La historia del léxico es una parte de la historia misma. Todos los cambios en el vocabulario se relacionan, de algún modo, con cambios políticos y culturales. Pero ambos, los léxicos y los extralingüísticos, son demasiado diferentes como para poderlos tratar en su totalidad. Por ello, es necesario hacer una selección y considerar los puntos más difíciles. Seleccionaremos y esbozaremos brevemente los cambios más importantes, los acontecimientos centrales para la historia del léxico dentro de la Romania.

3.1.1. Desde el siglo VIII a. C. aproximadamente tiene lugar la elevación del latín de dialecto aldeano a lengua de cultura, empezando también en este mismo siglo la influencia cultural griega con la fundación de las colonias del sur de Italia. En relación con esto, se da el hecho de que los etruscos y los romanos toman prestada, transformándola un poco, la escritura griega. Pero no sólo penetró en el Lacio el alfabeto griego, sino también numerosas palabras griegas. Ya he explicado por qué no quiero insistir sobre la elevación del latín a lengua de cultura. Sin embargo, quisiera considerar algunas primitivas influencias léxicas del griego, importantes para los romanistas, porque sus efectos son visibles hasta la Edad Media o incluso hasta la Edad Moderna.

3.1.2. El segundo acontecimiento importante, la creación de una lengua latina literaria, se produce en el siglo III, concretamente del 250 al 200 a. C., con la aparición de las primeras comedias, tragedias y poemas épicos latinos; sus autores dirigen la atención a las obras griegas y toman como modelo en lo lingüístico la literatura griega, ampliando y enriqueciendo el léxico latino con todo tipo de préstamos: préstamos de vocabulario, préstamos de formación y préstamos semánticos. De esta forma, junto con la literatura de Roma, surge también su lengua literaria. (Como se habrá podido observar, he diferenciado la lengua escrita de la literaria. Documentos escritos aparecen ya en el siglo VI en Roma, fecha de la que datan las más antiguas inscripciones que conservamos; quizá su origen sea aún más antiguo. En cambio, una literatura latina sólo existe a partir del siglo III.) Relacionado con la elaboración de una lengua literaria, se produce una especie de estratificación en el latín: hay un latín literario y un latín popular. La nueva lengua literaria incluye en sus dominios la Italia de entonces, desde la punta sur de Calabria y Apulia hasta la línea La Spezia-Rimini.

3.1.3. El tercer hecho importante es la ampliación del dominio político de Roma, el nacimiento del Imperio romano y, con ello, la difusión de la lengua latina, la romanización de la mayoría de las provincias del Imperio. Esto sucede desde el siglo III a. C. al siglo II d. C.

3.1.4. La propagación del Cristianismo desde el siglo II al siglo V origina un importante enriquecimiento del léxico, especialmente a base de préstamos procedentes del griego, así como numerosos cambios semánticos. Al mismo tiempo tiene lugar un desarrollo cada vez más intenso de la lengua popular (lengua espontánea, latín hablado) y de la lengua literaria (lengua culta codificada).

3.1.5. El siguiente cambio importante, que parcialmente coincide con los tiempos de la Cristianización, se origina por la invasión de los pueblos bárbaros y el desmembramiento del Imperio romano occidental. Estos pueblos bárbaros, que irrumpen con sus lenguas en la Romania, son germanos, eslavos y árabes. La cultura antigua y cristiana va siendo asimilada paulatinamente por los germanos, del mismo modo que el Cristianismo ortodoxo por los eslavos. Pero, mientras que los conquistadores germanos aceptan aquellas variantes regionales del latín hablado en su país, los pueblos eslavos y árabes mantienen sus lenguas. En esta época, en especial desde el siglo III al siglo VIII, numerosas palabras, procedentes de las lenguas de los conquistadores, penetraron en la lengua espontánea latina, cuyas diferencias locales y regionales aumentaron cada vez más por la desmembración del Imperio y los deficientes medios de comunicación.

3.1.6. Otro acontecimiento importante es la Reforma carolingia, que, desde el punto de vista lingüístico, pretende la vuelta a una lengua latina culta y correcta. Esta pretensión, sin embargo, conduce a un nuevo cambio en la pronunciación del latín leído[1]. Consecuencia de este cambio es el

---

[1] Cf. para más detalles 3.5.1.

hecho de que se pasa a diferenciar, conscientemente, entre lengua culta latina y lengua popular, a conservar los sermones traducidos de la lengua culta y a escribir los textos en esta *rustica romana lingua,* como se la denominó en las actas del Concilio de Tours (813). La Reforma carolingia se puede datar en el año 800, aproximadamente; los primeros textos en lengua popular son de fecha algo más tardía. Al final del siglo IX se produce lo que llamaríamos el descubrimiento del préstamo de la lengua latina culta, que trataré con más detalle en la parte II de esta obra. En muy estrecha relación con este descubrimiento está la elevación de los dialectos románicos a lenguas escritas.

Con la Reforma carolingia y el Imperio de Carlomagno empieza el dominio político y cultural de Francia, aumentado en los siglos XI y XII por su literatura popular, su cultura cortesana y su preponderancia en las Cruzadas.

3.1.7. Por otra parte, desde el siglo XI, algunas ciudades del norte y centro de Italia alcanzaron un lugar predominante y de influencia, tanto política como económica, en el comercio, en la navegación y en la técnica bancaria y de circulación monetaria. Denominamos revolución comercial a este fenómeno de consecuencias lingüísticas diversas.

3.1.8. Desde el siglo XV, y sobre todo desde el XVI, el léxico románico experimenta una nueva expansión relacionada con los descubrimientos, con los que España y Portugal se convierten en potencias marítimas, y con el Renacimiento procedente de Italia.

3.1.9. Otros cambios importantes en el léxico románico se producen con la democratización y la Revolución industrial que, desde el siglo XVIII, aproximadamente, se extendió de un país a otro.

3.2. Cambios léxicos primitivos en latín

Los cambios del léxico que ahora vamos a considerar consisten en préstamos de diferente naturaleza y en cambios semánticos internos. Muchos de estos préstamos surgieron ya en el primitivo latín hablado, mucho antes de que naciera la lengua literaria latina, mientras que otros no fueron introducidos hasta más tarde por los autores latinos arcaicos y clásicos[2].

3.2.1. Préstamos de vocabulario prerrománicos en latín

Los contactos más antiguos del latín de Roma y sus alrededores con lenguas extranjeras permanecen para nosotros en la oscuridad de la Prehistoria. Sólo sabemos que en Italia antes de la invasión de los itálicos, al final del segundo milenio a. C., había pueblos no indoeuropeos de los que, sin embargo, no se nos ha transmitido nada en relación con sus lenguas. No obstante, debieron proporcionar algunos préstamos de vocabulario al latín y a otras lenguas que pervivían en la cuenca mediterránea.

Los más conocidos de estos préstamos se relacionan con los nombres de plantas mediterráneas, que, de ningún modo, pudieron ser conocidas para los itálicos, procedentes de la zona situada al norte de los Alpes. Así tenemos, por

---

[2] Abundante material para la mayoría de los problemas esbozados a continuación lo ofrece la obra de Ernout, A., *Aspects du vocabulaire latin*, París, 1954.

ejemplo, la palabra para «vino», lat. _vīnum_. En contra del lat. _vīnum_ < gr. οἶνος está el hecho de que los griegos procedían también del Norte y pudieron haber conocido una cosa como la palabra _vīnum_ ya en la cuenca del Mediterráneo. También está en contra, naturalmente, el que las otras lenguas indoeuropeas, o bien no conocen en absoluto esta palabra, o bien, como el alemán y las lenguas eslavas, la han tomado prestada del latín, con toda probabilidad en época más tardía. Hay además otras coincidencias léxicas por las que se concluye que el griego no es la lengua de procedencia, como, por ejemplo, la palabra para «rosa», lat. _rosa_, gr. ῥόδον, y la denominación de «higo», lat. _ficus_, gr. σῦκον.

Desde el punto de vista etimológico, es evidente que se trata de las mismas palabras. Podemos encontrar un parecido fonético, aunque una coincidencia fonética no existe; por ello, no podemos hablar de préstamo de una lengua a otra. Además de la coincidencia fonética imperfecta tenemos que constatar la diferencia morfológica. Esto es válido, en primer lugar, para _vīnum_ y οἶνος: la una es neutra, la otra masculina. Con mayor razón vale para _ficus_ y σῦκον: la palabra latina es un tema en _u_, mientras que la griega es un neutro de la declinación en _o_. Esto explica también que ambas lenguas, independientemente una de la otra, hayan tomado prestadas estas palabras de una o varias lenguas mediterráneas emparentadas entre sí. A estas palabras pertenece también el lat. _laurus_ «laurel», planta, igualmente, que los romanos pudieron haber conocido sólo en zonas de clima mediterráneo. Éstos son sólo un par de ejemplos; evidentemente hay toda una serie de nombres prerrománicos para la flora y la fauna mediterráneas. Existe en la actualidad una rama científica que se ocupa de las palabras prerrománicas que siguen existiendo en las lenguas de la cuenca mediterránea y, en parte debido a éstas, también en las lenguas germánicas (al. *Wein, Öl, Feige, Lorbeer*, «vino», «aceite», «higo», «laurel»). Uno de los más conocidos representantes de esta ciencia es J. Hubschmid, que también trabaja en el campo de las lenguas románicas y enseña en Heidelberg. Ha editado una serie de libros sobre el sustrato mediterráneo, especialmente en la colección «Romanica Helvetica» y trabaja actualmente en un «Thesaurus Praeromanicus».

3.2.2. Préstamos de vocabulario griegos en latín

El mayor número de préstamos de vocabulario que el latín ha recibido procede, sin embargo, del griego. En todas las épocas de su historia, el griego ha transmitido al latín un gran número de palabras, tanto al latín hablado como a la lengua culta codificada más tarde.

Desde los siglos VIII al III a. C. eran los griegos el pueblo de cultura más importante de Europa. Ejercieron un activo y extenso comercio en las costas del Mediterráneo y contribuyeron a que los pueblos que en ellas vivían alcanzaran un grado de civilización más elevado. Esto es válido en Italia no sólo para los romanos, sino también para los pueblos emparentados lingüísticamente con los romanos, como los *umbros*, en Italia central, los *oscos* y otros pueblos de Italia meridional, así como para los *etruscos*, pueblo no indoeuropeo que se estableció en la zona comprendida entre Roma y Bolonia y que jugó en aquella época un importante papel. Los etruscos recibieron la cultura griega aproximadamente en la misma época que los romanos o quizá un poco antes y, al igual que ellos, tomaron préstamos del griego. La estrecha vecindad e incluso convivencia de Roma y Etruria fue la causa de que algunas palabras griegas no penetraran por vía directa en Roma, sino que llegaran a través de los etruscos. Esto no podemos asegurarlo con exactitud para algunas palabras, para otras en cambio podemos suponerlo con gran verosimilitud. Así, por ejemplo, la palabra *persona* se remonta probablemente, a través del etrusco *phersu*, al gr. πρόσωπον. Así se explica, hasta un cierto grado, el cambio semántico. En un principio, la palabra significa «cara» y luego «máscara», palabra, pues, del argot teatral. De aquí pasó a la lengua común, designando, en primer lugar, «al personaje del drama», para tomar mucho más tarde el significado general de «individuo, persona»[3].

Los préstamos del latín procedentes del griego son de varias clases. Encontramos toda una serie de *nombres de objetos*, de los cuales la mayoría existía ya en el latín hablado más antiguo, y que, por la continuidad en él, se han conservado en muchas lenguas románicas actuales:

camera	«bodega, cámara»; cf. it. *camera*, fr. *chambre*
lanterna	«lámpara, linterna»; cf. fr. *lanterne*
chorda	«intestino», en pl. «cuerda»; cf. fr. *corde* «cuerda»
calamus	«caña, flauta, pluma»
cochlea	«caracol»
sporta	«cesta»
canistra	
amphora	«ánfora»
machina	«instrumento, máquina».

[3] Para más detalles, cf. el *FEW*, t. VIII, págs. 271 y sigs. Rheinfelder, H., *Das Wort «Persona». Geschichte seiner Bedeutung mit besonderer Berücksichtigung des französischen und italienischen Mittelalters*, Halle, 1928 (= Beihefte zur *ZRPh*, n.º 77).

La palabra *machina* se encuentra hoy extendida por todo el universo, incluso hasta entre los esquimales de Alaska. Algunas palabras se han extendido mucho y tienen tras sí una historia muy complicada.

De origen griego son en latín la mayoría de las palabras de la *terminología marítima* y, sobre todo, los nombres de la fauna marina. Se calcula que aproximadamente unos tres cuartos de todos los nombres de peces en latín son de origen griego. He aquí unos ejemplos:

ballaena	«ballena»; cf. fr. *baleine*
delphinus	«delfín»; cf. fr. *dauphin* (voz etimológica)
thunnus	«atún»; cf. fr. *thon* (voz etimológica)
cancer	«cangrejo»; cf. fr. *cancre* (en medicina «cáncer»)
ostreum	«ostra»; cf. fr. *huître* (voz etimológica)
polypus	«pulpo»; cf. fr. *polype*.

Esto es sólo una breve selección; de hecho existen varias decenas. Podríamos añadir en relación con el mar:

scopulus	«roca»; cf. fr. *écueil*
spelunca	«gruta, caverna».

El al. *Grotte* «gruta» se relaciona con el préstamo *crypta*. Tal vez sea conveniente explicar esta relación con mayor detalle. Dentro del griego existen diferencias dialectales y cronológicas. Ciñéndonos a esta palabra, los griegos tenían una vocal que escribían así: ʊ. La pronunciación más antigua de esta vocal era, en el griego del sur de Italia, /u/. Los préstamos de vocabulario al latín, procedentes del griego, fueron tomados en un principio con esta pronunciación de la *u*; así, el griego /krupta/ se pronunciaba *grupta* o *grutta*. La *u* latina breve da en it. *grotta* «según las leyes fonéticas». De aquí proceden el fr. *grotte* y el al. *Grotte*.

Más tarde, pero siempre dentro de la época clásica, la /u/ pasó a /ü/, de donde el lat. *crypta* y el al. *Krypta*. A esto apunta también la más antigua denominación griega de la vocal υ, *ü psilon* (*psilos* = «simple, breve»); una /ü/ se escribía o bien υ (ésta era la *ü* «simple») o bien con dos grafemas: οι. La diferencia en el modo de escribir esta vocal está fijada tradicionalmente en la lengua culta; había que escribir, pues, para /ü/, en algunas palabras υ, en otras un diptongo.

Hacia el siglo x, aproximadamente, en algunas regiones de habla griega posiblemente antes, en otras después, experimentó la pronunciación de la vocal griega υ otro cambio: la /ü/ se convirtió en /i/ y por ello a la grafía υ se le denomina en griego moderno *i psilon*. Esta nueva pronunciación llegó, a través del latín medieval, entre otras lenguas, también al francés, como vemos en fr. ant. *cristal* < CRYSTALLU, *crisolite* < CHRYSOLITHU y fr. mod. *crypte* /kript/, *étymologie* /etimɔlɔʒi/.

Otro ejemplo: en al. se dice *Maschine*, con /a/, pero el hombre que repara esa máquina es un *Mechaniker*, con /e/. Etimológicamente las dos palabras tienen el mismo origen, sólo que han recorrido diferente camino. La explicación de este fenómeno está en *la diferencia dialectal* en la Grecia clásica. La palabra se pronunciaba en Atenas μηχᾰνή. En la Grecia occidental, al igual que en las colonias dóricas del sur de Italia, μᾱχᾰνᾱ. Existe una correspondencia, fonéticamente regular, entre /a/ en el Occidente y /e/ en el Oriente. Los más antiguos grecismos del latín se remontan a las colonias dóricas del sur de Italia. Éstas pronunciaban /ā/, al igual que la ypsilon como /u/. A partir del siglo IV a. C. se impuso en Grecia como modelo la lengua de Atenas, del mismo modo que más tarde en Francia la lengua de París. Los préstamos griegos más antiguos han pasado al latín con la pronunciación de Atenas, como el adjetivo μηχανικός con la pronunciación de la *e*. Por esta razón, en latín tenemos simultáneamente *machina* y *mechanicus*, pasando esta doble forma a las lenguas modernas europeas.

Por último, voy a presentar un ejemplo de consonantismo. La letra griega φ se pronunciaba, en la época clásica, es decir, en tiempos de Pericles y de Jenofonte, como /*ph*/, esto es, como una *p* fuertemente aspirada, algo parecido a la pronunciación enfática de un alemán del Norte. Si quisiéramos leer en griego como entonces se pronunciaba, deberíamos diferenciar con exactitud la φ y la π, como hacían los griegos. Tendríamos, pues, que leer la φ como la *p* de los alemanes del norte (es decir, aspirada) y la π como la *p* del sur de Alemania (es decir, sin aspiración). Esto es difícil para la misma persona, por lo cual lo eludimos y utilizamos la pronunciación *f* para la φ, que está justificada, pero que pertenece a una época mucho más tardía.

En la Roma antigua, el sonido de esta *p* aspirada era el de una simple /*p*/. Más tarde, cuando en la misma Grecia esta *p* aspirada había pasado a *f*, se tomaron los préstamos de vocabulario con la pronunciación de esta *f*. La consecuencia es que, incluso en el caso de la φ griega, encontramos dobletes en el latín y en las lenguas europeas modernas, como, por ejemplo, en los adjetivos latinos *purpureus* y *porphyreus*, en al. *Purpur-Porphyr*, y fr. *pourpre-porphyre*. En el al. *Purpur-Porphyr* hay un doblete en doble sentido: el lat. *purpura* tiene la φ griega como /*p*/, la υ como /*u*/. En su moderna forma fónica, la palabra tiene /*f*/ para la φ y /*ü*/ o /*i*/ para la υ.

La terminología de las Letras y de las Ciencias en latín está saturada de préstamos del griego. Aquí entran no sólo conceptos como *philosophia* y *philologia*, sino también palabras como:

schema	sphaera	architectus
zona	schola	paedagogus
norma	epistula	mathematicus
forma	grammatica	horologium

Todas estas palabras son de origen griego. La mayoría de ellas han pasado también a las lenguas europeas modernas, algunas en doble forma:

$$\text{apotheca} \begin{cases} \text{al. } Apotheke \text{ «farmacia»} \\ \text{al. } Budike \text{ «taberna», fr. } boutique. \end{cases}$$

Naturalmente, la introducción de numerosos préstamos procedentes del griego halló la resistencia de autores «puristas» como Lucilio, Lucrecio y, más tarde, Marcial. Ridiculizaban la moda de los grecismos, pero sólo consiguieron escaso éxito. No obstante, existía la posibilidad de evitar los préstamos de vocabulario griegos y, sin embargo, enriquecer el léxico latino con elementos de origen heleno: la posibilidad de los *préstamos de formación* y los *préstamos semánticos*. Horacio, por ejemplo, en los versos 52-59 de su *Epistula ad Pisones*, abogó por los préstamos de formación y sostuvo su necesidad en contra de los puristas extremos, que ni siquiera querían admitir estas acuñaciones.

3.2.3. Préstamos de formación y semánticos en la lengua literaria latina, según el modelo griego

La elevación de la lengua latina de dialecto aldeano a lengua de cultura tuvo lugar, en gran medida, bajo el patrocinio del griego, como ya se pudo mostrar, en parte, con los préstamos de vocabulario. Del mismo modo que la relación del alemán con el latín, la influencia *indirecta*, por medio de préstamos de formación y semánticos, es todavía más fuerte que la influencia directamente reconocible en los préstamos de vocabulario. Esto es aplicable, en especial, a la lengua literaria latina. A los préstamos semánticos pertenecen *ars*, en sentido amplio «arte», según el griego *techne*, y *causa*, que tomó el contenido del griego αἰτία. Del mismo modo, *spiritus*, en un principio «soplo, aliento», ha recibido, en el curso del tiempo, exactamente los significados de «espíritu, ánimo», procedentes del griego πνεῦμα, que, al principio, significaba también «aliento». En el mismo campo léxico de *spiritus* están *anima* y *animus*, que han tomado su sentido más abstracto de una manera muy complicada, pero con seguridad no sin la influencia del griego *psyche* y *anemos*. El lat. *animus* es casi un préstamo de vocabulario. El punto de partida para todas estas palabras es la idea arcaica de la identidad del aliento humano, del aire que llena el cuerpo, con la vida y, finalmente, con el principio vital de la persona: el alma, el espíritu, el ánimo.

El lat. *casus*, término gramatical, se relaciona con *cadere* «caer», como también el al. *Fall*. Pero, para quien no conoce el secreto, no es fácil averiguar qué tienen que ver los casos de la declinación con la caída de un objeto. Esto se relaciona con un juego de dados. La caída del dado tiene por resultado el que una de sus caras quede hacia arriba. Lo mismo pasa en la «caída» de una palabra. Esta metáfora procede del gr. *ptōsis*, que, igualmente, significa la caída de un objeto y, en sentido figurado, el caso gramatical. El mismo significado como término gramatical lo han tomado el lat. *casus* y el al. *Fall*.

Veamos a continuación algunos ejemplos de préstamos de formación y de traducción. De modo análogo al
gr. ποιότης, derivado de ποῖος, «de tal o cual clase», ha
formado Cicerón la palabra *qualitas* del adjetivo *qualis*.
Por analogía se formó pronto *quantitas*, palabra derivada de
quantus, análogo al gr. ποσότης, a partir de πός-ος, «cuán-
to». Traducciones de este tipo las crearon también las lenguas no románicas, como el ruso, por ejemplo, con *kačestvo*,
a partir de *kak-* «de tal clase, como» y con *količestvo*, de
kolik-, análogo a πόσος y *quantus*.

La palabra *substancia*, lat. *substantia*, literalmente «lo
que está debajo», se ha formado según el gr. ὑπόστασις,
al igual que el lat. *accentus* «acento», según el gr. προσῳδία.
En la palabra latina el prefijo *ad-* se ha asimilado en *ac-*
y en la raíz *-cent-* encontramos *cantus* «canto», igual que
el gr. ᾠδή. Traducido literalmente, «acento» significaría
«para el canto». Esto quiere decir lo que se coloca para el
sonido aislado de una palabra, esto es, como diríamos hoy,
un momento de la intensidad de la percepción o, incluso, un
momento melódico de la elevación del tono.

El lat. *actio* traduce el gr. πρᾶξις y el adjetivo *activus*
el gr. πρακτικός. Del lat. *scientia* se deriva una serie de
palabras, como también el al. *Ge-wissen* y, con una traducción más exacta de *con-* por medio del prefijo correspondiente, el su. *samvete*, dan. *samvittighed*. La misma palabra
ha pasado del sueco al finés. Estas relaciones dentro de la
«alianza de lenguas europeas», como podríamos denominarla, van aún más allá, pues la palabra latina *con-scientia* se
remonta a su vez al gr. συνείδησις y muestra una exacta
semejanza con el modelo griego: *con-* traduce συν- y el derivado de *scire* repite la derivación del gr. εἴδω con elementos latinos.

Un último ejemplo para terminar. La palabra alemana *Wesen*, totalmente germánica y totalmente intraducible, según Theodor Haecker, que en su obra *Vergil, Vater des Abendlandes*, la explicaba como una «palabra cordial» de la lengua alemana[4], es (con lo cual no decimos nada en contra de su obra, digna de consideración como conjunto) un préstamo semántico según el lat. *essentia*, palabra que, a su vez, fue creada en la época de Cicerón según el modelo del gr. οὐσία.

De todas estas relaciones, de las que sólo hemos ofrecido algunos ejemplos, conocemos actualmente quizá sólo un tercio. Sin duda existen muchas más. El parentesco interno de las lenguas europeas se debe con frecuencia a los préstamos de vocabulario y a los «cultismos»[5], pero muchas veces también a los préstamos de formación y semánticos, y este principio de la adaptación e integración del vocabulario extranjero lo aplicó, en primer lugar, el latín, como primera lengua cultural de Occidente.

3.2.4. Cambio semántico de voces etimológicas latinas

Además de las palabras latinas tomadas del griego, o influenciadas por un modelo griego, existen también desarrollos que no se remontan a un modelo extranjero. Una parte del vocabulario abstracto del latín se ha originado a partir de material propio, por medio del *cambio semántico* de significados anteriores más concretos. A este tipo pertenece, por ejemplo, el lat. *pensare*. La palabra contiene

---

[4] Haecker, Theodor, *Vergil, Vater des Abendlandes*, Munich, 1931, págs. 122 y sigs.

[5] Para los «cultismos» (*mots savants*) cf. el tomo II (aquí II parte).

la misma raíz que *pondus* «peso»; *pensare* significa también originariamente «pesar». Más tarde se produce, al igual que en el alemán (como, por ejemplo, en *abwägen* «pesar»), una transferencia del proceso material del peso al pensamiento. Otra palabra para «pensar», *cogitare*, contracción de *co-agitare*, significa primitivamente «llevar junto» (por ejemplo, el ganado), pasando a significar luego algo así como «reunir uno sus ideas».

El lat. *putare*, que igualmente tenía el significado abstracto de «pensar», ha sido desplazado, más tarde, por *pensare*. Sin embargo, sigue existiendo en el it. *potare*, con su verdadero significado primitivo de «cortar árboles». Este hecho parece quizá muy simple, a primera vista, pero se requiere una exacta observación y reflexión de lo que se corta y de lo que no. Por esto se explica, más o menos, cómo esta palabra ha podido evolucionar de «cortar árboles» al significado abstracto de «pensar». Otra palabra de la misma esfera es *considerare*. En ella encontramos *sidus*, *sideris*, «astro». Así, pues, *considerare* significa, en un principio, «observar las estrellas». Otra palabra que se usa mucho es *nihil*, procedente de *ni-hilum*. *Hilum* es la pequeña pieza o filamento que está sujeto al haba. Cuando se saca el haba de la vaina hay un pequeño filamento que se separa. La palabra *nihilum* significa, pues, originariamente, «ni el más pequeño filamento», «ni lo más mínimo».

Como se habrá podido observar, el origen de una lengua de cultura es un proceso muy complicado. En él aparecen y se cruzan los más diversos fenómenos parciales.

3.2.5. Préstamos de vocabulario celtas y germánicos
en latín

Debemos citar todavía la toma de algunos préstamos de vocabulario de lenguas con las que el latín no ha estado en muy estrecho contacto. Éstas son, en primer lugar, el celta y, luego, el germánico. Los préstamos procedentes del celta se introdujeron desde muy antiguo, en parte ya antes de la expansión del Imperio romano. Los préstamos germánicos, por el contrario, empezaron a introducirse en la época imperial tardía. De aquí que este apartado, desde el punto de vista cronológico, represente un paso para el siguiente capítulo. El contacto con el celta empezó, aproximadamente, hacia el 400 a. C. En esta época los celtas alcanzaron en Europa su más grande poderío. Avanzaron hacia Roma y la ocuparon casi por completo. Del celta tomó el latín una serie de palabras de cultura material más elevada, que se extendieron ampliamente y que habría que diferenciar de las palabras limitadas a la Galia, que, después de conquistada ésta por los romanos, penetraron en el latín hablado de aquella región y, de ahí, en el francés y occitano actuales. Los dos dominios más importantes de esta cultura material más elevada, de la que el latín recibió préstamos, son la técnica de la confección de vestidos y de la fabricación de utensilios de madera.

De entre los vestidos podemos citar los siguientes: *braca* «pantalón», palabra que sigue existiendo en el fr. *braie* e it. del norte *braga*; *camisia* «camisa»; *sagum* o *saga*, una especie de capa o de túnica; de aquí se deriva el esp. *el sayo*, fr. *la saie*. Del segundo dominio citado tenemos *carrus* «carro», con derivados en varias lenguas románicas, por ejemplo, fr. *char, charrette, chariot*; *benna*, un medio de transporte hecho de madera; _carpentum_ «tablado» y _cantus_ «llanta de una rueda». Quizá haya que mencionar aún una bebida embriagadora que fabricaban los galos: _cervesia_. La palabra existe en el esp. _cerveza_; también ha existido durante mucho tiempo en el francés como _cervoise_. Palabras celtas pasaron también al germánico en aquella época, es decir, en los últimos siglos a. C. De origen celta es, por ejemplo, el al. _Amt_, derivada de la forma más arcaica _ambaht_ (la forma más larga la encontramos todavía hoy en el holandés), así como la palabra _reich_, tanto el adjetivo como el sustantivo. La forma más antigua es /ri:ks/, alt. al. med. _rich_. En esta forma la palabra se ha conservado en muchos nombres alemanes. La etimología celta, por su parte, está emparentada con el lat. _rex_ «rey».

En los siglos III y IV d. C., antes de la invasión germánica propiamente dicha, penetraron esporádicamente en el latín hablado palabras germánicas. Esto se explica, sobre todo, por el hecho de que muchos germanos prestaban sus servicios en el ejército romano. No resulta siempre fácil distinguir el estrato germánico más antiguo de los préstamos posteriores de la época de las invasiones bárbaras. Un criterio importante lo constituye la expansión románica general, o casi general. En cambio, las palabras de la época de las invasiones sólo aparecen, generalmente, en determinadas regiones. Entre estas palabras románicas generales tenemos _riks_, citada hace poco, que ha dado el fr. _riche_; se impuso en su forma femenina porque el masculino tendría el sonido /ri/ o /rik/. También se encuentra en otras lenguas románicas, como en el it. _ricco_, esp. _rico_, etc.

A este estrato pertenece, igualmente, el adjetivo _frisk_, it. _fresco_, fr. _frais_, análogo al port. _fresco_, esp. _fresco_. La palabra existe incluso en sardo, _frisku_, que mantiene la _i_ de acuerdo con las leyes fonéticas de este idioma. Otro préstamo de vocabulario germánico es *sapo, -onis*, «jabón», pero, probablemente, la palabra alemana sea, a su vez, un préstamo del celta.

3.3. Innovaciones léxicas en el latín hablado de la época imperial

En la Historia, y también en la historia de la lengua, muy pocas veces encontramos límites temporales claramente definidos, sino, generalmente, sólo transiciones, cambios paulatinos. Si hablamos de una Época imperial, según la división tradicional de la Historia romana en Monarquía (del siglo VIII al 507 a. C.), República (del 507 al 31 a. C.) y Época Imperial (del 31 a. C. al 476 d. C.), es únicamente porque nos sirve como dato de referencia. Del mismo modo hablamos, por ejemplo, de francés antiguo, medio y moderno, por razones prácticas solamente y conscientes de que toda división temporal es siempre problemática, pero necesaria.

Habitualmente la Época Imperial no se empieza con el poderío autocrático de César, de cuyo nombre propio procede al nombre del mes de Julio y el concepto alemán de *Kaiser*, sino con la victoria definitiva de Octavio sobre Antonio (año 31 a. C.). Octavio recibió en el año 27 el título honorífico de *Augustus* «el sublime», «el venerable», de donde procede el nombre del mes de Agosto, que reemplazó al concepto, puramente numeral, *Sextilis*. Durante el gobierno de Caracalla se otorgó la ciudadanía romana a todos los habitantes del Imperio romano (212 d. C.); con esta equiparación de todos los ciudadanos se relaciona el cambio semántico de la palabra *romanus* y la aparición del concepto *Romania* [6]. Mientras la parte oriental del Imperio se mantuvo más tiempo y, en el siglo VI, incluso se extendió a Italia, la parte occidental terminó por crisis internas y la irrupción de pueblos extranjeros, especialmente germánicos, al producirse la destitución de Rómulo Augústulo en el año 476.

Las innovaciones en el léxico que se producen en esta época, es decir, desde el siglo I al siglo V, aproximadamente, son de tan diferente naturaleza que sólo puedo seleccionar aquí los fenómenos más importantes: la *transformación* del léxico del latín *hablado*, la introducción, con la llegada del *Cristianismo*, de nuevos préstamos procedentes del griego, el enriquecimiento por medio de *palabras del sustrato* (un largo proceso que ya había comenzado en el siglo III a. C., sobre el que aquí no quiero profundizar debido a su aparición limitada a determinadas regiones) y, finalmente, la *diferenciación regional* del léxico, en la que juegan un importante papel los factores geográficos, pero a la que contribuyeron también las palabras del sustrato prerrománico, entre otras, y sobre todo, las *palabras del superestrato* germánicas, eslavas y árabes. En el capítulo siguiente (3.4.) estudiaremos la diferenciación regional debida a su relación con las palabras del superestrato.

Por último, quisiera hacer notar que muchas de las palabras citadas a continuación aparecen en textos latinos escritos en época imperial o en los decenios siguientes, mientras que otras no aparecen escritas todavía, pero debieron haber

---

[6] Cf. Curtius, E. R., *Europäische Literatur und lateinisches Mittelalter*, Berna-Munich, 1961³, págs. 40-42; Tagliavini, Carlo, *Le origini delle lingue neolatine*, Bolonia, 1964⁴, págs. 119-128. Sobre el concepto *Romania* tenemos citas de época anterior, como refiere Tagliavini en la pág. 126; cf. Curtius, *o. c.*, pág. 41, n. 1.

existido ya en esta época, de acuerdo con las variantes medievales y actuales del latín hablado.

3.3.1. SIMPLIFICACIÓN DEL LÉXICO

El fenómeno más importante del latín hablado en la época imperial no es el préstamo, sino la transformación interna. Consiste ésta, sobre todo, en una simplificación del léxico, en comparación con la lengua literaria clásica y, posiblemente, también frente al latín hablado de la época de Cicerón. Mientras que la lengua culta clásica muestra, por ejemplo, muchas denominaciones en una esfera conceptual, se produce en el latín hablado, o una reducción, de suerte que con las palabras de significado semejante se pierden también las diferencias semánticas, o una ampliación del significado de una palabra de la lengua popular. Así, por ejemplo, se dice, para *urbs* «ciudad como conjunto de edificios», *civitas*, con el significado propio de «ciudadanía, habitantes de una ciudad». La diferencia desaparece, pues *civitas* significa tanto la ciudad como los ciudadanos en la lengua popular. En lugar de *vir* se dice *homo*, con lo que desaparece la diferencia entre «hombre» y «persona». De modo análogo, *equus* «caballo de montar» es sustituido por *caballus*, palabra que procede del latín hablado más antiguo y que, en realidad, sólo designa al caballo doméstico, pero que se convierte en un concepto general. Igualmente, la lengua hablada reemplaza *ignis* «fuego» por *focus*, propiamente «hogar, fuego del hogar», y *ager* por *campus*.

Con frecuencia debemos señalar, tanto en el plano morfológico como en el léxico (los dos son inseparables aquí), la tendencia a eliminar verbos irregulares y sustantivos irregulares, es decir, aislados. Esta simplificación de formas y palabras significa también una economía para la memoria: es más fácil retener palabras y formas que se han conservado por analogía, que acordarse de palabras y formas aisladas. Así tenemos, por ejemplo, el adverbio *longe*, en lugar del aislado *procul* «lejos»; el compuesto *sanguisuga*, que se ha conservado por *sanguis* «sangre» y *sugare* «chupar», en lugar de *hirido* «sanguijuela». Muchos de los verbos irregulares son reemplazados por verbos de la conjugación en *-are*, que, en parte, existe ya en el latín clásico:

canere — *cantare* (de *cantus*, participio de *canere*)
gignere — *generare* (de *genus*, *generis*)
metiri — *mensurare* (de *mensura*, sustantivo verbal)
ludere — *iocare* (de *iocus*)
serere — *seminare* (de *semen*)
ferre — *portare*
vincire — *ligare*
fari
loqui } — *fabulare* y *parabolare*.

En los sustantivos encontramos la tendencia a la declinación de los temas en *o* y en *a*, de los que ya hemos presentado algunos ejemplos. La tendencia a la eliminación de la irregularidad aparece con especial claridad en palabras como *iter*, *itineris* e *iecur*, *iecineris*, con el cambio de *r* y *n* heredado del indoeuropeo. La palabra *iter* es sustituida por *via*, *strata* y, en fecha posterior, por **camminus*; en lugar de *iecur* «hígado» aparece *ficatum*, que tiene dos pronunciaciones diferentes:

ficatum > it. *fégato*, port. *fígado*, esp. *hígado*, fr. *foie*.
ficátum > rum. *ficát*, sa. del sur *figáu*, eng. *fió*.

De influencia griega es el hecho de que *ficatum* «(hígado) relleno de higos» haya sustituido a la antigua palabra irregular[7].

En los verbos encontramos el caso especial de que una palabra irregular no desaparezca del todo, sino que esté sustituida sólo parcialmente por palabras y formas regulares. Ejemplos conocidos son *velle*, *posse* y *esse*, cuyos infinitivos serían **volere*, **potere* y *essere*, pero sin que se haya producido una total regularización. Algunas lenguas románicas han mantenido irregularmente, entre otras, la primera persona *possum*. También la 3.ª persona de *velle*, *vult*, existe todavía, como, por ejemplo, en el románico del Cantón de los Grisones. Palabras para «ir» encontramos en la lengua clásica *ire*, *vadere*, *meare*, *gradi* y *ambulare*, escasamente atestiguado y, evidentemente, más propio de la lengua popular. De estas palabras han desaparecido dos; las otras tres (*ire*, *vadere* y *ambulare*) siguen existiendo en diferentes regiones.

También encontramos en los numerales una clara tendencia a la regularidad. Las denominaciones para los números básicos del 1-10 se han mantenido en todas partes. En los números del 10-20 la cosa es más complicada. Ante todo, debemos exceptuar al rumano, que ha modificado ampliamente su sistema numeral del 10 en adelante. En lo que respecta a las restantes lenguas románicas, los números del 11 al 15 se mantienen en todas partes, lo cual equivale a decir que de los números 1 al 15 sólo se han producido cambios en el rumano. En el número 16 las lenguas occidentales han seguido caminos diferentes: el lat. *sēdecim* se ha conservado en italiano y francés, pero ha sido modi-

---

[7] Rohlfs, Gerhard, *Die lexikalische Differenzierung der romanischen Sprachen. Versuch einer romanischen Wortgeographie*, Munich, 1954, págs. 18-19.

ficado en español y portugués. En cambio, los números del 17-19 han sido modificados en todas partes. Esto quiere decir, pues, que ya no vuelve a aparecer *septendecim*, sino que tenemos, en general, la estructura inversa, *decem septem*. Es bastante incierto cómo se produjo el cambio. Las lenguas románicas recorrieron, al parecer, caminos diferentes. No está suficientemente claro si era simplemente *decem septem*, o *decem et septem*, o incluso *decem ad septem*. Algo parecido ocurre con 18 y 19, *duodeviginti* y *undeviginti*. Estos numerales que caen fuera del sistema, es decir, los números del veinte hacia atrás, no se han conservado en ninguna lengua románica. Posiblemente la lengua popular había perdido ya estos numerales antes de la época imperial. En ella tenemos también *decem octo* y *decem novem*, en los que *et* o *ad* pudieron haber servido de enlace entre los dos números. Lo mismo puede decirse de 28, 29 (*duodetriginta* y *undetriginta*) e igualmente del octavo y noveno en relación con los demás números de la decena.

3.3.2. Desaparición de palabras cortas o sustitución por derivados

Hay otra tendencia que podríamos formular de la siguiente manera: las palabras tienden no a abreviarse, sino a alargarse. Mientras que las palabras más largas se conservan en su mayoría, muchas palabras cortas, o bien son eliminadas (como *rus* «campo», sustituida por *campania*), o bien se alargan por derivados de la misma raíz. En la sustitución de *fari* «hablar» por *fabulare* encontramos tanto la tendencia, expuesta más arriba, a la simplificación por eliminación de la irregularidad, como la tendencia al alargamiento por derivación. A este último grupo pertenece, por ejemplo, *hiems* «invierno», que ha sido sustituido por el derivado *hibernus*, posiblemente a través del compuesto *hibernum tempus*, con desaparición posterior de *tempus*. Con frecuencia, sobre todo en los sustantivos, la forma del diminutivo sustituyó a la palabra simple. Para la palabra *acus* «aguja» tenemos el diminutivo *acucula*, que aparece en fr. *aiguille*, en esp. *aguja*, port. *agulha*. La palabra para «giba, pomo u ombligo», *umbo*, es sustituida por *umbilicus* y *auris* «oreja» por *auricula*. De estas palabras, *acus* sigue existiendo en una parte de la Romania; *acucula* no ha podido imponerse del todo, mientras que *umbo* y *auris* han desaparecido por completo. La palabra para «rodilla», *genu*, neutro de los temas en *u*, ha sido sustituida por *geniculum* (forma atestiguada). Hay que hacer notar que las palabras románicas para «rodilla» no exigen partir de *geniculum*, sino de **genuculum*. Por el it. *ginocchio*, el fr. ant. *genoil*, etcétera, deducimos que la palabra *genuculum* debió haber existido en la lengua latina popular. La palabra no está atestiguada, pero *geniculum*, que sí lo está, no puede ser, por razones fonéticas, la forma precedente de nuestras palabras románicas. El «miembro» ya no se decía en el lenguaje popular *artus, -us*, sino *articulus*; para «uña» ya no se decía *unguis*, sino *ungula*; *circus* «círculo» es sustituido por *circulus*; *agnus* «cordero» por *agnellus*. Bien es verdad que también existe aquí una excepción; hay un pequeño territorio, una parte del sur de Italia, donde esta palabra se ha conservado todavía y donde, incluso, existe la antigua relación entre el simple y el diminutivo. En lucanés la palabra para «cordero» es /*ájənə*/, mientras que la forma diminutiva es /*ainíəddə*/. En el resto de la Romania aparece, o bien *agnellus*, como en el it. *agnello*, fr. *agneau*, o bien una palabra totalmente diferente, como en la Península Ibérica.

Formaciones de diminutivos análogas tenemos no sólo para sustantivos, sino, ocasionalmente, para adjetivos e incluso para verbos: de *novus* se ha formado *novellus*, pero este diminutivo ha podido imponerse sólo en partes de la Romania. *Novus* se ha mantenido en general de una u otra forma. Con esto se relaciona la sustitución de un diminutivo por otro, como la del diminutivo *-ulus* por *-ellus*. Así tenemos el lat. *vitulus*, que es ya una palabra normal, sustituido por *vitellus*. Pero si analizamos la relación de estos dos sufijos de diminutivos en el sentido de la evolución completa de la lengua, podemos decir que el diminutivo en *-ellus* tiene un cuerpo fónico más fuerte, consta de una sílaba átona y otra tónica, mientras que el en *-ulus* consta de dos sílabas átonas. Esta misma tendencia, que lleva a la sustitución de un simple por su diminutivo, es la responsable también de la sustitución de un sufijo diminutivo, *-ulus*, por otro más fuerte, *-ellus*. Igual puede decirse de *fabulare* y **fabellare*. *Fabulare* sigue existiendo en la Península Ibérica, en esp. *hablar*, port. *falar*; *fabellare*, en friu. *fevelâ* y en log. *fueddare*.

3.3.3. Otros cambios

Con las tendencias a la simplificación y al alargamiento no se han citado, naturalmente, todos los factores que juegan un papel en la transformación del vocabulario del latín hablado. Intervienen también otros factores. Así, por ejemplo, si consideramos la serie *edere-comedere-manducare*, podemos determinar, por un lado, la tendencia, con *comedere*, al alargamiento (en este caso por medio de un prefijo), pero, por otro, la tendencia a una palabra más fuerte, más expresiva, o a una expresión más basta. *Comedere* significa, originariamente, «comer del todo». Se ha conservado en el esp. y port. *comer*. Por su parte, esta palabra ha sido substituida por *manducare* (> fr. *manger* > it. *mangiare*), con lo que vemos, de manera más clara, la tendencia que hemos dicho, ya que significaba en un principio «masticar, devorar por completo». Se remonta al sustantivo *manducus*, «el glotón», una figura de la antigua comedia.

La tendencia a la palabra más expresiva se muestra también en el ejemplo de la serie *flere* «llorar» — *plorare* «sollozar en voz alta» — *plangere* «golpearse el pecho» (en aquel tiempo, un gesto de profunda tristeza), que pervive en el it. *piangere*.

Son muy frecuentes las concretizaciones de un abstracto. Así, la palabra latina *exemplum* «ejemplo», a través del significado «matanza ejemplar», da el it. *scempio* «baño de sangre».

Aún debemos añadir que en la evolución del latín hablado han desaparecido muchas conjunciones, como *cum*, *sed*, *ut*, o sólo se han conservado en algunas zonas arcaicas marginales. Otras, en cambio, siguen existiendo tan vivas como antes, por ejemplo, *et* y *quod*.

Frente a la tendencia a la simplificación, que muchas veces origina una reducción, se opone, como fenómeno complementario, el *enriquecimiento* del vocabulario por nuevas relaciones culturales. Se eliminan la mayoría de las palabras nuevas en el dominio secular, pero sólo las más antiguas, como hemos visto con el ejemplo de *ficatum*. Pueden haberse acomodado mejor a las necesidades de comunicación de entonces, pero no efectuaron ningún enriquecimiento, sino propiamente sólo una sustitución. Esto las diferencia de aquellas palabras que han llegado a la lengua popular a través del **Cristianismo**.

3.3.4. Consecuencias léxicas de la Cristianización

El último fenómeno histórico-cultural importante durante los tiempos del Imperio es la Cristianización. La lengua de los cristianos fue, durante los primeros siglos, la lengua especial de *una* comunidad religiosa dentro del Imperio, en el que, además de la religión oficial romana, se habían extendido ampliamente en los últimos tiempos otras religiones procedentes del Oriente. Algunos investigadores holandeses, sobre todo, han demostrado últimamente que la lengua de los cristianos constituía una *lengua especial* y que su vocabulario había penetrado en el uso general del latín hablado. Por esta razón hablo de un «latín cristiano» [8]. Existen ampliaciones de significado de palabras autóctonas que se remontan al Cristianismo, como, por ejemplo, *saeculum*, con el nuevo significado complementario de «mundo terrestre», *paganus* «pagano» y *communicare*, con el significado de «tomar y recibir la comunión». Pero más importantes son los *préstamos* procedentes del griego. Por la historia misma del Cristianismo se explica el que la terminología cristiana especializada en el latín sea, sobre todo, de origen griego. El Cristianismo se extendió, primeramente, desde Palestina a territorios de habla griega en su mayor parte, luego pasó al oeste del Imperio con los invasores de habla griega procedentes del este, para llegar, paulatinamente, hasta el hablante de la zona cuya lengua madre era el latín.

Del mismo modo que el latín hablado y la lengua literaria han tomado desde los tiempos más primitivos palabras del vocabulario griego, también el latín cristiano recibió

---

[8] Sobre la cuestión de la «lengua especial» cf. Mohrmann, Ch., «Le latin commun et le latin des chrétiens», en *Vigiliae Christianae*, I (1947).

tanto préstamos directos, esto es, palabras griegas en calidad de préstamos de vocabulario, como indirectamente am-
plió su sistema conceptual por medio de préstamos de formación y semánticos [9].

3.3.5. PRÉSTAMOS DE VOCABULARIO GRIEGOS EN EL LATÍN CRISTIANO

Son características del préstamo directo de palabras
griegas las denominaciones del edificio para el culto cristiano. No se toma *templum,* por estar asociada esta palabra
a muchas ideas paganas, sino que, en su lugar, se usaron
las gr. ἐκκλησία y βασιλική. Al principio, *ecclesia* designaba la asamblea en general, luego la asamblea de las comunidades cristianas y, por último, el lugar en donde se reunía
la asamblea de los creyentes. Más tarde pasó a designar
toda la organización cristiana. La palabra *basilica,* que, a
través del adjetivo βασιλικός, se remonta al gr. βασιλεύς
«rey, señor», es un adjetivo, como el lat. *dominicus,* y
designaba, pues, «lo perteneciente al Señor», la «casa
del Señor». (Habría que citar, como complemento, *domus*
«casa».)

Dentro del vocabulario del ritual cristiano encontramos
palabras como:

baptizare < gr. βαπτίζειν, palabra que ha pasado a todas
las lenguas romances;

liturgia significaba en el griego precristiano «servicio» y
pasa a las comunidades latinas cristianas como término

---

[9] Sobre este tema los trabajos más importantes son los de Mohrmann, Ch., «Les emprunts grecs dans la latinité chrétienne», en
Vigiliae Christianae, 4, 1950, págs. 193-211; Tagliavini, C., *Storia di
parole pagane e cristiane attraverso i tempi,* Brescia, 1963. Este último
contiene una serie de historias de palabras aisladas, sobre todo del
dominio eclesiástico.

cristiano especializado; algo parecido ocurre con *homilia*, palabra que originariamente significa «asamblea», pero luego también «discurso, sermón», que, a su vez, vuelve a la lengua común, de tal forma que el verbo (ὁ)μιλεῖν de la misma raíz ha pasado a ser el verbo normal en griego moderno para «hablar».

Algo parecido ocurre en el dominio de las lenguas románicas con la palabra *parabolare* < *parabola* «comparación», que se ha conservado en el it. *parlare* y fr. *parler* con el significado de «hablar».

También son de origen griego los nombres de la jerarquía eclesiástica como:

papa < gr. πάπας «obispo» (desde el siglo VI el lat. *papa* se limita, cada vez más, al obispo de Roma y desde el siglo IX lo designa sólo a él como el «Papa» de más alto rango; con ello se refleja la creciente centralización de la Historia de la Iglesia);

presbyter < gr. πρεσβύτερος «el más viejo», pasa a tener el significado de «dignatario eclesiástico de bajo rango»;

episcopus, propiamente, «inspector», que ha evolucionado del significado de «inspector de un grupo de creyentes» al de «obispo»;

diaconus «servidor» pasa a significar «ayudante del párroco»;

párochus «párroco» se ha formado según *parochia*, gr. παροικία; esta palabra evolucionó del concepto de «vecindad» al de «comunidad» en sentido político o histórico-colonial, y recibió luego el significado especial de «comunidad religiosa cristiana»; de aquí procede el derivado *parochus*, que, a diferencia de *parochia*, no tenía todavía en la época imperial el sentido actual de «director de una *parochia*»;

monacus «monje» < gr. μοναχός «ermitaño»; en esta palabra encontramos como componente μόνος «solo, único»; el modo de formación de la palabra griega, sin embargo, no está claro, porque también es dudoso el origen del anacoretismo (Egipto o Siria); sólo bastante después, siguiendo el ejemplo del copto Pacomio, varios ermitaños se reunieron para servir a Dios en un lugar común, el *monasterium*; el significado de «monje» en lugar de «eremita» surgió un poco antes, o en los tiempos de S. Benito, fundador del monacato occidental;

eremita «ermitaño» procede del adjetivo ἔρημος «desierto»; designa, pues, originariamente, al que vive en el desierto.

Éstos han sido sólo unos ejemplos de palabras tomadas del vocabulario griego. En otra serie de casos el griego fue solamente la lengua intermedia de palabras que, a su vez, habían sido tomadas del arameo. En tiempos de Jesucristo el arameo era la lengua popular común de Palestina; el hebreo era, sobre todo, la lengua del culto, y el griego la lengua culta occidental por excelencia. A través del griego llegó, por ejemplo, el aram. *abbā*, originariamente «padre», que, por medio de la terminación corriente -*s* del nominativo de los nombres masculinos, dio el gr. ἄββας, de donde el lat. *abbas, -atis*, fr. *abbé*, it. *abate*. Otras palabras existentes todavía en las lenguas románicas son:

hebr. ʃabbât > gr. σάββατον > lat. *sabbatum*;

aram. pashā > gr. πάσχα > lat. *pascha, pascua* > it. *Pasqua*, esp. *Pascua*, fr. *Pâques*.

La forma hebrea correspondiente era *pesah, passah*. Con esto vemos que el préstamo no se remonta al hebreo, sino al arameo.

3.3.6. Préstamos de formación y semánticos en el latín
cristiano, según el modelo griego

El hebreo conoce ya la invocación «Señor» en lugar del
nombre de Dios. Análogo al hebr. *adonai*, los cristianos de
habla griega decían Κύριος, los de habla latina *Dominus*,
cuyo significado volvemos a encontrar en el al. *Herr*, ing.
Lord, fr. mod. *Seigneur*. Esta exacta reproducción continúa
todavía. El compuesto al. *Herrgott* «señor Dios» corresponde al fr. ant. *Damedeu*, así como al rum. *Dumnezeu* (palabra
normal para «Dios»). La base de todo esto está en el vocativo *Domine Deo*. La difusión se debe a una amplia dispersión de este vocativo en la Cristiandad latina.

El préstamo de traducción de una palabra griega se encuentra también en el lat. *benedicere*, que se ha formado
según el gr. εὐλογεῖν (εὖ = *bene*, λογεῖν = *dicere*). Incluso
la palabra griega para «bendecir» es griega sólo en la forma.
Su significado lo ha sacado del hebr. *berah* «bendecir», cuya
raíz encontramos en el nombre hebreo *Baruch* «el bende-
cido».

El lat. *baptizare* «bautizar» no es, naturalmente, un préstamo de formación, sino de vocabulario (gr. βάπτω o βαπτίζω
«yo sumerjo», con el significado religioso de «yo te bautizo»,
según el hebr. *taval*). El préstamo semántico «bautizar»,
además de en *baptizare*, existe también en *tingere*, primitivamente «mojar, humedecer». Se encuentra atestiguado en
escritores africanos como Tertuliano y Lactancio. No se ha
impuesto del todo, pero sigue aún existiendo en los dialectos
sicilianos y de Calabria como participio adjetivado *tintu*
«malo», sobre todo en la expresión *tintu e male vatiatu*, «malo
y mal bautizado». En África del norte *tingere* llegó a ser un
término utilizado por los herejes, en cambio la lengua oficial

de la Iglesia usó desde el primer momento *baptizare*. Así se explica cómo pudo desarrollarse el significado peyorativo de *tintu* en Sicilia y en el sur de Italia.

3.3.7. Diferencia entre préstamo de vocabulario y préstamo de formación

Si en una determinada circunstancia encontramos estas dos posibilidades, la del préstamo de una palabra extranjera o la de su reproducción a partir de un material propio, la decisión no siempre es un acto de libre voluntad. Con mucha frecuencia se ha tomado en un principio la palabra extranjera como préstamo de vocabulario, porque era más sencilla, pero posteriormente, si todavía no se había generalizado con demasiada solidez, se sustituía por una expresión autóctona. En consecuencia, nos encontramos, dentro de la zona lingüística que toma la palabra, con una diferencia entre el préstamo de vocabulario y el préstamo de formación. Este caso se puede atestiguar fácilmente con ejemplos latinos, como el de la palabra para *semana*. Los romanos no conocían aún este concepto. Contaban por días, meses y años, así como por un ciclo de nueve días, el *nundinum*. Todavía hoy podemos conocer por diversas coincidencias que el ciclo de siete días fue adoptado en el calendario romano. Al dividir el año en doce meses y el mes en días no queda ningún hueco; en cambio, no se puede dividir un año o un mes en semanas. La división en semanas es totalmente independiente de la división en meses y años; es un ciclo autónomo de siete días. El concepto de semana procede del Oriente. Los griegos lo tomaron, aunque con un préstamo de formación propio, ἑβδομάς, que significa literalmente «el número siete», «el número de siete días». El acusativo de esta palabra era ἑβδομάδα. En ambos casos vemos las terminaciones -άς y -αδα que volvemos a encontrar, por ejemplo, en palabras alemanas de origen extranjero como *Trias, Dekade.* Los romanos tomaron en principio las dos formas, el nominativo *hebdomas* y el acusativo *hebdomada.* Pero posteriormente las clases superiores bilingües crearon un calco, *septimana,* a partir del ordinal *septimus* y del sufijo tónico *-anus, -a, -um,* es decir, según el mismo modelo de derivación de *hebdomás* a partir de *hébdomos.* La diferencia entre las tres formas, entre *hebdomas* y *hebdomada* tomadas directamente y el préstamo de formación *septimana,* se puede ver todavía en la Romania:

hebdomada:	fr. ant.	*domée*
	vén.	*domada*
hebdomas:	cor.	*édima* < tosc. *edima* (florent. 1284)
	eng.	*eivna*
	sobres.	*jamna*
septimana:	fr.	*semaine*
	it.	*settimana*
	esp.	*semana*
	port.	*semana*
	rum.	*săptămînă.*

La existencia de tantas formas (y de otras muchas) ha sido correctamente observada en los últimos años. Una recopilación de citas se encuentra en: H. J. Frey, *Per la posizione lessicale dei dialetti veneti,* Venecia, 1962, págs. 32-38.

En este trabajo se discuten también las cuestiones relacionadas con *hebdomas, hebdomada* y su aparición en el centro y norte de Italia, así como en la zona de los Alpes. Citas de tiempos más antiguos para estos préstamos de vocabulario hay también en Francia e, incluso, en la Penín-

sula Ibérica. De aquí deducimos que el préstamo de fór-
mación *septimana* se extendió más después de la época
imperial, que durante ella.

3.4. DIFERENCIACIÓN REGIONAL

Del estudio de las innovaciones léxicas durante la época
del Imperio pasamos ahora a otro fenómeno. Temporalmente es más extenso; empieza ya antes del nacimiento
de Cristo, con la expansión del latín hablado por todas las
provincias romanas y, en parte, continúa hasta hoy. Me
estoy refiriendo a la diferenciación regional del latín hablado, fenómeno de una diversidad y dispersión cada vez
mayor, al hecho de que las variantes del latín hablado
se hayan diferenciado cada vez más. El resultado de esta
separación progresiva es la existencia de muchos idiomas
románicos diferentes.

3.4.1. RAZONES Y TESTIMONIOS DE LA DIFERENCIACIÓN REGIONAL

La diferenciación regional se debe a varias razones. Una
de ellas reside en el hecho de que durante la romanización
de un territorio la lengua que en él se hablaba había desaparecido, pero dejando algunas huellas en el latín que en
esa zona se hablaba. Llamamos *sustrato* a la totalidad de las
huellas de las lenguas desaparecidas; así, por ejemplo,
existe un sustrato paleosardo en el sardo y un sustrato
celta en el francés. En esto no vamos a profundizar. El
sustrato correspondiente tiene, indudablemente, una cierta
importancia para la diferenciación regional, pero hay otros
factores más importantes.

Ante todo, el más importante es la *expansión de las innovaciones lingüísticas* en determinadas zonas, mientras que otras han conservado, relativamente bien, estados lingüísticos más antiguos.

Otro factor más significativo es la influencia del *superestrato* a partir del siglo IV hasta el siglo X, aproximadamente, es decir, la influencia de la totalidad de los restos de la lengua de un pueblo conquistador sobre la lengua del pueblo dominado (durante muchos decenios o, incluso, siglos). También el correspondiente superestrato, por ejemplo, franco o árabe, contribuyó en gran manera a la diversidad regional del latín hablado y, con ello, a la posterior separación, al menos en el terreno que aquí nos interesa, el léxico.

En los testimonios latinos escritos de los primeros siglos d. C. apenas encontramos diferencias regionales. La lengua literaria y la lengua de los documentos oficiales era prácticamente unitaria. Lo mismo puede decirse de las numerosas inscripciones existentes, como las inscripciones funerarias. Quien hacía las inscripciones debía conocer la escritura, es decir, debía poseer un cierto grado de cultura. Por otra parte, los representantes de tales profesiones iban, con toda facilidad, de una provincia a otra del Imperio. Una inscripción en una tumba del sur de España no quiere decir, necesariamente, que también el autor de la inscripción proceda realmente del sur de España. Como testimonios antiguos dignos de confianza sobre las diferencias regionales pueden servir solamente algunas referencias de escritores contemporáneos, como, por ejemplo, frases expresas de Plinio sobre si tal o cual palabra era celta o ibérica, etc.

Por esta razón contamos casi exclusivamente con los testimonios ulteriores: los de las lenguas románicas de la Edad Media y actuales. Por la repartición de las palabras en estas lenguas podemos sacar conclusiones sobre la distribución en los primeros siglos d. C.

3.4.2. EJEMPLOS DE DIFERENCIAS TERRITORIALES

«La casa es grande» se dice en esp., it. y port.:

$$
\left.\begin{array}{l}
\text{it. } la \\
\text{port. } a \\
\text{esp. } la
\end{array}\right\} casa \left\{\begin{array}{l}
è \\
é \\
es
\end{array}\right\} grande.
$$

Palabras parecidas poseen el retorrománico, catalán, occitano (provenzal) e, incluso, el francés. Sólo el nombre de la «casa» constituye una excepción. En cambio, la variante logudoresa del sardo muestra tres diferencias llamativas: *sa domo es manna.*

Únicamente el lat. *est* se ha conservado en todas partes, las demás palabras son diferentes: *sa* < lat. *ipsa* (no *illa*, de donde formó el artículo casi toda la Romania), *domo* < lat. *domus* (por lo demás, generalmente, *casa*), *manna* < lat. *magna.* Para «grande» el latín poseía dos palabras de escasa diferencia semántica: *magnus* y *grandis.* Sólo la isla de Cerdeña ha conservado *magnus* y ha perdido *grandis*; todos los demás países románicos (a excepción de Rumanía), por el contrario, han generalizado *grandis* y han perdido *magnus* [10].

Un caso paralelo es la conservación del lat. *scire* en Cerdeña, además de en Rumanía. Todo el resto de la Romania expresa el concepto de «saber» con *sápere* o *sapére.* ¿Reflejan los continuadores de *scire* una fase más antigua que

---

[10] Hay que exceptuar nombres propios de personas, como *Carolus Magnus* > *Charlemagne*, así como compuestos del tipo *tammagnus* > esp. *tamaño.*

los de *sapere*? Podemos suponerlo, pero hay que añadir que *sapere* puede poseer ya desde la época de Plauto el significado de «saber». En el ejemplo, ya citado, *domus/casa*, en cambio, *domus* es, con toda seguridad, la fase más antigua y *casa* la más reciente.

En otros casos el sardo no coincide con el rumano, pero sí con los dialectos arcaicos del sur de Italia, como, por ejemplo, en la denominación de «mañana» (lat. *cras*). En sardo la palabra es *kras*, en lucanés *krai*. La *-s* final en las palabras monosilábicas se convierte, según las leyes fonéticas, en *i*. Las demás lenguas romances tienen formas nuevas, relacionadas con el lat. *mane* (propiamente, «por la mañana», no «mañana», en el sentido de «al día siguiente»): rum. *mîine*, it. *domani*, sobres. *damaun*, fr. *demain*, cat. *demà*. La forma rumana se aproxima bastante a *mane*, las otras cuatro palabras se remontan a una creación posterior: al compuesto *de + mane*. En el esp. *mañana*, port. *amanhã*, encontramos *mane* y un elemento que no podemos determinar con exactitud, pero que quizá sea el sufijo *-anus*, en su forma femenina *-ana* [11]. En este ejemplo podemos decir que la fase más antigua, *cras*, sólo se ha conservado en Cerdeña y en el sur de Italia. Para la conservación de arcaísmos exclusiva o casi exclusivamente en el sardo, en especial en el sardo central, se pueden aducir numerosos ejemplos. Sólo doy aquí *latus* < lat. *latus*, *opus* < lat. *opus* y *edu* < lat. *haedus*.

A veces el estado más antiguo no se ha mantenido en áreas relegadas, lejos de las vías de comunicación, sino más bien en territorios muy extendidos. Desde Italia hasta Portugal, pasando por Francia, se ha conservado, por ejemplo,

---

[11] Cf. Rohlfs, G., *Die lexikalische Differenzierung der romanischen Sprachen*, pág. 33 y mapa 16.

mensis «mes». Solamente en Rumanía se ha impuesto, como palabra fundamental, una innovación, *lună*, con este sentido figurado. Del mismo modo, el lat. *frigidus*, por ejemplo, se vuelve a encontrar en it. *freddo*, fr. *froid*, esp. *frío*. En rumano, en cambio, «frío» se dice *rece*.

Si consideramos la palabra para «haber», en el sentido de «poseer, tener en las manos» (en oposición a «haber», verbo auxiliar), podemos ver la conservación de la fase más antigua (*habere*) en una gran parte de la Romania: fr. *avoir*, occ. *aver*, sobres. *haver*, it. *avere*. Esta parte incluye también a Rumanía: rum. *avea*. En cambio, otros idiomas románicos muestran la innovación *tenere*: port. *tẽr*, esp. *tener*[12], cat. *tenir*, sa. (log.) *ténnere*, it. del sur *təné*. Esta oposición se puede expresar perfectamente en categorías espaciales si establecemos, a lo largo de toda la Romania, el siguiente corte: todo el noreste mantiene la fase más antigua, mientras que el suroeste muestra una fase más reciente. ¿La sustitución de *habere* por *tenere* estaría relacionada con la dominación española en Cerdeña y sur de Italia durante la Edad Media tardía y comienzo de la Edad Moderna? Es poco probable. Esta diferencia entre el suroeste y el noreste, más bien, se ha realizado antes, pero cuándo y por qué, no lo sabemos.

Así fue cómo se diferenció el suroeste del noreste. Hay otros casos en que podemos separar el Norte del Sur, como en la palabra para «sol». En el Sur sigue existiendo *sol*

---

12 En el español anterior al siglo XVI, además de *tener*, que designaba la posesión duradera, existía también *haber*; éste tenía un significado incoativo («empezar a tener», «mantener»). Durante el siglo XVI ambos verbos eran casi *sinónimos*; tener era superior, pero haber se mantuvo por la reacción literaria latinizante; es a principios del siglo XVII cuando tener se impone definitivamente y haber pasa a ser verbo auxiliar, que posteriormente se generalizó en esta función; cf. R. Lapesa, *Historia de la lengua española*, Madrid, 1955³, cap. XIII.

(it. *sole*, port., esp. y cat. *sol*, rum. *soare*); en el Norte, en cambio, encontramos un diminutivo más tardío: *soliculus* (fr. *soleil*, sobres. *sulegl*, bajo eng. *sulai*, friul. *soreli*). En el provenzal antiguo coexisten las dos palabras: *sol* y *solelh*. No hay una explicación generalmente admitida de esta oposición Norte-Sur.

Es interesante el que podamos explicar con mayor facilidad otra fragmentación de la Romania, mucho más frecuente y más complicada. De nuevo se trata de dos zonas: la una forma un bloque central compacto, la otra consta de dos partes bastante alejadas entre sí. Una fragmentación de este tipo se puede encontrar con frecuencia, por ejemplo, en el adverbio comparativo (lat. *magis* o *plus*) que ya aparecía, de vez en cuando, en el latín clásico en sintagmas analíticos (*magis arduus* «más escarpado», *magis idoneus* «más apto»). Para «más fuerte» encontramos expresiones como:

port.	*mais forte* [13]
esp.	*más fuerte*
cat.	*més fort*
prov. ant.	*mais fortz, plus fortz*
fr.	*plus fort*
sobres.	*pli ferm(s)*
sa.	*prus forte > prufforte*
it.	*più forte*
rum.	*mai foarte*.

Mientras en el centro de la Romania eran de esperar semejanzas, sorprenden, en la comparación de estas formas, las coincidencias entre el límite occidental y oriental de la

---

[13] En portugués antiguo tenemos también *chus < plus*.

Romania, entre la Península Ibérica y Rumanía. Otro ejemplo lo ofrece la palabra para «bello»:

port.	*formoso*
esp.	*hermoso*
cat.	*furmos, bell*
occ.	*bel*
fr.	*beau* (fem. *belle*)
sobres.	*bi, bials* (fem. *biala*)
it.	*bello, -a*
rum.	*frumos.*

De nuevo podemos diferenciar dos zonas: la zona de la palabra *formosus*, que esporádicamente había aparecido ya en la literatura clásica y que había reemplazado totalmente a *pulcher*, y la zona de la innovación más reciente *bellus*. En este caso, naturalmente, los límites no están al norte, sino al sur de los Pirineos, no en el occitano, sino en el catalán. Pero en *ambos* casos la Península Ibérica y Rumanía se oponen a un bloque compacto central. Esta división singular que, con ligeros cambios espaciales, se repite muchas veces, ha conducido, en los años veinte y principio de los treinta, a una teoría, producto de una escuela representada, sobre todo, por Italia, que hoy parece resultar todavía fructífera para la discusión lingüística. Es la teoría de la llamada **Neolingüística**.

3.4.3. EXPLICACIÓN DE LA DIFERENCIACIÓN REGIONAL POR LAS NORMAS ESPACIALES DE LA NEOLINGÜÍSTICA

La Neolingüística, al igual que el Estructuralismo, se opone a la vieja escuela de los Neogramáticos. Esta escuela trabajó, predominantemente, con el concepto de las leyes fonéticas y postulaba, tácita o explícitamente, que todos los dialectos románicos se habían desarrollado *in loco* desde la romanización: según sus ideas, los romanos habían llevado su lengua en cierto modo a cada pueblo y, en consecuencia, el dialecto correspondiente pudo desarrollarse por sí mismo e independientemente.

Los neolingüistas no comparten en absoluto esta opinión. Al contrario, ven la Romania como una unidad y no consideran aisladamente el desarrollo lingüístico, sino en sus relaciones espaciales. Por esto, consideran las lenguas más desde el punto de vista de la *expansión de las innovaciones lingüísticas* que desde el aspecto de las leyes fonéticas y regularidades morfológicas. Para ellos existen formas *más antiguas* y *más recientes* en el dominio fonético, morfológico y léxico. De aquí que diferencien entre arcaísmo e innovación, entre zonas que conservan estados lingüísticos más antiguos y zonas que muestran innovaciones lingüísticas. Uno de los neolingüistas más significativos es Matteo Bartoli [14].

Para el problema de las distintas clases de distribución espacial, la Neolingüística ha fijado las llamadas «normas» sacadas de la observación de los hechos lingüísticos [15]. Son normas *a posteriori*, leyes de probabilidad estadística; no son aplicables a todos los hechos histórico-lingüísticos, aunque sí a muchos. Entre éstas tenemos la *norma del área menos expuesta* (*area meno esposta*). Por ella entiende Bartoli

---

[14] Sus obras más importantes son: *Introduzione alla neolinguistica*, Ginebra y Florencia, 1925; *Saggi di linguistica spaziale*, Turín, 1945. Una visión de conjunto resumida la ofrecen: Bartoli, M., y Vidossi, G., *Lineamenti di linguistica spaziale*, Milán, 1943, especialmente págs. 35-54.

[15] Con las normas espaciales no sólo trabaja la Neolingüística, sino también, a veces, la Etnología y el Folklore, en parte bajo el estímulo de Bartoli.

territorios que están apartados de las vías de comunicación. Esto es aplicable en la Romania, especialmente a *Cerdeña*, que, por su situación insular, tenía relaciones menos intensas con los demás países románicos. Los romanos habían establecido a lo largo de todo el Imperio una gigantesca red de carreteras, especialmente en la parte occidental. Con ella cualquier ciudad era accesible por carretera desde Roma. La comunicación, por el contrario, con la isla de Cerdeña sólo era posible por medio de los viajes en barco, mucho más inseguros. Testimonios de esta situación de Cerdeña son las fases, ya citadas, de *domus, magnus, scire, crās*. Esta norma no rige del todo para Córcega, ya que esta isla estuvo muy influenciada en tiempos posteriores por las ciudades comerciales de Pisa y Génova, de tal forma que en ella las relaciones lingüísticas primitivas son difícilmente reconocibles. Pero, en cierta medida, se aplican también a la Dacia, la actual Rumanía.

Una segunda norma es la del *área mayor (area maggiore)*: si en un territorio más pequeño y en otro mucho mayor existen dos estados lingüísticos diferentes, el estado del territorio mayor es, generalmente, el más antiguo. Esto se relaciona con el hecho de que las innovaciones lingüísticas pueden aparecer en cualquier lugar de un territorio lingüístico y, con frecuencia, alcanzar sólo una ligera expansión. Innovaciones de este tipo son el rum. *rece* «frío» < lat. *recens* y rum. *lună* «mes», en oposición a la fase más antigua *frigidus* y *mensis*, que mantuvo la mayor parte de la Romania.

Tampoco se puede aplicar rigurosamente la norma del área mayor. No es aplicable a la expansión de *sol/soliculus* o de *habere/tenere*; tampoco dan ninguna explicación otras normas espaciales. En estos casos, probablemente, juegan un papel más importante los factores no espaciales.

Una tercera norma, muy importante, es la *norma del área lateral* (*area laterale*): generalmente, en el área lateral se conserva el estado lingüístico más antiguo. Esta norma se aplica a los últimos ejemplos *magis/plus* y *formosus/ bellus*. Si en el caso de *magis*, el rum. *mai* y el esp. *más* concuerdan frente a *plus*, predominante en el centro de la Romania, se puede deducir, según Bartoli, que *magis* es la forma más antigua y *plus* la más reciente. Esta conclusión podríamos sacarla de otra manera. En latín clásico existía ya la comparación de determinados adjetivos por medio de *magis* (por ejemplo, *magis arduus*), en lugar de la comparación en *-ior*, mucho más frecuente. En cambio, *plus* era únicamente adverbio y no podía ser usado para la comparación. Posteriormente, en una segunda etapa, la terminación sintética es reemplazada, casi por completo, por *magis*. Sólo algunas huellas de la comparación sintética pueden todavía encontrarse en el provenzal y francés antiguos, e incluso en francés moderno: *pire* < *peior*, *meilleur* < *meliorem*. Por último, en una tercera fase, *magis* es reemplazado por *plus*, pero no en toda la Romania, sino sólo en el centro; las zonas laterales mantienen *magis*.

El mismo principio se puede aplicar a *formosus*: de las tres fases *pulcher, formosus* y *bellus* es *formosus*, frente a *bellus*, la palabra más antigua. Reemplazó, casi por completo, a la fase más antigua, *pulcher*; después, según la teoría de los neolingüistas, se extendió a toda la Romania y fue sustituida, en la parte central, por *bellus*, una palabra que procede de *bonulus* con apofonía de la *e* [16]: *bonulus* > *ben(u)lus* > *bellus*.

---

[16] Esta *e* se encuentra todavía en la inscripción arcaica de Duenos, así llamada porque en ella aparece la palabra *duenos*, una forma fonética anterior al lat. *bonus*. Evidentemente había una forma secundaria de *bonus, benus*, que ha prevalecido en la forma adverbial *bene*.

En resumen podemos decir lo siguiente: las normas espaciales de los neolingüistas no permiten explicar todas las diferencias de la distribución espacial, pero nos ofrecen a menudo útiles referencias sobre la diferenciación regional del léxico.

3.4.4. INFLUENCIAS GERMÁNICAS

Después de la caída del Imperio romano occidental y de la pérdida de una parte del oriental, sobre todo de Rumanía, las lenguas románicas estuvieron muy influenciadas por los idiomas de los pueblos invasores. Estos idiomas eran germánicos en el Occidente y eslavos en el Oriente. No poseían el rango de lenguas de cultura reconocidas. Esto está en relación con el hecho de que los germanos aceptaron, desde el principio, el latín como lengua oficial, siendo bilingües durante un tiempo relativamente corto, para pasar, finalmente, a las correspondientes variantes regionales del latín hablado. En este tiempo, sin embargo, un número más o menos grande de palabras procedentes de las lenguas de los conquistadores penetraron en las lenguas románicas como superestrato.

Partiendo del límite lingüístico antiguo, que, al mismo tiempo, era la frontera del Imperio, podemos fijar un escalonamiento norte-sur en la intensidad de la influencia germánica: en la zona próxima a la frontera el germánico entró totalmente en lugar del románico, esto es, en los actuales Países Bajos, en la zona del Rhin, en la Alsacia, en el norte de Suiza y en una parte de la zona alpina.

En una amplia zona, que abarca el norte de Francia y parte del norte de Italia, se conservó el románico, pero recibió numerosos préstamos léxicos del germánico y, parcialmente, experimentó influencias gramaticales, por ejemplo, en la Sintaxis.

En los territorios más alejados, la influencia del germánico en las lenguas romances ha sido más pequeña, de tal forma que en estos territorios el número de los préstamos de vocabulario es menor.

Citemos ahora algunos ejemplos elegidos de palabras del superestrato germánico. Empecemos con los nombres para «bosque». La palabra latina *silva* sigue existiendo en algunas lenguas románicas, por ejemplo, en it. *selva*, esp. *selva*, pero sin poseer ya el significado fundamental de «bosque» [17]. Dos palabras germánicas, las correspondientes al al. *Wald* y *Busch*, pasaron a la Romania y reemplazaron al lat. *silva* en su sentido fundamental. La palabra correspondiente al al. *Wald* aparece desde el 741 en textos del latín medieval, en la forma latinizada *waldus* o *gualdus*. En el francés antiguo conocemos, sobre todo por la lectura de Chrétien de Troyes, la forma *gaut*. Esta forma muestra la mutación consonántica normal: la bilabial inicial /w/ pasa en francés a /g/ a través del grado intermedio /gw/. Aún hoy encontramos la palabra en algunas zonas laterales: en Córcega en la forma de *valdu*; en Engadina en la forma de *god*; en la Sobreselva (al oeste de Chur) en la forma de *uaul*. Al principio, la palabra tuvo una expansión bastante considerable, desde el norte de Francia hasta el centro de Italia, pasando por los territorios de los Alpes. Esta palabra ha sido reemplazada posteriormente por otra, germánica, correspondiente al al. *Busch*, de la raíz *busk-*, que dio el fr. *bois*, esp. *bosque*, it. *bosco*. La palabra ha pasado a ser en la mayor parte de la Romania la denominación normal

---

[17] Existía además otra palabra, *saltus* «soto, pastos» > it. ant. *salto* «bosque», esp. *soto*, port. *souto*. En las restantes lenguas romances la palabra aparece, casi exclusivamente, en los nombres propios.

para «bosque». Naturalmente, no se encuentra en Cerdeña, ni en Dalmacia, ni en Rumanía, porque estos territorios no fueron dominados nunca, o lo fueron por poco tiempo, por los pueblos germanos. Cerdeña, por ejemplo, sólo fue dominada por los vándalos durante veinte años.

Las palabras para «bosque» tomadas del germánico muestran una gran distribución espacial. Una expansión de palabras germánicas de este tipo es, sin embargo, bastante rara. La mayor parte de los préstamos de vocabulario germánicos siguen existiendo en una pequeña parte de la Romania solamente. Esto tiene razones históricas evidentes. No existía un Imperio germánico grande, sino solamente reinos aislados: los *visigodos*, en la Península Ibérica, durante cierto tiempo también en el sur de Francia; los *francos*, que extendieron su dominio primeramente hasta el Loira y luego hasta los Pirineos; los *borgoñones*, en el territorio próximo al Lago de Ginebra; los *ostrogodos* en Italia; los *vándalos* en el norte de África.

Los reinos de los ostrogodos y de los vándalos cayeron poco después del 550 bajo el dominio del Imperio romano oriental, aunque los *longobardos* conquistaron desde el 568 gran parte de Italia y alcanzaron su máximo poderío en el norte y centro de Italia, a la vez que en dos condados más pequeños (Spoleto y Benevento), en el sur de la Península.

En cualquiera de estos reinos aislados se hablaba predominantemente el idioma germánico correspondiente, cuyos préstamos de vocabulario, a causa de la separación de los reinos, sólo pudieron entrar en las variantes respectivas regionales del latín hablado. Si encontramos difundida, a pesar de todo, una palabra excepcional como *busk-* por una amplia zona de la Romania, ello se debe solamente a que esta palabra procedía del germánico común, esto es, que en los préstamos aislados penetró la misma palabra en las lenguas romances regionales. (No es hasta época posterior, hacia el 800, con el gran Imperio carolingio, cuando hay que considerar una segunda posibilidad: la penetración de una palabra del franco o del germánico en el galo-románico y de aquí a otras lenguas romances.)

La conquista de los germanos fue también la causa de que cambiaran considerablemente algunos vocablos políticos. *Francia* sustituyó al antiguo nombre de la *Gallia*; el territorio conquistado por los borgoñones recibió el nombre de *Burgundia*, y el territorio de los longobardos se llamó pronto *Longobardia* (*langobardus* pasó, por analogía con *longus*, a *longobardus*). Estos términos políticos pasaron a la lengua popular y perviven con las evoluciones fonéticas normales de las lenguas populares: fr. *France, Bourgogne*; it. *Lombardia*. El concepto *Romania* se limitó popularmente a un territorio perteneciente al Imperio oriental, casi cercado por regiones longobardas, al sureste de Bolonia, que desde entonces se denomina *Romagna*. Además de estos nombres de países hay numerosos nombres de personas y geográficos de origen germánico. Especialmente en la zona de la actual Italia y Francia estuvieron de moda los nombres germánicos de personas sobre todo durante la alta Edad Media.

Para determinar de qué dialecto germánico ha llegado al romance un préstamo de vocabulario dado recurrimos a algunos criterios fonéticos. Así, por ejemplo, el bajo franco se separa de las lenguas germánicas del sur (el gótico y el longobardo) porque acusa parcialmente la asimilación vocálica, el llamado *Umlaut*. Así, el al. *Heer* «ejército» es en gótico *harjis*, en los textos más antiguos del alt. al. ant. *hari*, mientras que en textos posteriores y también en el bajo franco, *heri*. A causa de la /i/, muy cerrada, la /a/ que era, en cambio, muy abierta, se cerró en /e/. En las glosas de

Reichenauer aparece un compuesto con *heri*: *heribergo*, glosado por *castro*. Esta palabra sigue existiendo en la Romania en diversas formas: fr. *au-berge*, fr. *hé-berger*. La palabra francesa *auberge* corresponde al it. *albergo* y al sobres. *albiert*. La diferencia en la primera sílaba de las dos palabras francesas se explica con relativa facilidad, si se tiene en cuenta la cronología. Se puede comprobar que *auberge* pasó al francés más tarde que *héberger*, es decir, en el siglo xv, *a través del provenzal*. La palabra *héberger*, por el contrario, llegó al francés directamente del bajo franco. Por consiguiente, nos encontramos aquí con una oposición entre la forma del franco septentrional con inflexión vocálica, *heri-* (> *hé-* en *héberger*) y una forma meridional, gótica o longobarda, sin asimilación vocálica: *hari* (> *al* > *au-* en *auberge*).

Otro criterio es la participación en la *mutación consonántica del alto alemán*. En ella participó el longobardo, a diferencia del gótico, franco y borgoñés. Por medio de este criterio podemos diferenciar en el italiano dos estratos de germanismos: préstamos de vocabulario primitivos, procedentes del gótico oriental, que testimonian el estado anterior a la mutación consonántica del alto alemán y préstamos de vocabulario posteriores, procedentes del longobardo. Si la palabra tomada del germánico para *Scholle* «gleba» es en Córcega *tolla* y en la Toscana occidental *zolla*, procede *tolla* del gótico oriental y *zolla* del longobardo. Del mismo modo, el it. *zanna*, que designa el colmillo de determinados animales, se remonta, con seguridad, al correspondiente longobardo del al. *Zahn* «diente».

La mayoría de las palabras longobardas no están atestiguadas, porque no existen textos longobardos, sino sólo palabras sueltas, por ejemplo, en los textos jurídicos latinos. No obstante, podemos determinar el origen de palabras ita-

lianas procedentes del longobardo por el criterio de la mutación consonántica, si recurrimos a la comparación de palabras análogas en otras lenguas. He aquí algunos ejemplos:
it. *bussare* «golpear, chocar» < long. **bauzzan*, a diferencia
del fr. *bouter* < bajo fra. **bōtan*; it. *tuffare* «mojar» <
long. **taufan* (cf. alt. al. ant. *taufan, toufan*; alt. al. mod.
taufen), a diferencia del gót. *daupjan*. Los dos ejemplos
hacen referencia a la mutación consonántica acaecida en el
longobardo, el primero a /t/ > /ts/, el segundo a /p/ > /f/.

Al norte y centro de Italia hay territorios que no fueron
conquistados por los germanos y que pudieron, por esta
razón, mantener particularidades propias. Entre estos territorios está el Ducado de Venecia, que en un principio abarcaba la laguna y la línea costera desde la desembocadura
del Po hasta la bahía de Trieste. Los longobardos nunca
intentaron en serio conquistar este territorio. Era una parte
autónoma del Imperio bizantino; en ella la lengua oficial
latina no se vio influenciada por los conceptos jurídicos de
los germanos. Tampoco la lengua vulgar recibió préstamos
de vocabulario directamente del germánico. Así se explica
que algunas palabras latinas hayan seguido existiendo, en
principio, solamente en esta comarca, como, por ejemplo:

lido < lat. *litus* «orilla»
doge < lat. *dux, ducem*.

3.4.5. Influencias eslavas

La invasión de los Balcanes por los eslavos tuvo lugar
algo más tarde que la penetración de los germanos en el
Occidente. De la Romania de entonces esta invasión abarcaba la actual Rumanía (Dacia), la parte norte de la actual

Bulgaria (Mesia), la mayor parte de Yugoslavia y Albania, así como la parte occidental de Hungría y la oriental de Austria (Pannonia). Estos territorios no fueron arrasados por pueblos eslavos desde el 550, aproximadamente, sino que los eslavos se infiltraron paulatinamente y los dominaron. De la parte en lengua romance sólo se conservó la zona rumana; ésta está integrada por un núcleo principal y varias «islas lingüísticas» pequeñas dispersas por los Balcanes.

La influencia del eslavo sobre el rumano es totalmente diferente a la del germánico sobre la mayoría de las demás lenguas románicas. Los dialectos germánicos no eran lenguas escritas, pero representaron durante cierto tiempo los dialectos de una clase superior. Como esta clase se hizo bilingüe paulatinamente, muchas expresiones germánicas penetraron en la lengua romance correspondiente. Su prestigio social fue la causa de que estas expresiones fueran tomadas también por las clases inferiores. Esto se puede aplicar a algunas palabras de tipo moral y espiritual, como **urgôli* «orgullo» > it. *orgoglio*, prov. ant. *orgolh*, fr. *orgueil*, esp. *orgullo*, y **haunita* > fr. *honte*, prov. ant. *anta*, *onta*, así como algunos términos jurídicos y administrativos. Naturalmente, éstas son excepciones. En general, se mantuvo el léxico de la civilización y cultura latinas.

Sin embargo, con la salida de las legiones romanas (271-275) se perdió en Rumanía la administración oficial romana y sus instituciones. El país cayó en un estado cultural más bajo. Toda la cultura, espiritual y profana, más elevada de Rumanía se apoyó, posteriormente, en la influencia eslava, consecuencia de la aculturación y cristianización de los eslavos. Esto lo testimonian palabras fundamentales como *a iubi* «amar», *bogat* «rico», *drag* «querido», *a citi* «leer». Incluso el rum. *şcoǎla* «escuela» no procede directamente del lat. *schola* /*skola*/, sino a través del eslav. ecl. ant. La misma palabra se encuentra también en el antiguo eslavo eclesiástico con casi la misma pronunciación: /ʃkola/; el lat. /sk-/ no podría dar nunca /ʃk-/ en rumano, sino que debió quedar como /sk-/.

Mientras que en las otras lenguas romances el germ. *werra sustituyó al lat. *bellum* (por ejemplo, it. y esp. *guerra*, fr. *guerre*), el rumano tomó una palabra eslava para designar a la misma: *război*. Del mismo modo, en Occidente una palabra germánica sirvió para la designación del jardín (fr. *jardin* > it. *giardino*, esp. *jardín*), mientras que en rumano, en cambio, una palabra eslava: *grădină*. Esta palabra muestra un parecido fonético curioso con la palabra alemana *Garten*. En este caso el germánico y el eslavo se remontan a una forma indoeuropea previa común. Por consiguiente, puede suceder que las lenguas románicas occidentales y orientales hayan tomado prestado el mismo término, unas del germánico, otras del eslavo.

3.4.6. Influencias árabes

A principios del siglo VIII irrumpieron los árabes en España y a comienzos del IX en Sicilia y sur de Italia. Esta invasión árabe fue la continuación de una conquista más larga relacionada con la expansión del Islam. Partiendo de las costas árabes, esta ola invasora tomó diferentes direcciones: Persia, Asia Menor y norte de África. Esta expansión empezó hacia el 635. Poco después, en el 640, cayó Alejandría, en el 695 Cartago y en el 711 llegaban los árabes a la Península Ibérica, a través del estrecho de Gibraltar.

Los préstamos de vocabulario árabes llegaron a la Romania, en su mayoría, a través de las lenguas populares. En este proceso podemos distinguir cuatro causas y vías:

a) El poderío árabe en la mayor parte de la Península Ibérica y en una pequeña parte del sur de Francia.

b) El dominio árabe en Sicilia y en Calabria.

c) El tráfico comercial a través del Mediterráneo durante siglos, aproximadamente desde el 900 al 1500; de aquí que los puertos mediterráneos de Génova, Pisa y Venecia fueran puertas de acceso para los arabismos.

d) El dominio islámico en Asia Menor, la actual Turquía; a través del turco penetraron muchos arabismos en el románico, especialmente en el rumano.

Los arabismos más importantes para nosotros son los que proceden de la Península Ibérica; en segundo lugar, los llegados a través de los puertos mediterráneos. Muchos de estos arabismos se han extendido por una gran parte de Europa y se han convertido en palabras culturales internacionales. En aquel entonces, la cultura árabe era claramente superior a la cristiana occidental. Y esto era aplicable a las más diversas materias: Filosofía, Medicina, Astronomía, Música, Arquitectura y Matemáticas. Hasta el siglo XIV duró esta superioridad de la cultura árabe. Luego empezó el cambio. Europa asumió la dirección, primero por el descubrimiento de la pólvora, cien años después por la invención de la imprenta. Con estos dos descubrimientos *técnicos* sentó Europa las bases de su dominio del mundo.

Si analizamos los arabismos de la Península Ibérica observamos que la mayoría de los sustantivos empiezan con la sílaba *al-*. Esto se puede aplicar al español, al portugués y, en menor escala, al catalán. Esta sílaba *al-* es el artículo determinado. También aparece en la forma *ar-*, *as-*, *ad-* y *at-*; ya en el árabe la *-l* del artículo se había asimilado constantemente a la consonante dental que le seguía.

En italiano y francés, por el contrario, el número de arabismos con *al-* es muy escaso. Podemos contrastar algunas palabras en las que falta el artículo árabe, por ejemplo:

esp. *azúcar*, port. *açúcar*   it. *zucchero*, fr. *sucre*
esp. *almacén*, port. *armazem*   it. *magazzino*, fr. *magasin*
esp. y port. *arroz*   it. *riso*, fr. *riz*.

En todos estos casos el español y el portugués han aglutinado el artículo con el sustantivo; estas formas se remontan a la dominación árabe sobre la Península Ibérica. Los arabismos del italiano, del francés y de las restantes lenguas europeas proceden, por el contrario, de una vía diferente: llegaron a Europa por el tráfico comercial con los *puertos del Mediterráneo*. En algunos casos no se puede explicar si han pasado al norte a través de los puertos mediterráneos, o a través de Sicilia y Calabria. Pero lo importante es que sólo los arabismos llegados a través de la Península Ibérica muestran la aglutinación del artículo árabe. Como ejemplos presento algunos términos tomados de la esfera administrativa:

> *alcalde*;
> *almotacén*;
> *alguacil*, la palabra es etimológicamente idéntica a la alemana *Wesir* y procede del ár. *wazīr* «jefe», con artículo aglutinado;
> *zalmedina*, propiamente es *ṣāḥib-al-madīna*, literalmente «el señor de la ciudad»; posteriormente, designaba al juez, sobre todo en Aragón.

Los arabismos de la Península Ibérica y los de Sicilia han sido recogidos y sistemáticamente estudiados, especialmente en lo que se refiere a la Fonética, por Arnald Steiger, «Contribución a la fonética del hispano-árabe», Suplemento 17 de la *Revista de Filología Española*, aparecido en 1932.

No todos los arabismos han llegado directamente a las lenguas populares por vía de contactos orales. Gran parte lo hizo a través de los textos latinos medievales, pasando en calidad de préstamos a las lenguas populares a partir del latín medieval. Esto es exacto, en especial, aplicado a los términos científicos.

Desde el siglo XII se tradujeron al latín textos árabes. El primer traductor que nos es conocido con mayor exactitud es Roberto de Chester. Está comprobado que residió en España hacia el 1140. De época no muy posterior son Gerardo de Cremona y Leonardo de Pisa [18]. Estos traductores no traducían directamente un texto árabe al latín escrito, ya que entonces no era corriente que alguien dominara dos lenguas escritas. Lo que pasaba era, más bien, que durante los siglos XII y XIII trabajaban juntos en España dos o tres hombres, frecuentemente dos musulmanes y un cristiano. Un musulmán, experto en lenguas escritas, leía un texto árabe palabra por palabra; otro lo vertía, oralmente, a la lengua románica popular, en este caso al español (con lo cual se conservan muchos arabismos con artículo aglutinado); un tercero, la mayoría de las veces un cristiano, como, por ejemplo, Roberto de Chester, redactaba en latín lo oído [19]. De esta manera se explica la gran cantidad de palabras ára-

---

[18] La lingüística románica ha estudiado muy deficientemente hasta ahora el paso de los arabismos a través del latín medieval. La razón de que los dos diccionarios etimológicos más competentes, el *FEW*, de Walther von Wartburg, y el *DCEC*, de Corominas, dejen casi sin considerar el paso del léxico árabe a través del latín medieval, reside en que hasta ahora se ha trabajado poco en el vocabulario del latín medieval. Hasta el momento sólo existe el Glosario de Du Cange (1678) y, para los textos de Italia, una obrita de Arnaldi. Actualmente hay en preparación dos grandes Léxicos de latín medieval en Munich y en Copenhague.

[19] Cf. el prólogo de *De anima*, de Avicena.

bes con artículo aglutinado en este tipo de traducciones [20].
Muchos arabismos, cuya primera sílaba es *al-*, han pasado
a las lenguas europeas, o bien a través de las lenguas populares de la Península Ibérica, o bien a través de traducciones latinas medievales, que, en su mayoría, se realizaron
en dicha Península de la manera que hemos dicho. Así tenemos, por ejemplo, palabras francesas como *alcali, alcôve,
alcool, alchimie, alambic, almanach, algèbre*. También se
remontan a la influencia cultural del árabe palabras como
zéro y *chiffre*, números árabes (en realidad hindúes) más
prácticos, que sustituyeron a las cifras romanas. Su origen
se centra en el cero y la ley del valor posicional. «Cero»
es en árabe *ṣifr* (que propiamente significa «vacío»). De
aquí procede el lat. medieval *cifra* > it. *cifra* > fr. *chiffre*
«cifra», y una transcripción, *zefirum*, del comerciante de
Pisa Leonardo, que vivió en Túnez hacia el 1200 y aprendió
cálculo en esta ciudad; de *zefirum* procede el it. *zero* y de
éste, a su vez, el fr. *zéro*.

Todas estas palabras son los últimos testimonios de la
antigua superioridad de la cultura árabe-islámica [21].

3.4.7. RESUMEN

La diferenciación regional del léxico románico se apoya
tanto en una evolución interna, que en parte se puede expli-

---

[20] Para más detalles sobre este procedimiento y sus resultados ver
la edición de Hilty, G. - Ragel, A. A., *El libro conplido en los iudizios
de las estrellas*, Madrid, 1954.

[21] Una visión de conjunto sobre los préstamos de vocabulario árabe-
islámicos en el dominio alemán, o europeo en general, la ofrecen
Littman, E., *Morgenländische Wörter im Deutschen*, Tubinga, 1924²;
Menniger, K., *Zahlwort und Ziffer. Kulturgeschichte der Zahl*, Gotin-
ga, 1957-1958²; Heyd, W., *Histoire du commerce du Levant au moyen-
âge*, Leipzig, 1936.

car por medio de las normas espaciales de los neolingüistas, como en tres tipos de influencias extranjeras significativas: la influencia de los diferentes dialectos germánicos, como consecuencia de la conquista de los germanos y la destrucción del Imperio romano occidental, la irrupción de los eslavos en los Balcanes y, posteriormente, la invasión de los árabes en la Península Ibérica, Sicilia y sur de Italia.

De estas tres influencias extranjeras se sigue una posterior fragmentación del léxico en el territorio romance:

a) Una zona con fuerte influencia *germánica*, próxima a los límites de habla germánica: norte de Francia, países alpinos y norte de Italia.

b) Una zona con influencia predominantemente *eslava*, casi sin influencia germánica y con influencia árabe sólo secundaria: Rumanía.

c) Una zona con fuerte influencia *árabe* e influencia germánica débil: la Península Ibérica.

3.5. LA SUPREMACÍA FRANCESA DESDE LOS TIEMPOS DEL IMPERIO CAROLINGIO HASTA EL SIGLO XIII

Mientras la Península Ibérica y la Dacia, las dos áreas laterales (*aree laterali*) de la Romania, según Bartoli, estaban durante el siglo VIII bajo el dominio de pueblos de lenguas extranjeras e Italia estaba dividida entre potencias, en su mayoría hablantes de otras lenguas, se formó (ya desde el siglo VI) una clase dirigente bilingüe, compuesta por germanos y galo-romanos, en la parte occidental de Francia. Los germanos terminaron por romanizarse. Difícilmente se puede determinar cuándo concluyó el proceso de esta romanización: quizá en el siglo IX, o posiblemente en el X. Pero lo que aquí importa más es que, después de un período de receptividad cada vez mayor de las lenguas romances frente a las no románicas, dos lenguas del territorio de la Romania gala, el francés y el provenzal, adquieren una posición privilegiada en el Occidente y su vocabulario (incluyendo el de las palabras procedentes del germano) se extiende a las lenguas vecinas, tanto románicas como germánicas.

Esta primacía fue motivada por varios factores, políticos y culturales. De éstos hablaremos a continuación.

3.5.1. PODERÍO Y SIGNIFICADO CULTURAL DEL IMPERIO CAROLINGIO

La mayor expansión del Imperio franco tuvo lugar bajo Carlomagno. El poder de su Imperio se relaciona indirectamente con el triunfo de los árabes, que hasta el 732 no terminó en fracaso en la región del bajo Loira con la victoria de Carlos Martell. Los árabes se retiraron pronto a la Península Ibérica. Pero durante varios siglos el mar Mediterráneo fue un mar árabe. De aquí que, por un lado, el Imperio romano oriental se debilitara sensiblemente, mientras que, por el otro, Francia llegara a ser la única gran potencia de Occidente. Las conquistas de Carlomagno bien es verdad que no unificaron el Occidente, pero crearon un gran Imperio unitario, que, para la conciencia de continuidad de la Edad Media, representaba el último período de esplendor del Imperio romano occidental.

Con Carlomagno la parte occidental del Imperio, esto es, lo que después sería Francia, se constituyó en centro político, a la vez que *cultural*. De Francia parte en el siglo IX la «reforma carolingia» o «renacimiento carolingio». Con este concepto colectivo designamos las reformas de aquellos tiempos. En realidad se trata de una suma de hechos aislados. Se levantaron nuevos claustros, nuevas iglesias y palacios; se fundaron escuelas; sabios de todas partes acudían a la corte de Aquisgrán; se leían, en gran cantidad, autores latinos de la Antigüedad clásica y tardía, y se elaboraron normas para un correcto latín. La aspiración a una *norma rectitudinis* para el latín leído y escrito se explica a partir de los revolucionarios cambios fonéticos que, precisamente y sobre todo, habían afectado a las lenguas populares habladas en el norte de Francia. Desaparecieron casi todas las vocales finales no acentuadas, a excepción de la /a/, y, al mismo tiempo, la mayoría de las terminaciones de la declinación. Puesto que el latín era leído con pronunciación popular, los escritores, cuando leían un texto latino, no pronunciaban nunca las vocales finales, con lo cual ya no tuvieron una idea clara de cuándo debían escribirse tales terminaciones. De esta manera la ortografía volvió a su estado primitivo en la época merovingia. Para posibilitar una correcta escritura de los textos latinos y una correcta pronunciación latina de los sacerdotes en los actos del culto, Carlomagno, en estrecha colaboración con los sabios de su corte, especialmente con el anglosajón Alcuino, llevó a cabo una reforma en la pronunciación del latín, un cambio en la lengua latina «leída». En primer lugar, el acento fue llevado a la última sílaba. La palabra *femina*, por ejemplo, pronunciada antes /fémnə/, se pronuncia ahora /feminá/. Con esto se garantizaba una clara pronunciación de las vocales finales (desaparecidas ya en la lengua popular) y, por consiguiente, la correcta escritura de las palabras latinas oídas. Pero esta posición del acento, sin embargo, terminó con el lazo de identidad entre la lengua culta latina y la lengua popular: /feminá/ no se sintió ya como la variante correcta de /fémnə/, sino como una palabra diferente, extranjera.

El pueblo no podía entender correctamente sermones latinos o lecturas del Evangelio. Había que buscar una salida a tal situación. Ésta sólo podía estar en dejar la lengua popular en el dominio eclesiástico, lo que ocurrió con la decisión del Concilio de Tours (813), de que los sermones había que traducirlos a la lengua popular: ...*ut easdem omelias quisque aperte transferre studeat in rusticam Romanam linguam, aut in Thiotiscam, quo facilius cuncti possint intellegere quae dicuntur* [22].

Así se produjo, por primera vez, una diferenciación conceptual entre el latín y las lenguas románicas populares. La traducción oral de los sermones a la lengua popular motivó que también los textos escritos fueran redactados en lengua popular: de esta forma se desarrolló paulatinamente en lengua francesa o provenzal una literatura, que es la más antigua en lengua popular de la Romania [23]. Esta Literatura enriqueció su vocabulario con numerosos latinismos desde el descubrimiento del «mot savant», que debemos establecer ya en el siglo IX [24].

La Reforma carolingia se propagó pronto, con todas sus consecuencias, por otros países romances, especialmente por las Marcas hispanas que no estaban bajo el dominio árabe y por el norte de Italia, que, desde la conquista del Imperio longobardo, en el 774, estaba unido a Francia.

---

[22] *Monumenta Germaniae historica*, Legum sectio III, t. II, Concilia aevi Karolini I, ed. Albertus Werminghoff, Hannover-Leipzig, 1906, pág. 288.

[23] Cf. Lüdtke, Helmut, «Die Entstehung romanischer Schriftsprachen», en *Vox Romanica*, 23 (1964), págs. 3-21; Sabatini, Francesco, «Tra latino tardo e origini romanze», en *Studi linguistici italiani*, 4 (1963-1964), págs. 1-20; íd., «Esigenze di realismo e dislocazione morfologica in testi preromanzi», en *Rivista di cultura classica e medioevale*, 7 (1965), págs. 972-998; Roncaglia, Aurelio, «Le origini», en Cecchi, E. - Sapegno, N., *Storia della Letteratura Italiana*, t. I, Milán, 1965, págs. 60-269.

[24] Sobre esta cuestión véase, más adelante, parte II.

3.5.2. INFLUENCIA LITERARIA DE LAS DOS LENGUAS POPULARES
FRANCESAS

Durante los siglos XI y XII fue el latín no sólo la lengua
oficial, sino también la lengua literaria de más alto rango,
del mismo modo que el griego en el Imperio romano oriental, o que el árabe y el hebreo en la Península Ibérica. Entre
estas lenguas tradicionalmente reconocidas y las demás lenguas populares, alcanzaron el francés (la *langue d'oïl*) y el
provenzal (la *langue d'oc*) una especie de posición intermedia al final del siglo XI y, sobre todo, durante el siglo XII.
Estas dos «lenguas intermedias» estaban *unidas a un género*:
el *francés* servía, sobre todo, como lengua de la *Chanson
de Geste*, el provenzal, especialmente, como lengua de la
lírica.

En la antigua Grecia, desde el 800 hasta el 400 a. C.,
encontramos un fenómeno paralelo, que, sin embargo, no
tuvo ningún tipo de influencia en la existencia de lenguas
unidas a un determinado género en la Romania de la Edad
Media. Existía en Grecia, en aquella época, el convenio de
escribir la poesía épica en una lengua jónico-eólica, la lírica,
por el contrario, en eólico-dorio y la prosa literaria en jonio
puro. (Posteriormente, con la preponderancia política y cultural de Atenas, se impuso una mezcla de ático, el dialecto
de Atenas, y jonio. Esta lengua mixta se constituyó en la
lengua literaria general: de ella surgió la *koiné*, la lengua
común supra-regional, en la que se basa también el griego
moderno. En la koiné, o en una variedad de la misma, se
escribió el Nuevo Testamento.)

A diferencia de las relaciones en la Grecia clásica, el
francés y el provenzal no constituyeron lenguas propias de
un género *dentro de Francia*. En la mitad norte de Francia

se escribía también lírica en lengua propia, así como se escribía, en la parte sur, aunque muy raramente, *chansons de geste* en lengua provenzal.

Sin embargo, *fuera* del territorio de habla francesa y provenzal, ambas lenguas servían como lenguas de un género determinado, especialmente en el norte de Italia. En esta parte los líricos escribían en provenzal, los épicos, por el contrario, en francés. Más tarde, cuando la prosa francesa había llegado a cierta consideración, algunos italianos escribieron su prosa en francés. Esto se aplica, en especial, a la segunda mitad del siglo XIII, como, por ejemplo, a Brunetto Latini, que escribió la enciclopédica obra *Li Livres dou Tresor*. Es evidente que, por mediación de estas dos lenguas propias de géneros determinados, llegaron al italiano numerosos galicismos, pero también al español e, incluso, a lenguas no romances como el alemán. El *catalán* constituye un caso especial. Al principio fue, con toda probabilidad, una variante del provenzal. Durante mucho tiempo el provenzal fue la lengua literaria de Cataluña. Es a partir del siglo XIII y, en especial, durante el siglo XIV, cuando se desarrolló una lengua literaria catalana independiente y es desde entonces cuando podemos hablar de préstamos provenzales o franceses en catalán.

3.5.3. Otros factores

Hay otros factores que contribuyeron a la primacía de Francia, como el desarrollo del *sistema feudal*, y, en relación con él, el nacimiento de la *cultura cortesana*, que también tuvo su centro en Francia, de donde se extendió a otros países limítrofes [25]. También en las *Cruzadas*, que fueron una empresa común a todo el Occidente, dominó el elemento francés. Estas hazañas contribuyeron a extender la cultura francesa.

Los *normandos* jugaron un papel especial en la propagación de la cultura francesa durante la alta Edad Media. Durante los siglos IX y X habían llegado sus antepasados procedentes de los territorios de la actual Dinamarca y Noruega, en calidad de «bárbaros», gentes de bajo nivel cultural. Militarmente eran superiores, sobre todo por su fuerte flota. Después de varias batallas consiguieron, hacia el 900, establecerse en la región denominada por ellos *Normandie*; una vez asentados en este territorio, quedaron muy pronto absorbidos lingüísticamente por el entorno románico. A comienzos del siglo XI estaban ya totalmente romanizados y pasaron a ser portadores de la cultura francesa, que, desde Normandía, llevaron a diferentes territorios, románicos y no románicos. Los dos territorios más importantes son *Inglaterra*, por una parte, y el *sur de Italia* y *Sicilia*, por la otra. Los normandos consiguieron conquistar por completo el sur de Italia entre los años 1060 y 1090. Primeramente expulsaron de Apulia a los bizantinos, luego a los árabes (sarracenos) de Calabria y Sicilia, y trasladaron su capital a Palermo. Este Imperio normando, que posteriormente cayó, por herencia, en la dinastía de los Hohenstaufen, era *políglota*. Además de las tres lenguas de cultura (latín, griego y árabe), existían en la mayor parte de Sicilia y del sur de Italia dialectos románicos heredados de tiempos romanos, así como dialectos griegos populares en las islas lingüísticas

---

[25] Cf. Weber, A., *Kulturgeschichte als Kultursoziologie*, Munich, 1963³.

entonces más extensas y, por último, el dialecto normando, que, probablemente, desapareció pronto. Finalmente, el francés y el provenzal tuvieron también un uso literario. Alcanzaron, como en el norte de Italia, una posición central, sin poseer el prestigio de las lenguas de cultura antiguas, pero estaban por encima de los dialectos populares. A imitación de la lírica provenzal nació, a finales del siglo xii y en la primera mitad del xiii, la lírica siciliana. Su lengua no era simplemente el dialecto siciliano, sino una lengua muy modificada, basada en el dialecto nacional, pero que se vio ennoblecida y enriquecida por préstamos provenzales y, especialmente, franceses.

Mientras que la expansión cultural francesa al sur de Italia y Sicilia está relacionada con las conquistas normandas, la expansión al norte de España y de Italia se debe a la vecindad geográfica con Francia. El fundamento propio de esta expansión reside, naturalmente, en la concurrencia de los factores políticos y culturales que hemos citado anteriormente.

3.5.4. Préstamos de vocabulario franceses y provenzales en español

En el siglo xii los límites entre el dominio cristiano e islámico eran, en la Península Ibérica, una línea que iba a lo largo del Tajo hasta la desembocadura del Ebro. El territorio norte era cristiano, el sur islámico.

La influencia francesa, tanto la francesa del norte como la provenzal, se limitó, naturalmente, al territorio cristiano. No todas las razones de esta influencia pudieron ser citadas antes. Debemos agregar a éstas la afluencia de peregrinos franceses y la expansión de la reforma cluniacense.

Jerusalén, Roma y Santiago de Compostela, en Galicia, fueron, durante la alta Edad Media, los puntos de atracción más famosos de los peregrinos. Cientos y miles de peregrinos franceses recorrían determinados caminos del norte de la Península Ibérica. A lo largo de estos caminos de peregrinación nacieron ciudades y establecimientos para el descanso de los peregrinos. Éstos no pasaban la noche en una *casa*, sino en un *mesón* (fr. *maison*). Pedían de comer: *manjar*. En esta palabra es evidente la influencia del francés *manger*. Pero al quedar *comer*, en español, como palabra normal, *manjar* se convirtió rápidamente en sustantivo verbal con el significado de «comida». En cambio, en italiano, *mangiare*, préstamo del francés, reemplazó casi por completo a *manicare* (< *manducare*); el verbo *manicare* existe todavía en algunos lugares de la Toscana y Lucania. Del mismo modo, el español tomó prestados *vianda* < fr. *viande* y *vinagre* < fr. *vinaigre*.

Por el prestigio de la *Literatura* francesa y provenzal se explica la expansión de algunos términos que designan los ideales cortesanos. El español diferencia *precio* de *prez*. Ambos se remontan al lat. *pretium* «precio». Sin embargo, la ruta del préstamo es diferente: *precio*, cultismo, procede de la lengua literaria latina, mientras que *prez* del galorrománico, no del fr. ant. *pris*, sino, como podemos ver por el vocalismo, del prov. ant. *prez*. Significa «aprecio», en el sentido de «alabar, encomiar» y se remonta a las virtudes cortesanas «laudables». La palabra *precio*, por el contrario, designa el «precio de compra». Por otro lado, el esp. ant. *deleyt* es un préstamo del latín *delectum*, a partir de la forma provenzal. Corresponde al fr. ant. *delit* «alegría», «diversión», que, lo mismo que *pris* y *prez*, era un término clave de la Literatura cortesana.

También proceden de la Literatura francesa y provenzal _vergel_ y _jardín_, que, al igual que en el fr. _verger_ y _jardin_, son semánticamente diferentes. Estas dos palabras no pasaron de Francia a España por motivos técnicos especiales, sino que eran términos puramente literarios.

Finalmente, en el dominio de la _caballería_ encontramos en español palabras como:

homenaje, que corresponde al fr. _hommage_, pero que procede de la forma provenzal;

mensaje, que corresponde al fr. _message_;

esp. ant. _barnax_, fr. ant. _barnage_ (_baronage_);

esp. ant. _fonta_, que corresponde al fr. _honte_.

Barnage es un derivado de _baron_, que procede de una palabra franca (*_baro_). También _honte_ tiene origen franco.

Para el caballo encontramos denominaciones como _palafré_ y una gran cantidad de expresiones análogas, que pertenecen, todas ellas, a determinadas esferas. Están atestiguadas en la Literatura española más antigua; una parte de estas expresiones siguen existiendo en el español actual.

Lo que en este apartado hemos dicho para el español puede decirse, en principio, para el portugués.

3.5.5. SUFIJOS FRANCESES Y PROVENZALES EN LAS RESTANTES LENGUAS ROMANCES

Tomando como ejemplo el italiano, quisiera mostrar que la influencia de la Galorromania no se limita solamente a palabras aisladas, sino que también abarca algunos sufijos usados con mucha frecuencia.

El sufijo _-ier_, como en _chevalier_, se deriva del lat. _-arius_, y del francés ha pasado al provenzal y al italiano (así como al español y al portugués). En italiano coexisten el sufijo

-iere tomado en préstamo y el sufijo *-aio*, derivado igualmente de *-arius*. Fácilmente se puede demostrar con ejemplos que *-aio* pertenece a la baja esfera e *-iere* a la alta. El sufijo *-aio* (dialectalmente también *-aro* o *-ar*) sirve para designar oficios, mientras que *-iere* profesiones superiores o títulos.

Así tenemos que *cavaliere* es «el que cabalga» y, al igual que en el alemán, «caballero»; en cambio, *cavallaio* o *cavallaro* es «el que cuida los caballos». Podemos considerar a *cavaliere* como un préstamo de traducción formado según el fr. *cheval-ier*. Una palabra como *giornalaio* de ningún modo puede significar «periodista», pues el sufijo *-aio* designa, simplemente, profesiones artesanas. El *giornalaio* es el que distribuye y vende los periódicos, no el que escribe en los periódicos.

Otro sufijo, muy frecuente, es *-age*, desarrollado a partir del lat. *-aticus*, que del francés ha sido prestado a las restantes lenguas románicas (a excepción, naturalmente, del rumano). Así tenemos que el adjetivo *silvaticus* «que vive en el bosque, salvaje», formado del sustantivo *silva*, ha dado el fr. *sauvage*. Este sufijo *-age* aparece en italiano como *-aggio*. De nuevo encontramos aquí un sufijo que se deriva directamente del latín: *-atico*. Evidentemente procede de la lengua latina escrita, ya que no muestra ningún cambio fonético regular, a excepción del final en *o*. Estos sufijos, *-aggio* y *-atico*, etimológicamente idénticos, los encontramos, por ejemplo, en la pareja *selvaggio/selvatico*. Existe una pequeña diferencia semántica entre las dos palabras; *selvatico* es un término culto, de valor neutro. Una planta silvestre, que no ha sido plantada, se llama *una pianta selvatica*. *Selvaggio*, en cambio, significa «salvaje», como el fr. *sauvage*.

3.5.6. PRÉSTAMOS DE VOCABULARIO FRANCESES Y PROVENZALES
EN ITALIANO

Si analizamos las palabras que el italiano ha tomado
prestadas, durante la Edad Media, del francés y del provenzal, podemos distinguir determinados grupos.
En la esfera de las peregrinaciones y de los viajes encontramos, por ejemplo, *viaggio* «viaje», según el fr. *voyage*;
bagaglio «equipaje», según el fr. *bagage*; *convoglio* «convoy»,
según el fr. *convoi*.
Del dominio del feudalismo, de los títulos y dignidades
podemos citar los siguientes: *conte* «conde», fr. *comte* (el
it. *duca*, por el contrario, no procede del francés *duc*, sino,
como muestra la terminación *-a*, de la forma greco-bizantina
δοῦκας, que a su vez se remonta al lat. *dux*, acus. *ducem*;
así, pues, el it. *duca* es un *Rückwanderer* (palabra «repatriada»), y es testimonio del dominio bizantino; *marchese*
«margrave», fr. *marquis*; *maresciallo* «mariscal», posteriormente «sargento primero», del fr. *maréchal*, que a su vez
había sido un préstamo del germánico en tiempos de los
francos; *demanio* «dominio», fr. ant. *demaine* (fr. mod.
domaine), una palabra que, debido al poderío normando, se
generalizó también en Italia; *omaggio* «homenaje».
Existen numerosas palabras que suenan de modo parecido en español y en italiano, cuyo origen común se remonta
a la Galorromania medieval. Además de para *omaggio* vale
esto, por ejemplo, para *giardino* y *verziere*, para nombres
de armas, de caballos y otras muchas esferas de la caballería y de la Literatura.

3.5.7. GALICISMOS EN SICILIA, SUR Y CENTRO DE ITALIA

Ya hemos hablado del dominio normando en Sicilia y sur de Italia. Los dialectos más al sur (Sicilia, centro y sur de Calabria hasta el río Crati) se diferencian de los restantes dialectos del sur de Italia hasta las puertas de Roma, sobre todo, en lo que respecta al léxico, coincidiendo frecuentemente con el toscano y dialectos del norte de Italia. A continuación daremos una serie de ejemplos para proporcionar una visión de conjunto sobre esta situación: la palabra para «cabeza» es:

Tosc.	Sicilia + centro y sur de Calabria	Resto del sur de Italia
testa	*testa*	*kápu, kápa*

Ya conocemos las teorías de *Bartoli* y *Bertoni* (cf. 3.4.3.), según las cuales, normalmente, la forma más reciente se encuentra en el centro de una zona lingüística, mientras que la forma más antigua está en los límites. Supongamos que tenemos en este territorio una forma determinada y otra forma diferente en el norte y en el sur, sin nexos geográficos: nos inclinaremos a pensar que la forma de la parte central es la más reciente. Si fuera a la inversa, es decir, si la forma del norte y del sur fuera la más reciente, debería explicarse por qué se encuentra la forma en los dos territorios. Esquemáticamente expuesto tenemos:

A_1	más antigua
B	más reciente
A_2	más antigua

Habría que explicar cómo la forma más reciente ha pasado de A_1 a A_2, o a la inversa, cómo se ha llegado de A_2 a A_1. Si desde un principio se supone que la forma en el territorio B es más reciente y la del territorio A más antigua, la situación es totalmente clara: primitivamente la forma A se extendió por todo el territorio, después la forma B llegó, en calidad de innovación, a algún lugar del centro y se extendió, pero no alcanzó los territorios laterales.

Este tipo de relaciones lo podemos observar frecuentemente en el estudio de mapas del ALF: la Île de France, punto central del territorio de lengua francesa, muestra frecuentemente innovaciones, mientras que dos o tres territorios laterales mantienen las formas más antiguas. Así el lat. *nix, nivis* «nieve», que en francés antiguo se había extendido por todas partes en la forma *neif* o *noif*, se conserva solamente hoy en algunas áreas laterales. Esta palabra fue empujada a la periferia desde el siglo XIV por la innovación *neige* (derivado de *neiger*). En este caso la situación lingüístico-geográfica coincide totalmente con las normas espaciales de los neolingüistas sobre las áreas laterales, que conservan el estado lingüístico más antiguo.

Sin embargo, en el caso de *testa/caput* las cosas son exactamente al revés: *caput* es la forma más antigua, *testa* la más reciente.

Así, pues, en Sicilia y sur de Calabria tenemos una innovación que, sin nexos geográficos, volvemos a encontrar más al norte, es decir, en la Toscana, parte del norte de Italia y en toda Francia. En este caso la cuestión es: ¿cómo se explica la coincidencia de Sicilia con los territorios del norte? En principio se podría sospechar que, o bien se trata de innovaciones totalmente independientes unas de otras (lo cual *puede* suceder evidentemente), o que no existe una casualidad, sino una influencia unilateral o recíproca.

Demostraremos esto con ejemplos paralelos; con ellos veremos que la hipótesis de que se trata de innovaciones independientes es tanto más improbable cuantos más ejemplos podamos citar.

Tosc.	Sicilia + sur y centro de Calabria	Resto del sur de Italia
ago, aguglia (del lat. *acus* «aguja»)	*agugghia* (con cambio fonético característico)	*aku* (continuador directo del lat. *acus*)
goccia (no es la continuación fonéticamente regular del lat. *gutta* «gota», sino una transformación de una forma verbal, **guttiare* «gotear», forfamada a partir de *gutta*, la cual da regularmente *gocciare*; de aquí se ha formado el derivado *goccia*).	*guccia* (la diferencia entre la *o* y la *u* es normal; frecuentemente se encuentra en siciliano *u* en lugar de *o*; en lo demás, las dos palabras se asemejan).	*gutta* (esporádicamente).

En los tres casos encontramos la misma innovación en la Toscana y en la parte más meridional, es decir, en Sicilia, y centro y sur de Calabria, mientras que la parte norte del sur de Italia conserva la forma más antigua. En los tres casos tenemos, por tanto, una innovación que coincide en dos territorios separados geográficamente.

Hay más ejemplos:

ala «ala»   *ala*   *šidda*

šidda: diminutivo del lat. *axilla*; la misma palabra existe también en it. como *ascella* «axila, sobaco»; la palabra alemana *Achsel* «hombro» se relaciona igualmente con ella, pero no se trata de un préstamo, sino de un parentesco con el latín desde el indoeuropeo. Debemos partir de una forma primitiva **aksla*, que recibe el tratamiento usual conforme a las leyes fonéticas vigentes para el latín arcaico (análogo a **louksna* «luminosa», que da *luna*). El grupo *ks* desaparece ante otra consonante, y la vocal precedente, si era breve, experimenta un alargamiento. En consecuencia tenemos en lat. *āla*. En principio *axilla* es un diminutivo de *aksla*, por lo tanto de *ala*. Aquí nos encontramos con una diferenciación de época primitiva, esto es, la parte norte del sur de Italia, con la forma *šidda* con el significado de «ala», es decir, con el mismo que el lat. *ala*, continúa, por así decirlo, una forma secundaria del latín arcaico, que no está atestiguada en latín clásico, pero que no es una innovación. Éste no es el caso en el que se oponen un arcaísmo y una innovación, sino que se trata de dos formas antiguas en las que —y esto es lo que debemos destacar, pues hay a lo sumo uno o dos casos paralelos— ha tenido lugar una diferenciación geográfica más antigua que el nacimiento de la lengua literaria latina. Tenemos aquí, pues, algo así como restos de una dialectología latina preclásica, restos de una diferencia dialectal antigua, que ha llegado hasta los dialectos románicos. En este caso no se puede hablar de innovación, sino que, más bien, hay que preguntarse por qué la forma *ala* se encuentra no sólo en el norte y centro de Italia, en la Galia e Hispania, sino también en la zona más al sur, en Sicilia y sur de Calabria.

En este sentido *ala* pertenece también a este grupo de ejemplos.

Otro caso: la «lezna» del zapatero se dice:

Tosc.	Sicilia + sur y centro de Calabria	Resto del sur de Italia
lésina	*lésina*	*sugghia* o *suglia* del lat. *subula.*

lésina corresponde al fr. *alène* y es un préstamo del germánico. Nos encontramos, pues, con una innovación que aparece en Francia, norte y centro de Italia y, además, en la parte más al sur, pero en todo caso sin nexos geográficos. Las áreas intermedias han mantenido el lat. *subula.*

Analicemos el caso de la palabra «encontrar». En latín tenemos varias palabras, pero solamente perviven en unos cuantos lugares. La palabra que se ha mantenido en casi toda la Romania es *afflare.* Quizá el lector mismo pueda derivar la palabra, si conoce *flatus* «aliento», «soplo»; *afflare* es originariamente «olisquear», «olfatear», dicho del perro. La palabra procede, pues, del lenguaje de la caza. Posteriormente ha generalizado su significado. La volvemos a encontrar actualmente en el port. *achar,* esp. *hallar,* rum. *afla.* Generalmente es la palabra normal para «encontrar». Lo mismo vale también para la parte norte del sur de Italia: /*aççá*/ o /*aččá*/, /*aččari*/ (en los territorios en los que se ha mantenido -*ri* como terminación de infinitivo en lugar de -*re*). En cambio, Francia junto con el norte y centro de Italia ha introducido una innovación: la palabra *tropare,* primitivamente perteneciente al lenguaje poético, y que pos-

teriormente se ha generalizado y ha reemplazado a la palabra más antigua:

trovare	*truvare*	/aççá/ o /aččá/
Tosc.	Sicilia + sur y	Resto del sur
	centro de Calabria	de Italia
mela	*pumu*	*mela*

En la Toscana y en la parte norte del sur de Italia la
«manzana» se dice *mela*; en este caso no vale nuestro esquema. Debemos imaginarnos la distribución en el mapa para
tener una idea exacta. En el sur tenemos la forma *pumu*,
junto con un territorio que presenta la forma *mela*, que
abarca no sólo la parte norte del sur de Italia, sino también
la Toscana. No obstante, más al norte, en el *norte de Italia
y Francia*, nos encontramos con el territorio de la *pomme*.
En conclusión, volvemos a tener aquí, aunque con unos
límites algo diferentes, una coincidencia entre el norte y el
sur, faltando entre ellos nexos geográficos. Caso parecido es:

magro «flaco»	*magru*	*lientu, siccatu,*
sposare, maritare «casarse»	*maritari*	*'nzurá* *.

Hay otro grupo de palabras que no sólo aparece en Sicilia, sino que también se encuentra en todo el sur de Italia;
citemos, por ejemplo, la palabra para «comprar»: *accattare*.
Aparece en todo el sur de Italia, al menos hasta Nápoles;
a esta zona se une, en el norte y centro de Italia, la de
comprare, y, además, en Francia la de *acheter* o (en el sur)
acatar. Volvemos a ver en este ejemplo una distribución

---

* Que se remonta a *uxorare*, en donde se ha mantenido el lat.
uxor; en cierto sentido es también un arcaísmo.

geográfica parecida: una zona del norte, en este caso Francia, se relaciona con la zona del sur, en este caso todo el sur de Italia y Sicilia, quedando entre ellos una zona con *comprare*, del lat. *comparare*, en la que *comprare* representa la forma más antigua, que, además, domina en español y en portugués; es decir, volvemos a encontrar el caso en que una innovación del norte, en este ejemplo de Francia, se vuelve a encontrar en el sur.

La interpretación de esto sería que, por el acontecer histórico, resulta evidente el hecho de que, si existe una influencia, se trata solamente de una influencia del norte sobre el sur. Es totalmente improbable que, a partir de Sicilia, fuesen influenciados lingüísticamente el centro y norte de Italia, así como Francia: tal idea sería absurda históricamente. En cambio, lo que sucede es la posibilidad inversa de que desde el norte han sido influenciados lingüísticamente Sicilia y el sur de Italia. La explicación reside en la dominación normanda, a la que siguió, después de la interrupción de los Staufer, la de los Angevinos. De esta forma, el sur de Italia, el «reino de las dos Sicilias», estuvo durante siglos bajo la influencia cultural y lingüística de Francia.

Por estas circunstancias se explica la amplia expansión de palabras de origen galorrománico como la que hemos citado antes, *accatare*: corresponde a la zona de dominio normando-angevino. Algo parecido sucede, por ejemplo, con las denominaciones del alfiler; en todo el sur de Italia se dice *spingula*; se basa en el lat. *spina* «espina» o un diminutivo, *spinula*. No se puede recurrir a las leyes fonéticas si se quiere explicar la forma *spingula* del sur de Italia a partir de *spinula*. En cambio, estas leyes valen relativamente para el fr. *épingle* y es muy verosímil que la forma *spingula* del sur de Italia sea un préstamo del fr.

épingle o de una forma anterior de esta palabra. En la Toscana y en gran parte del centro y sur de Italia la palabra es *spillo*, derivado igualmente de *spinula*, pero con un desarrollo fonético independiente. Entre *spingula* del sur de Italia, con *g* característica, y el fr. *épingle*, faltan de nuevo nexos geográficos. También en este caso podemos referirnos sin más a un préstamo del francés.

3.5.8. SOBRE LA CUESTIÓN DE LA GRECIDAD EN EL SUR DE ITALIA

Para los casos no muy frecuentes, tratados en el capítulo anterior, bastaría la explicación de la conquista normanda del sur de Italia y Sicilia, pero no para el caso de *las fronteras dialectales a orillas del Crati*, esto es, entre el norte y centro de Calabria. No existe aquí, de hecho, ninguna razón de por qué tendrían que ser responsables justamente los normandos de estos límites dialectales, ya que su Imperio se extendió a ambos lados de esta frontera. Hay que acudir a otras teorías para poder explicar estas complicadas relaciones. A esto se añade, por un lado, la complicada situación lingüística de Sicilia, así como de las dos mitades sur de la Apulia y Calabria en la Antigüedad y principio de la Edad Media; por otro, el hecho de que en partes de este territorio, a saber, en la Apulia, entre Otranto, Lecce y Gallipoli (en nueve pueblos) y en la parte más al sur de Calabria (en cinco o seis pueblos), se siga hablando griego todavía.

Desde el punto de vista cronológico, la primera cuestión de la que se ocupó la Lingüística fue, naturalmente, la del hecho sorprendente de los dos enclaves griegos. Estos enclaves no son, en el sur de Italia, los únicos cuerpos lingüísticos extraños; existe, además, una serie de lugares y, a veces, grupos de lugares, en los que se habla albanés; hay, incluso, uno o dos pueblos en los que se puede oír servocroata. Pero si recurrimos a la cronología extraemos diferencias esenciales: las colonias de habla albanesa y servocroata en el sur de Italia y en Sicilia datan del 1500, aproximadamente, o de fines del siglo XV, esto es, de los tiempos en que los turcos, después de la conquista de Constantinopla, intentaron someter toda la Península balcánica. Estas colonias son parte de los descendientes fugitivos de la invasión turca. Totalmente diferente es el caso de las colonias de habla griega. No proceden de los tiempos de la guerra turca, sino de fecha mucho más antigua. Existen dos teorías fundamentales: según una, llegaron al sur de Italia en la época del dominio bizantino, es decir, del siglo VI al XI; según la otra, proceden de la Antigüedad, esto es, son restos de la Magna Grecia. La diferencia entre los dialectos griegos de las dos colonias del sur de Italia y el griego moderno de Atenas (modelo lingüístico de Grecia) es muy grande. Esto ya había llamado la atención de un lingüista italiano, Guiseppe Morosi, en los años sesenta del siglo pasado. En dos trabajos publicados en 1870 y 1878 expuso Morosi la teoría de que en los dialectos griegos del sur de Italia no se trata ni de griego antiguo ni de griego moderno, sino que estos dialectos proceden de una lengua importada en tiempos del dominio bizantino.

Esta teoría fue duramente criticada por el romanista Gerhard Rohlfs [26]. Para la elaboración de su Atlas lingüístico italiano recorrió Rohlfs todo el sur de Italia, y, desde 1924, en una serie de libros y artículos, ha desarrollado

---

[26] Una bibliografía de los trabajos de Morosi y de Rohlfs la da Tagliavini, C., en *Le origini delle lingue neolatine*, págs. 79-80. Últimamente Rohlfs ha tratado extensamente este problema en su libro *Neue Beiträge zur Kenntnis der unteritalienischen Gräzität*, Munich, 1962.

y sostenido una teoría totalmente opuesta, según la cual las lenguas de las dos islas lingüísticas griegas (que todavía en la Edad Media estaban mucho más extendidas, pero que hoy están más reducidas) se remontan a los dialectos *del griego antiguo* del tipo dorio de la Magna Grecia [27], es decir, a las colonias que los griegos fundaron en el sur de Italia desde el siglo VIII al V a. C. Los romanos conquistaron las ciudades de la Magna Grecia (o *Graecia Magna*, *Graecia maior*). La última ciudad en caer fue Tarento (en gr., en acus., Τάραντα, cf. «tarántula», «tarantella») en el 272 a. C. Rohlfs señala que entre los dialectos griegos del sur de Calabria y sur de Apulia existen rasgos comunes llamativos, a pesar de su separación espacial. Tomando como ejemplo sesenta palabras, muestra además que el número de préstamos de vocabulario griegos a los dialectos románicos de Calabria y Apulia disminuyen tanto más cuanto más se pasa del sur al norte: primero 40, después 30 y, por último, 20 préstamos solamente. Finalmente, muestra también Rohlfs que los dialectos románicos en los territorios no griegos del sur de Calabria y de Sicilia son diferentes de los dialectos románicos al norte del río Crati. Al sur del Crati tenemos palabras que coinciden con el centro y norte de Italia y con Francia. Al norte del Crati, en cambio, encontramos numerosos arcaísmos latinos, de los que ya he puesto algunos ejemplos. Rohlfs intenta explicar con la siguiente hipótesis tanto el carácter especial de los dialectos griegos del sur de Italia como la coincidencia de los dialectos románicos al sur de la frontera dialectal del Crati, con las lenguas del centro y norte de Italia:

---

[27] Rohlfs reconoce, naturalmente, que numerosos elementos de estos dialectos no proceden del griego antiguo (hasta el 300 a. C.), sino de la koiné griega (300 a. C. hasta el 300 d. C.).

En el sur de Calabria, sur de Apulia y en Sicilia (al menos en el noroeste de la isla) el griego se mantuvo en la Antigüedad incluso después de la conquista romana. En Calabria se habló latín *sólo* al norte del Crati, en Apulia sólo hasta una línea que llegaba al sur de Brindisi, y en Sicilia solamente en el oeste y, parcialmente, en el sureste. De aquí proceden los arcaísmos latinos al norte del Crati. Con la conquista árabe, hacia el 820, el latín fue reemplazado por el árabe en el este y sureste de Sicilia, desapareciendo después. Pero el griego se mantuvo, especialmente en el sur de Calabria y Apulia; no fue importado (siempre según Rohlfs) por la dominación bizantina, sino que con ella alcanzó su máxima expansión. Sólo como consecuencia de las conquistas normandas en Sicilia y sur de Italia se siguió una neorromanización de las zonas de Sicilia arabizadas, latinas en la Antigüedad (así como la romanización del noreste griego de Sicilia) y de la parte sur de Apulia y sur de Calabria (el sur del Crati), igualmente latina en su día, que hasta la época bizantina no había sido griega. Según Rohlfs, en estas tres zonas se introdujo una koiné italiana, una lengua italiana común; en su opinión, tal koiné existía ya desde el siglo XI. La coincidencia en el léxico entre las zonas romanizadas del sur, por un lado, y del norte y centro de Italia, por el otro, la explica Rolhfs a partir de una supuesta koiné italiana.

La hipótesis de Rohlfs tiene dos defectos:

1.º Es imposible que en Italia ya en el siglo XI pudiera haber existido algo semejante a una koiné. La lengua literaria no ha sido creada por Dante hasta 1300; antes sólo existían dialectos literarios, es decir, sólo literatura dialectal. Difícilmente se puede hablar de una lengua común antes del siglo XV.

2.º Es difícil verificar la teoría de la arabización de una gran parte de Sicilia.

En los últimos veinte años han aparecido una serie de trabajos sobre este problema. Entre los partidarios de la antigua teoría, expuesta por Morosi, se encuentran, por ejemplo, Alessio y Parlangèli. Pero también la teoría de Rohlfs, al menos una parte de ella, ha tenido apoyo, especialmente por parte del griego Caratzas [28]. Con una argumentación totalmente diferente a la de Rohlfs, Caratzas llega a la conclusión de que estos dialectos griegos deben remontarse con seguridad a la Antigüedad. Así se va preparando paulatinamente una solución de compromiso que, sobre todo, ha sido sostenida por el lingüista de Turín, Bonfante [29]. Su teoría trata de refutar una parte de las ideas de Rohlfs, la parte que se limita a los dialectos románicos del sur. Según Bonfante, esta teoría es generalmente aceptada, las coincidencias entre el sur y la Toscana no derivan de una lengua común italiana del siglo XI, sino que proceden de *Francia*. Por tanto, no se trata de toscanismos ni de italianismos, sino sencillamente de *galicismos*. Según esto, si encontramos *testa* en Sicilia, no es porque la Toscana tenga *testa* también, sino porque la tiene también el sur de Francia. Algo análogo puede decirse de *truvari* y otras palabras. En algunos ejemplos he anticipado ya la argumentación de Bonfante. He señalado que en el sur encontramos *pumu*, análogo al fr. *pomme*, mientras la Toscana tiene *mela*. Italianismos puros, esto es, palabras que no se pueden explicar como galicismos, o más bien que no se pueden explicar bien como galicismos, hay, a lo sumo, dos o

[28] Cf. Caratzas, St. C., *L'origini des dialectes néogrecques de l'Italie méridionale*, París, 1958.

[29] Cf. Bonfante, Giuliano, «Il Siciliano e i dialetti dell'Italia settentrionale», en *BCSFLSic*, 4 (1956), págs. 296-309.

tres. En cambio, existe una enorme cantidad de palabras que fácilmente se pueden explicar como galicismos. Los «arcaísmos» del norte de Calabria, por ejemplo, se explican, pues, no a partir de una romanización ya antigua de esta zona, a diferencia del sur de Calabria, sino únicamente por el mantenimiento de palabras latinas antiguas en el norte de Calabria, mientras que el sur de Calabria, que probablemente, con excepción de pequeños territorios griegos, también hablaba romance desde la Antigüedad, sustituyó estos arcaísmos por galicismos en tiempos de la dominación normanda. En consecuencia, debemos analizar la historia de las lenguas del sur de Italia desde una perspectiva diferente a la de Rohlfs. A ello se añade la tesis de que el griego, que ininterrumpidamente desde la Antigüedad sigue existiendo en el sur de Italia, no excluye de ningún modo la continuación del latín-romance en zonas parciales de Sicilia, latinas ya en la Antigüedad, sur de Calabria y de Apulia. Es decir, podemos suponer que el griego se ha mantenido desde la Antigüedad, durante la dominación romana, en el noreste de Sicilia, en el cabo de Mesina, así como en partes del sur de Calabria y de Apulia; que, por el contrario, la mayor parte de Sicilia ha sido romanizada desde Roma y Nápoles en la Antigüedad, de la misma manera que han sido romanizadas sin ningún contacto con el Continente las islas de Córcega y Cerdeña. También podemos suponer que el árabe ha formado sólo un superestrato en Sicilia, es decir, que existía el árabe como lengua cultural dominante y que, además, había partes de la población, aunque minorías, que hablaban árabe, pero que el romance, como lengua popular, nunca desapareció en esta zona en beneficio del árabe. Algo parecido puede decirse del sur de Apulia; también aquí debemos suponer que han coexistido desde la Antigüedad una zona de habla romance y otra de habla griega.

Con esta teoría de compromiso se pueden unificar del mejor modo los diferentes hechos: los dialectos de Sicilia y sur de Calabria coinciden con los dialectos del sur de Italia en una serie de rasgos, especialmente en la morfología. Así, pues, si queremos clasificar el dialecto de Sicilia, es, en realidad, un dialecto del sur de Italia y no es algo que cae totalmente fuera del marco, sino un dialecto italiano que, especialmente en el léxico y en la sintaxis, tiene algunos rasgos característicos del norte.

Según esta «solución de compromiso», que se extrae de las conclusiones de Bonfante y Caratzas, serían griegas, sin interrupción desde la Antigüedad (cf. Rohlfs): las dos islas lingüísticas griegas del sur de Calabria y de Apulia; estarían romanizadas ya en la Antigüedad (frente a la opinión de Rohlfs): partes de Sicilia, sur y centro de Calabria y sur de Apulia. Se exceptúan el noreste de Sicilia (griego en la Antigüedad, romanizado posteriormente) y quizá también pequeños territorios del sur de Calabria y Apulia (romanizados en la Antigüedad, pero que en tiempos del dominio bizantino pasaron a ser de habla griega, para ser neorromanizados posteriormente).

En la cuestión de la grecidad del sur de Italia y, en consecuencia, en el problema de la clasificación de los dialectos del extremo sur, no hay una respuesta aceptable universalmente, sino sólo una mayor o menor probabilidad. La probabilidad mayor se apoyaría sobre la base de los nuevos conocimientos de la solución de compromiso expuesta.

La historia de la lengua de Sicilia y sur de Calabria, en relación con el tema de este libro, es tanto más interesante cuanto que esta zona representa una sorprendente semejanza con Inglaterra. En ambos lugares han penetrado por mar los normandos, han erigido su poderío, han creado centros culturales franceses y de su patria francesa han traído

también poetas en su séquito, que constituirían después
la clase dominante de estas tierras. Éstos fueron poetas
que desplegaron una gran actividad literaria; por otra parte,
y esto es aplicable de nuevo a los dos países, no pudieron
imponer a la larga su lengua a causa de su pequeño número.
Alcanzaron un bilingüismo temporal y fueron la causa de
que el francés, como lengua cultural y lengua de las capas
superiores, estuviera vigente doscientos o trescientos años y
que estos territorios hayan jugado (sobre todo en Inglaterra)
un importante papel en la historia de la Literatura francesa.
Sin embargo, no pudieron evitar que la lengua nacional
tuviera la primacía, pero, a causa de la larga duración del
bilingüismo de las clases dominantes, esta lengua nacional
se enriqueció con muchas palabras del galo-romance, de tal
forma que estas dos zonas lingüísticas todavía hoy caen
fuera, a primera vista, de sus contornos: el siciliano y el
sur de Calabria, por su sorprendente cantidad de galicismos, que, en parte, son palabras fundamentales de la vida
cotidiana; el inglés, a causa de su enorme número de palabras románicas, a diferencia del número mucho menor de
préstamos de vocabulario que encontramos en alemán y en
holandés. Para la historia de la lengua francesa estas dos
comarcas lingüísticas son importantes porque podemos de-
signarlas, empleando una metáfora geológica, como «zonas
de sedimentación», zonas en las que se ha asentado un
vocabulario francés análogo al de la misma Francia, o bien
ha desaparecido por completo, o sólo pervive en dialectos.

3.6. LA REVOLUCIÓN COMERCIAL

Durante la expansión cultural francesa tuvo lugar un
proceso que, por analogía con el concepto de «revolución

industrial» de finales del siglo XVIII y XIX, se denomina hoy
revolución comercial [30]. En la literatura moderna se mul-
tiplican las revoluciones del mismo modo que hace veinte
o cuarenta años se multiplicaron los renacimientos: primeramente se dio el renacimiento por antonomasia y hoy
tenemos un renacimiento carolingio, un renacimiento otón
y otros más. Algo parecido pasa con las revoluciones: la
revolución propiamente dicha fue la *Revolución francesa* de
1789; después se generalizó el concepto de revolución y ya
no se habló más de revolución en el sentido primitivo de
un levantamiento, sino en el sentido de un cambio brusco
en general.

La revolución comercial, cuyo comienzo se sitúa en el
siglo XI y que alcanzó su punto culminante en los siglos XIII
y XIV, partió del centro y norte de Italia y de aquí se extendió en todas direcciones, pero especialmente por las zonas
costeras de enfrente. Esto es natural, pues el centro y norte
de Italia tienen una zona costera realmente amplia. Esta
«revolución» tuvo lugar en varios territorios casi al mismo
tiempo: en las ciudades que cada vez alcanzaban mayor
importancia, en las *rutas comerciales del continente*, que
van del norte de Italia a Alemania y Francia, pasando por
los Alpes, e igualmente en las *rutas de navegación*. Las
ciudades más significativas de las que partió la revolución
comercial fueron las ciudades marítimas: *Venecia* en el
Adriático, *Génova* en el mar Tirreno, *Pisa* y *Amalfi* en el sur.
No todas estas ciudades siguen teniendo hoy la misma importancia.

------

[30] *The Cambridge Economic History of Europe*, vol. II, Trade and
Industry in the Middle Ages, Cambridge, 1952. Cf. especialmente el
cap. V, págs. 269 sigs. («The Rise of Italy»), por Robert S. López,
y págs. 289 sigs. («The Commercial Revolution»).

Entre estas cuatro ciudades existían rivalidades y frecuentes luchas. Amalfi fue la primera ciudad en ser destruida y definitivamente eliminada de la lucha competitiva. Más tarde, durante los siglos XI y XII, hubo encarnizadas disputas entre Pisa y Génova; las dos estaban relativamente cerca una de la otra y, tras la eliminación de Amalfi, se enfrentaron como rivales en la cuenca mediterránea occidental. Pisa fue debilitada, de una parte, por su rival Génova; de otra, por Florencia. De esta manera la lucha se convirtió en algo así como una equiparación de los intereses entre Génova y Florencia. Incluso después de haber extendido su territorio por la conquista de Lucca y de Pisa hasta las costas, Florencia no tuvo nunca la pretensión de un poderío en el mar. Después de la eliminación de Amalfi y de Pisa se llegó, finalmente, a un enfrentamiento entre Génova y Venecia. Estas dos ciudades dominaron con sus flotas una gran parte del Mediterráneo. Comerciaban y poseían colonias en la zona este del Mediterráneo, como en Constantinopla, en razón de unos tratados con los emperadores bizantinos, pero también, durante las Cruzadas, en Palestina y Siria y, además, en diferentes puertos del mar Negro hasta Crimea y aún más allá.

Desde el *punto de vista lingüístico*, esta expansión política, y sobre todo económica, de las ciudades marítimas italianas dejaron muchas huellas en toda el área mediterránea. La influencia veneciana es más fuerte en el mar Adriático y en el mar Jónico; la influencia genovesa y, en parte también, la de Pisa, es más considerable en el mar Tirreno. Podemos dividir las consecuencias lingüísticas en:

1) Una lengua de forma especial, que ha existido durante cierto tiempo: la «lingua franca».
2) La fundación de colonias lingüísticas.

3) La expansión de préstamos de vocabulario [31].

3.6.1. Lingua franca

La *lingua franca* fue una lengua de comprensión internacional que poseía un léxico más o menos uniforme o, más exactamente, una terminología uniforme. Todo lo que era de importancia para la navegación y el comercio venía, principalmente, del material de las lenguas romances, no sólo del italiano, sino también del catalán y provenzal. El árabe también contribuyó al léxico y a la fonética de la lingua franca. Esto se manifiesta en que esta lengua de comprensión universal se llamó también *sabir*. *Sabir* es la adaptación árabe de la palabra provenzal o catalana *saber*; la /e:/ da normalmente en árabe /i:/.

Nos es totalmente desconocido qué clase de morfología tenía el léxico de la lingua franca. A lo sumo pueden elaborarse hipótesis: se puede pensar que había una morfología muy reducida, una especie de supresión de la flexión, algo así como en las lenguas pidgin y criollas de ultramar, que, por lo demás, todavía existen en las Antillas y en numerosas islas de los mares del sur.

Como ejemplo de nuevas aportaciones a una lengua de comprensión internacional, esto es, a una «koiné turística», se puede tomar el letrero *Hotel-Information*, que entienden todos los europeos sin que podamos adjudicarla a alguna de las lenguas conocidas de Europa occidental. *Hotel* podría ser una palabra alemana, inglesa o española. Italiana no es, ni francesa tampoco, porque le falta el acento circun-

---

[31] Heyd, Wilhelm, *Histoire du commerce du Levant au moyen-âge*, Leipzig, 1936.

flejo. En Inglaterra se escribe *inquiry* para *Information*, en Francia *renseignement*, en Alemania *Auskunft*, en Italia *informazione*, en España *información*. Así, pues, *Information* no es ninguna de las cinco que hemos citado; es simplemente una aportación a una koiné. Fenómenos semejantes de formación de una koiné existen allí donde se encuentran hablantes de diferentes lenguas maternas. Algo parecido debemos imaginarnos para la lingua franca. Ésta fue utilizada como lengua de comprensión internacional en todos los puertos del mar Mediterráneo en lugar de las lenguas nacionales. En todas las costas del sur, los dialectos árabes eran lenguas con las que el entendimiento, por ejemplo entre Marruecos y Argelia, por un lado, y las costas orientales, por el otro, era ya bastante difícil, si no totalmente imposible. En la zona noroeste del Mediterráneo se hablaban dialectos romances, aunque muy diferentes; se hablaba eslavo en el Adriático y en parte del mar Negro, turco en Asia Menor durante la Edad Media tardía, griego en Grecia y, en parte, en las islas de la costa de Asia Menor. El hecho de que entre estas lenguas se impusiera con la lingua franca una lengua predominantemente románica, es decir, que en cierto modo tuviera la primacía, se debe a la posición dominante de las ciudades marítimas italianas.

Eran los barcos mercantes de Pisa, Génova y Venecia los que atravesaban las rutas marítimas, los que transportaban mercancías, por ejemplo, madera, desde Europa a África y Asia; a su vez, traían de Oriente a Europa materias textiles y especias. Entre los numerosos puertos, eran los de Venecia y Génova los más favorecidos, ya que están en la parte más septentrional del Mediterráneo, lo cual hace más breve la ruta comercial continental a Francia, Alemania e Inglaterra. Probablemente sea ésta la razón fundamental de por qué al norte de estos dos golfos pudieron desarrollarse los más importantes centros comerciales.

Por medio de la lingua franca una enorme cantidad de expresiones románicas, especialmente de la marina, ha pasado a las demás lenguas de la cuenca mediterránea, por ejemplo, a los dialectos de la costa árabe, desde Marruecos hasta Siria, al griego y al turco[32].

3.6.2. COLONIAS LINGÜÍSTICAS

Otra consecuencia de la revolución comercial son las numerosas colonias lingüísticas, esto es, zonas que no están en relación, dentro del país, con la zona de la lengua madre. Se trata, o bien de *islas* en sentido geográfico, o de *lugares costeros*, que hablan un dialecto diferente al de sus alrededores. Tales colonias se encuentran, ante todo, en el Mediterráneo occidental: partiendo de Génova, en diferentes lugares de la *Côte d'Azur*, entre Ventimiglia y Toulon. Una colonia genovesa es la pequeña ciudad de *Bonifacio*, en la punta sur de Córcega, donde no se habla corso, sino ligur. Un dialecto ligur se habla también en una isla próxima a Cerdeña, enfrente de la costa suroeste de Cerdeña: *Carloforte*. Los antepasados de los actuales habitantes de esta isla emigraron allí desde Génova. Incluso podemos hallar una isla lingüística catalana, la ciudad de *Alghero*, en la parte noroeste de Cerdeña.

El hecho de que la gran isla de *Córcega*, cuya lengua oficial es el francés, hable un dialecto estrechamente emparentado con el toscano, es, sobre todo, una consecuencia de

---

[32] Kahane, Henry y Renée-Tietze, Andreas, *The lingua franca in the Levant. Turkish Nautical Terms of Italian and Greek Origin*, Urbana, 1958.

la influencia dominante de la ciudad de Pisa. Hay que suponer que el corso fue antes del siglo XI un dialecto parecido al sardo, pero que luego cambió tanto que hoy puede ser considerado como perteneciente a la zona de habla italiana. En la *parte más al norte de Cerdeña* existen dos dialectos que, igualmente, no son aborígenes. Están en estrecha relación con los dialectos de Córcega, pero, en último término, se apoyan también en la influencia de Pisa.

En las costas orientales del Adriático, empezando por Trieste, existe, o existió, una serie de colonias lingüísticas de la ciudad de Venecia. La colonia veneciana actual termina entre Venecia y Trieste, esto es, al oeste del sur de Tagliamento. (El territorio más al este, en la zona de Udina, habla friulano, un dialecto que consideramos del retorrománico.) *Trieste* habla un dialecto veneciano; a principios del siglo XIX existía además un dialecto nacional, pero fue reemplazado posteriormente por el importado de Venecia. Por otra parte, en diversas islas del Adriático oriental y en algunas ciudades costeras había, además de los hablantes de dialectos nacionales, tanto románicos como eslavos, una parte más o menos grande de población que hablaba un dialecto veneciano. Lengua románica nacional era el dalmático, que todavía se habló hasta 1898 en la isla de Veglia y que desapareció más por la poderosa influencia del dialecto importado de Venecia que por presión del servocroata.

3.6.3. Préstamos de vocabulario italianos de la Banca y del Comercio

Los efectos de la revolución comercial no sólo aparecen en la zona del Mediterráneo, sino también en países al oeste y al norte de los Alpes. A causa del predominio del norte y centro de Italia en el comercio y en la técnica bancaria y circulación monetaria, encontramos en la mayoría de las lenguas europeas toda una serie de términos comerciales que fueron préstamos del italiano durante la Edad Media o en época posterior. Así, en alemán, hacemos *Spesen* («gastos»), se posee una *Konto* («cuenta»), se paga un *Agio* («agio»), se recibe un *Diskont* («descuento») o *Skonto* (fr. *escompte*). También la palabra alemana *Bank*, en el sentido de «institución bancaria», fr. *banque,* procede del italiano; por su parte, el it. *banca* fue préstamo del longobardo muchos siglos antes, y, precisamente, en el sentido primitivo de «asiento», que igualmente se conserva en alemán.

También expresiones alemanas como *Bankrott* (fr. *banqueroute*), *Konkurs* y fr. *faillite, Konkurrenz, Risiko* (fr. *risque*), *franko* (fr. *franco*), *netto* y *brutto* (del mismo modo, los préstamos semánticos en el fr. *net* y *brut*) son préstamos del italiano de la Edad Media o del siglo XVI [33]. Tales préstamos nacieron simplemente porque antes de la revolución comercial no existían estas cosas y operaciones al oeste y al norte de los Alpes.

3.7. LA ERA DE LOS DESCUBRIMIENTOS

Con los descubrimientos del siglo XV y principios del XVI empezó la «expansión europea» sobre la tierra. Los historiadores han estudiado detenidamente este fenómeno. Los lingüistas se han dedicado especialmente al estudio de las consecuencias inmediatas, esto es, de la expansión de las

---

[33] Un préstamo de formación, usado con mucha frecuencia, procede igualmente del italiano: comp. Peter, Herbert, «Die Begriffspaare Dare e Avere, Doit et Avoir, Soll und Haben», en *Der Österreichische Betriebswirt,* 11 (1961), cuaderno 4 (= Romanistisches Sonderheft), Viena, 1962, págs. 250-265.

lenguas europeas, románicas y germánicas, por otros continentes y han investigado las lenguas criollas y pidgin, surgidas en su mayor parte con esta expansión. Pero todavía estamos muy lejos de una visión de conjunto de las consecuencias lingüísticas, y, en parte, también políticas, de esta expansión europea, en especial en los estados y lenguas no europeos.

La era de los descubrimientos empieza, aproximadamente, a mediados del siglo xv. Los años más importantes son 1492, descubrimiento de América por Colón (que posiblemente sólo fue un redescubrimiento) y 1498, descubrimiento de la ruta marítima hacia las Indias por Vasco de Gama. España y Portugal fueron los primeros impulsores de estos y otros muchos viajes a la vez que autores de las conquistas posteriores, de los establecimientos comerciales y de las importaciones de ultramar.

Por la misma época más o menos empieza la expansión del renacimiento italiano, especialmente en Francia, pero también en España. Aquí sólo quiero hacer una simple referencia [34].

3.7.1. Enriquecimiento del léxico por medio del español y portugués

Como consecuencia de los descubrimientos, numerosas palabras españolas y portuguesas, que, en parte, proceden de lenguas exóticas, pasaron prestadas al francés, italiano

---

[34] Cf. Wind, B. H., *Les mots italiens introduits en français au XVIe siècle*, tesis de Amsterdam, Deventer, 1928; Vidos, B. E., «Storia delle parole marinaresche italiane passate in francese», en *Biblioteca dell' Archivum Romanicum*, serie II, Linguistica, t. 24, Florencia, 1939; Migliorini, B., *Storia della lingua italiana*, Florencia, 1963, págs. 424-428.

y otras lenguas romances, la mayoría a finales del siglo XVI[35], o incluso a principios del XVII. Se trata, entre otros, de términos de la *navegación*; por ejemplo, el esp. *bahía* > fr. *baie*, it. *baia* (a su vez, de la palabra francesa procede el ing. *bay*, de donde el al. *Bai*) y esp. *huracán* (< ind. *Hurakan*, nombre del dios de la tormenta) > fr. *ouragan*, it. *uragano* (y hol. *orkaan*, de donde procede la palabra alemana). Además, nuevas plantas, animales exóticos y formas geográficas son conocidas, primero por los descubridores españoles y portugueses y posteriormente, a través de ellos, por los franceses, italianos y otros pueblos europeos.

Por ejemplo, entre las *plantas* tenemos (casi en su totalidad de lenguas aborígenes americanas):

esp. *ananás* > fr. *ananas*, it. *ananas(so)*;

esp. *patata* (o *batata*) > fr. *patate*, it. *patata* (en italiano se usó, a veces, la palabra *tartufolo* «trufa» para la designación de la nueva planta, de donde el al. *Kartoffel* en el siglo XVIII, por disimilación);

port. *sargaço* «sargazo, especie de alga marina tropical» > fr. *sargasse*, it. *sargazzo* (posteriormente, por influencia francesa, *sargasso*):

port. *banana* (procedente de la lengua africana de Guinea) > fr. *banane*, it. *banana*.

Del *reino animal* tenemos:

esp. *condor* > fr. e it. *condor*;

esp. *caimán* > fr. *caïman*, it. *caimano*;

esp. *cochinilla* (que produce una materia colorante de color rojo) > fr. *cochenille*, it. *cocciniglia*.

---

[35] Esto lo subraya también Brault, G. J., «Early Hispanisms in French (1500-1550)», en *Romance Philology*, 15 (1961-1962), págs. 129-138.

De *términos geográficos* tenemos:

esp. *sabana* > fr. *savanne*, it. *savana*;

esp. *volcán* (< lat. *Vulcanus*, dios del fuego y de la fragua) > fr. *volcan*, it. *vulcano*.

3.7.2. AMÉRICA, INDIOS E INDIANOS

El nombre *América* es un producto de la lengua y de la cultura europea. El florentino Américo Vespucio, bajo la tutela española y, luego, portuguesa, viajó a las costas de América central y del sur. Dos cartógrafos alemanes oyeron la afirmación de Vespucio de haber descubierto un continente y en el año 1507 le dieron a este continente (brasileño) el nombre de su descubridor, que posteriormente pasó a designar el continente entero. Esto, sin embargo, al igual que la idea de Colón de haber descubierto una ruta marítima hacia las *Indias*, resultó un error. De ahí las denominaciones del esp. *las Indias Occidentales*, fr. *les Indes Occidentales*, al. *Westindien* para (visto desde Europa) los viajeros que van a las islas occidentales de las imaginarias Indias, es decir, las Antillas, de donde también el dualismo:

esp. *Indio*	— *Indio* (de América) Indio americano—
port. *indiano*, hindú	— indio, *indiano*
it. *Indiano*	— *Indiano* (d'America)
fr. *Indien*, Hindou	— *Indien*
al. Inder, Indier	— Indianer

En este cuadro vemos que en alemán no se puede producir un mal entendido, mientras que en las lenguas romances y en inglés, por el contrario, existe una polisemia, que se remonta al error de Colón. El estado inicial de la falsa equiparación de estos dos grupos étnicos está señalado con letra cursiva. ¿Cómo intentaron arreglarse posteriormente las cuatro lenguas románicas citadas? Tenían dos posibilidades: o cambiaban la denominación de «indio», o la de «indiano». Eligieron y eligen esta segunda posibilidad, en caso de duda, el español y el italiano, al añadir la indicación del lugar. (En francés existe además *Peau-rouge*. Pero esta expresión tiene más sentido histórico y se limita a los indios de América del Norte.) El portugués y el francés, por el contrario, eligieron la segunda posibilidad. Encontraron una denominación para el al. *Inder*: hindú. Éste es en realidad un término religioso-social solamente: designa a los seguidores del Hinduismo. Pero esta solución no puede imponerse en la lengua culta como la única denominación, porque en el Indostán, en otro tiempo la India británica, viven también numerosos mahometanos y muchas minorías religiosas. De aquí que la palabra francesa *Indien* tenga *también* el significado del al. *Inder*. (Actualmente se limita a los «ciudadanos de la Unión India», ya que en el Indostán han surgido otros estados, como, por ejemplo, el Paquistán.)

3.7.3. ROMANIA NOVA

Desde que la Romania europea se empequeñeció con —y después de— la destrucción del Imperio romano occidental, de forma que se puede hablar de una «Romania perdida», se vio ésta ampliada, desde la era de los descubrimientos, en países que nunca habían sido romanos, especialmente en países ultramarinos e incluso en todo un continente: América Central y América del Sur. Podemos designar a «esta tierra nueva» de la Romania como *Romania nova*[36].

---

[36] Sobre este término cf. Tagliavini, C., *Le origini delle lingue neolatine*, págs. 130 y sigs., 152 y sigs.

De *Argentina a Méjico* se habla español; en Brasil, en cambio, portugués. Ello no es una consecuencia histórica de los descubrimientos mismos, sino que se remonta sobre todo a la repartición del mundo, realizada ya en 1493, entre España y Portugal con la Bula del Papa Alejandro VI. La influencia española también abarcó grandes extensiones de Norteamérica (Florida, Texas, Nuevo Méjico), así como, lo cual fue también consecuencia de la Bula citada, el archipiélago de las Filipinas. En estas islas existen hoy, además de las lenguas indígenas y del inglés, lenguas hispano-criollas, que probablemente desaparecerán pronto [37].

Desde el siglo XVI, y sobre todo desde el XVII, tiene lugar la influencia francesa, entre otros territorios, en el Canadá, Louisiana y en la cuenca del Mississippi. En el siglo XVIII Canadá fue cedido a Inglaterra, pero se mantuvo, en la provincia de *Québec*, una gran mayoría de hablantes franceses (81 %), a la que De Gaulle se dirigió en julio de 1967 diciendo *Français du Canada* y no *Canadiens français*.

En Asia y África no hay, con algunas excepciones, ninguna «Romania nova», sino sólo portugués, español y francés como lenguas oficiales o de la administración, así como lenguas de tráfico suprarregionales.

En el español y portugués de Iberoamérica, en cierta medida también en el francés de Québec, podemos establecer una cuarta norma espacial de los neolingüistas, que hasta ahora no he citado. Es la norma del *area seriore*, del espacio colonizado posteriormente por un pueblo y dominado por su lengua. La contraria es el *area anteriore*, el espacio primitivo o «de partida», por ejemplo Italia, donde primeramente se habló latín, o, en los tiempos modernos, España (frente a sus territorios coloniales de Iberoamérica). Lo

---

[37] Cf. Whinnom, K., *Spanish Contact Vernaculars in the Philippine Islands*, Hongkong, 1956.

característico es que fases lingüísticas más antiguas, que estaban extendidas por todas partes, tanto en Italia como en las provincias del Imperio y, análogamente, tanto en la metrópoli española como en las colonias, se han mantenido solamente en algunas *provinciae* o en las colonias, mientras en el lugar de origen, en la metrópoli, han sido reemplazadas posteriormente por innovaciones.

En el español sudamericano siguen existiendo frecuentemente fases antiguas del español hablado en época preclásica o clásica. Ejemplos de tales arcaísmos son, en el dominio del vocabulario, por ejemplo:

recordar	(metrópoli: *despertar*)
lindo	(» *hermoso, bonito*)
escobilla	(» *cepillo*)
botar	(» *arrojar*)
muncho	(» *mucho*)
ansí, ansina	(» *así*).

Otros muchos ejemplos presenta Martínez Vigil, C., en *Arcaísmos españoles usados en América*, Montevideo, 1939.

En el estudio histórico-lingüístico de tales diferencias entre el español sudamericano y de Europa, o entre el brasileño y el portugués, debe tenerse presente siempre la diversidad dialectal de la Península Ibérica. Muchos de los llamados «americanismos» y «brasileirismos» se encuentran ya en los dialectos arcaizantes de la metrópoli. Frecuentemente, pues, no son particularidades de la tierra iberoamericana, del *area seriore*, sino arcaísmos que *también* se conservan en los dialectos hablados en las zonas laterales, es decir, en el *area laterale*, como, por ejemplo, en las «zonas laterales» de Galicia, León y Extremadura, a menos que hayan llegado a América especialmente a través de los inmigrantes procedentes de estas zonas.

Las diferencias léxicas entre la metrópoli y las colonias no consisten solamente en arcaísmos. Para el español y portugués de Iberoamérica hay además influencias del sustrato y adstrato indio. Muchas lenguas indias han desaparecido, pero todavía existen algunas y proporcionan palabras del adstrato a las lenguas románicas del lugar. Préstamos de lenguas indias se encuentran, por ejemplo, en el dominio de las fiestas, mitos y ritos, pero especialmente en la agricultura (instrumentos, plantas, víveres y bebidas).

Los americanismos han sido estudiados extensamente por Friederici, Georg, *Amerikanistisches Wörterbuch*, Hamburgo, 1947.

Los mismos neolingüistas han subrayado que las normas espaciales no son leyes aplicables para cualquier época, sino que solamente ofrecen algunas tendencias dominantes en general. Esto se deduce ya de las influencias del superestrato, de las que hablamos anteriormente, y se muestra también en las influencias del sustrato y adstrato indio de Iberoamérica.

Además de los arcaísmos, que corresponden a la norma del *area seriore*, hay que citar, finalmente, los neologismos que una norma tal no puede abarcar, como en el español sudamericano los verbos *dijuntiar* «matar» y *vivar* «dejar vivir».

Los numerosos arcaísmos, americanismos y neologismos de Sudamérica no impiden, sin embargo, de ningún modo la comunicación lingüística con los hablantes de las metrópolis española o portuguesa. Predominan los rasgos comunes y la unidad lingüística está protegida conscientemente por la difusión de la lengua escrita y por iniciativas culturales y lingüísticas, que parten en su mayoría de la correspondiente metrópoli [38].

---

[38] Esto diferencia también la función del latín hablado («latín vulgar») de la situación del español en Iberoamérica. Sobre esto cf.

3.8. DEMOCRATIZACIÓN Y REVOLUCIÓN INDUSTRIAL

3.8.1. DEMOCRACIA, IZQUIERDA-CENTRO-DERECHA Y PROYECCIONES
DEL CAMPO

Las palabras de la moderna democracia, sea ésta inmediata como en el plebiscito o, como ocurre con mayor frecuencia, mediata (ya representativa, ya parlamentaria), nacieron en su mayoría en *Inglaterra* o en *Francia*. De estos países pasaron, por medio de préstamos de vocabulario o de
formación, a las otras lenguas romances y germánicas. La
razón de esto es que, después de la Polis ateniense (508
a. C.) y de la República romana (siglo IV al siglo I a. C.) [39],
es en Inglaterra y en Francia donde el pueblo vuelve a
alcanzar influencia por primera vez sobre su destino político,

---

Wagner, M. L., «Amerikanisch-Spanisch und Vulgärlatein», en *ZRPh*,
40 (1920), págs. 286-312 y 385-402; Lapesa, Rafael, *Historia de la lengua
española*, Madrid, 1954⁴, págs. 341-346; Corominas, Juan, «Indianorro-
mánica. Estudios de lexicología hispano-americana», en *RFH*, 6 (1944),
págs. 1-35, 139-175, 209-254. (Contiene especialmente palabras de origen
metropolitano que han experimentado un cambio semántico en Iberoamérica.) Una bibliografía de los estudios lingüísticos sobre la «Romania nova» la da Tagliavini, C., *Le origine delle lingue neolatine*,
págs. 160 y sigs. Diccionarios importantes que aún no han sido citados:
Santamaría, Francisco J., *Diccionario de mejicanismos*, Méjico, 1959;
mismo autor: *Diccionario general de americanismos*, 3 tomos, Méjico,
1942. Diccionarios especiales para palabras exóticas de origen asiático:
Dalgado, S., *Glossário Luso-Asiático*, 2 tomos, Coimbra, 1919-1921;
Hobson-Jobson, *A Glossary of Colloquial Anglo-Indian Words and
Phrases, and of kindred terms*, ed. H. Jule - A. C. Burnell, Londres,
1903.
[39] En estos dos Estados antiguos pertenecían al «pueblo» solamente los ciudadanos de plenos derechos, no las mujeres ni los esclavos. Atenas excluía además a los inmigrantes; la República romana
tuvo una historia política y distribución del poder más complicadas.

exceptuando Suiza, que, gracias a Rousseau, que tomó conceptos de la Constitución ginebrina, ejerció una cierta influencia en Francia. Aparte de excepciones como Suiza y de algunas formas medievales anteriores, la democratización empezó en Inglaterra hacia mitad del siglo XVII, continuó, naturalmente no sin luchas, en el XVIII y alcanzó su punto culminante con el nacimiento de USA y la Revolución francesa.

La palabra democracia procede del griego y significa «dominio del pueblo» (*dêmos* «pueblo», *krateîn* «dominar»). Pertenece al campo léxico de las formas de gobierno que Platón y del mismo modo Aristóteles, posteriormente, establecieron en un esquema tripartito. Estos filósofos diferencian entre el dominio de un individuo (monarquía, tiranía), de una minoría (aristocracia, oligarquía) y de una mayoría (gobierno de la Polis o timocracia, democracia) [40].

Este esquema, a través de las traducciones medievales de Aristóteles, llegó a las lenguas populares romances (y asimismo al alemán). En los primeros testimonios italianos escritos, por ejemplo, que proceden del siglo XVI, siempre aparecen estas palabras juntas. Pero el concepto democracia es usado por vez primera en sentido general después de la guerra civil inglesa (1642-1647) con la república puritana y, posteriormente, con la Revolución francesa.

---

[40] Cf. Platón, *Politikos*, 291 y sigs. (En «Politeia», 338 d y sigs. se expone la idea de los sofistas, que sólo diferencian tres tipos de Estado: dominio de un individuo = tiranía; de una minoría = aristocracia, y de una mayoría = democracia.) Aristóteles, *Politika*, 1279. Sobre esto, cf. Siegfried, Walter, *Untersuchungen zur Staatslehre des Aristoteles*, Zürich, 1942, págs. 36-79. En Platón y Aristóteles «democracia» es un concepto negativo. Es Polibio quien (siglo II a. C.) da al concepto por primera vez un significado positivo y lo diferencia del dominio de la plebe.

Montesquieu (*L'Esprit des Lois*) y Rousseau (*Le Contrat social*) tuvieron una influencia importante en la teoría y la praxis política. Sobre ambos influyeron modelos ingleses, en especial los escritos de John Locke, así como la Constitución y praxis política inglesas. De *Montesquieu*, sobre todo (*L'Esprit des Lois*, XI, 6), procede la moderna repartición del poder en una *puissance législative*, una *puissance exécutrice* o *exécutive* y una *puissance de juger* o *juridiction*, es decir, que el poder legislativo es ejercido por una representación popular, el poder ejecutivo (según Montesquieu) por monarcas, y el poder jurisdiccional por jueces independientes. Los tres poderes deben vigilarse mutuamente para que ninguno de los tres pueda adquirir el dominio absoluto y surja una dictadura [41]. Las tres palabras han existido durante mucho tiempo en el francés, pero de Montesquieu procede su significado actual, tanto para el francés como para el alemán y otras muchas lenguas. Rousseau no descubrió la teoría de la soberanía popular que había sido expuesta ya en el siglo XIV por Marsiglio de Padua. Sin embargo, Rousseau radicalizó esta teoría. Conceptos como *souveraineté du peuple* (al. *Volkssouveränität*) y *volonté générale* (en al., generalmente, *Volkswillen*) encontraron acceso posteriormente a las masas populares de la revolución francesa por medio de los jacobinos y se convirtieron en expresiones de moda, que también llegaron a España, Italia y países del centro de Europa.

Durante el *Législative* (1791 hasta el otoño de 1792), que recogió en la Constitución la doctrina de Montesquieu, y la *Convention nationale* (al. *Nationalkonvent*, otoño de 1792 al

---

[41] Mientras Montesquieu sostuvo una separación estricta de los poderes, Locke había previsto una cooperación. La praxis predominante *hoy* no se puede reducir a un denominador común. Con mucha frecuencia constituye un compromiso entre las dos concepciones.

otoño de 1795), nacieron las denominaciones modernas de los distintos partidos políticos. Su origen está en la ordenación de los asientos de entonces. En aquel tiempo dominaba una terminología usada hoy sólo en sentido histórico. Durante la Convención Nacional el grupo radical se sentaba en la parte superior a la izquierda, en los asientos colocados en lo más alto, en la *Montagne*; sus miembros se llamaban *montagnards* (en al. *Bergpartei*). En el centro, y en los bancos colocados más abajo, se sentaban los neutrales, formaban la *Plaine*; se llamaban a sí mismos *impartiaux*. Los girondinos tomaron el lado derecho; la mayoría de sus dirigentes procedía de los alrededores de la Gironde. Durante el *Législative* se habían sentado a la izquierda. Representaba la alta y poderosa burguesía de los *départements*; quería mantener sus privilegios, mientras que los *montagnards* se apoyaban en las masas populares parisinas y pedían la igualdad política. Hasta octubre de 1792 *las dos* direcciones políticas estuvieron representadas en el club de los *jacobins* (del nombre del lugar del congreso en el convento parisino de St. Jacob), pero luego empezó la «purificación», la «limpieza» (*épuration, épurer, radier, éliminer*). Los *girondins* tuvieron que abandonar el club, de suerte que la lucha entre *girondins* y *montagnards* se convirtió en una lucha entre *girondins* (derecha) y *jacobins* (izquierda).

De 1790 proceden, igualmente, las denominaciones actuales, según el orden de los asientos en el Parlamento: a la izquierda, a la derecha, la Izquierda, la Derecha [42]. («Centro» nace más tarde como denominación complementaria.) Estos conceptos penetraron luego en todas las lenguas romances y

---

[42] Una gran cantidad de citas se pueden encontrar en Brunot, F., *Histoire de la langue française des origines à 1900*, t. IX, 2, págs. 769-770.

germánicas. De esta forma tenemos, partiendo del asiento del presidente:

la gauche > préstamos de traducción, it. *la sinistra*, esp. *la izquierda*, rum. *stînga*, al. *die Linke*, ing. *the Left*;

le centre > it. *il centro*, esp. *el centro*, rum. *centru*, al. *die Mitte*, ing. *the Centre*;

la droite > it. *la destra*, esp. *la derecha*, rum. *grupare de dreaptă*, al. *die Rechte*, ing. *the Right*.

Al mismo tiempo nace por todas partes un nuevo significado de los adjetivos izquierdo, derecho y central y, en alemán, también de los prefijos *Links-* y *Rechts-* (por ejemplo, al. *Linksparteien* «partidos de izquierda», *Rechtsdrall* «inclinación a la derecha», *Rechtsradikale* «derecha radical», *mittlerer Kurs* «Dirección centrista»).

Este sistema conceptual que data de la Revolución francesa choca actualmente con la oposición de los partidos. Los conservadores de Francia, Italia y Alemania ya no quieren aparecer más como «de derechas». Se dirigen a todas las clases de electores, hacen concesiones sociales significativas. Pero también los partidos «de izquierda» encuentran poco inteligente aparecer como «de izquierdas» y por ello adaptan sus peticiones y su modo de expresión a nuevas clases de electores potenciales. Reconocen la tendencia a oscilar en una línea centrista. Pero a esta tendencia a la extinción del sistema se opone una tendencia a su mantenimiento. El viejo sistema conceptual permanece en el uso lingüístico vivo, unas veces porque se sigue conservando en los Parlamentos el antiguo orden de los asientos, otras a causa de la brevedad lingüística (*loi du moindre effort*):

partidario de cambios políticos y sociales y con miras más internacionales = izquierda;

conservador en lo político y en lo social y de miras más nacionalistas = derecha [43].

La pervivencia de este sistema la podemos notar también en los neologismos actuales; por ejemplo, la coalición gubernamental italiana de la *apertura a sinistra* (apertura a la izquierda con la aceptación de los socialistas de izquierda) se llama *il Centro-Sinistra,* la tendencia a la izquierda se llama *sinistrismo* y la correspondiente tendencia al centro se llama *centrismo* [44].

Como vemos por estas dos últimas palabras, existe actualmente una tendencia a usar las palabras derecha, centro e izquierda en sentido figurado para las diferentes direcciones de un partido. Abundantes citas de esto podemos encontrar en los periódicos y revistas franceses, italianos y alemanes. Esquemáticamente expuesto tenemos el siguiente proceso:

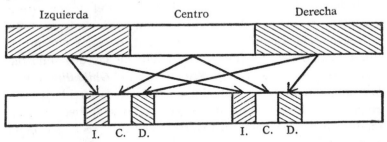

Lo especialmente interesante está en que aquí no es una palabra sola la que tiene significado figurado, sino todo el campo léxico. Todo el campo, que abarca la totalidad de los

[43] Cf. v. d. Heydte-Sacherl, *Soziologie der deutschen Parteien*, Munich, 1955, págs. 17-18.

[44] Cf. Migliorini, Bruno, *Parole nuove*, Milán, 1963.

partidos, se proyecta, a su vez, en un capítulo o parte de este campo, esto es, en *un* partido. Denominaremos a este proceso «proyección del campo». Un proceso característicamente parecido (con rápido paso genético de una lengua a otra) es el siguiente:

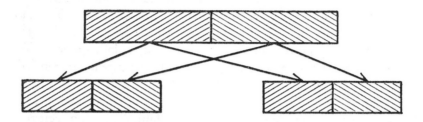

En el punto de partida tenemos, por ejemplo, «gaullistas» y «americanos»; si se forman luego en diferentes partidos *fuera* de Francia partidarios de las dos direcciones, también habrá allí «gaullistas» y «americanos». Caso análogo es, por ejemplo, el de «estalinistas» y «titoístas», o el de ala «rusa» y «china» (como en el Partido Comunista de Bélgica, India y Nueva Zelanda antes de la escisión), o como durante la Edad Media, después de la enemistad de las dos dinastías alemanas, las de los *Guelfi* < *Welfen* y los *Ghibellini* < *Waiblinger* («güelfos» y «gibelinos»), esto es, partidarios del emperador de los Staufen. En este caso se proyecta igualmente un campo hacia el exterior. Por esto se puede denominar al último proceso *proyección externa del campo* y al primero *proyección interna* (o también extraproyección e intraproyección de un campo).

Procesos de este tipo no sólo se encuentran en la lengua política. Una proyección interna del campo de fecha antigua (no es fácil asegurar en qué siglo tuvo lugar) la tenemos poco más o menos en el francés:

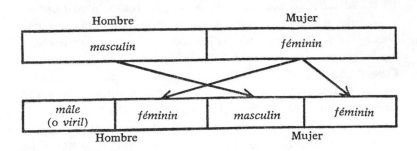

La proyección del campo no es completa porque en la segunda serie para hombre «masculino» se usa *mâle* o *viril* y no *masculin*; *mâle* está emparentado etimológicamente con *masculin*, pero es una palabra diferente. Para las demás palabras de la segunda serie tomo algunos ejemplos de los diccionarios de Littré y Robert, que están bajo los lemas de *féminin* y *masculin*: *Cet homme a un visage féminin* (lo contrario: *un visage mâle*).

Voix masculine. Tendences masculines. Une femme masculine.

Grâce féminine. Charme féminin. Curiosité féminine.

Posiblemente hay que entender como proyecciones del campo toda una serie de transferencias semánticas, que en los diccionarios etimológicos aparecen como sentidos figurados de una palabra.

3.8.2. OTRAS DENOMINACIONES DE TENDENCIAS POLÍTICAS PROCEDENTES DEL FRANCÉS

A lo largo de los siglos XVIII y XIX otras denominaciones de tendencias políticas experimentaron un cambio semántico en el francés y pasaron como préstamos de vocabulario o de formación a otras lenguas. Aquí entran, por ejemplo:

fr. *social* > it. *sociale*, esp. *social*, se remonta al *Contrat social* de Rousseau (Corominas, el autor del más extenso Diccionario etimológico español, considera la palabra como «galicismo»); fr. *socialiste* (primero para los partidarios del *Contrat social*, pero, durante la revolución, para «compañeros de la unión» del reino, esto es, en un sentido totalmente diferente, más tarde para los seguidores de Grotius o de Saint-Simon, por ejemplo, Leroux) > hacia 1830 it., esp. y port. *socialista*, al. *Sozialist*; del mismo modo, el fr. *socialisme* > it., esp. y port. *socialismo*, al. *Sozialismus* (en relación con la revolución de 1848 que estuvo dirigida contra la nobleza, la monarquía y la poderosa burguesía y que, desde Francia, llegó a todo el continente europeo);

fr. *modéré* > it. *moderato*, esp. *moderado*;

fr. *progressiste* > it. y port. *progressista*, esp. *progresista*;

fr. *communiste* > it., esp. y port. *comunista*;

fr. *communisme* > it., esp. y port. *comunismo*. La palabra, sin embargo, no alcanza su significado actual hasta 1917 por obra de Lenin.

En el caso del it. *nazionalista*, *nazionalismo* y, del mismo modo, en el esp. y port. *nacionalista*, *nacionalismo*, al. *Nationalist*, *Nationalismus* (todos del siglo XIX), difícilmente se puede decidir si el préstamo fue tomado del francés o del inglés.

3.8.3. Términos políticos del inglés

Inglaterra contribuyó de un modo esencial a las manifestaciones e instituciones de la moderna democracia parlamentaria. De esta manera, las lenguas romances y el alemán tomaron varias palabras inglesas en calidad de préstamos de vocabulario, en parte poco usados y en parte usados con mucha frecuencia, o en forma de préstamos de formación.

En la primera mitad del siglo xviii se creó en Inglaterra el puesto de *prime minister* >fr. *premier ministre* (de donde el al. *Premier*) y algo parecido en italiano y español. A Inglaterra, y del mismo modo al siglo xviii, se remonta la formación de una *Opposition*, que, en calidad de institución parlamentaria fija, debe vigilar críticamente la actividad del partido o partidos gobernantes. En sentido político, «oposición» es un anglicismo en italiano y francés, sobre cuyo origen no informan los diccionarios etimológicos españoles y portugueses. La palabra *Parlament*, en el sentido actual de representación popular, procede del inglés (el al. *Parlament* nace en el siglo xvii < ing. *parliament*). Considerada desde el punto de vista del francés, es un *Rückwanderer* (palabra «repatriada»): fr. ant. *parlement* «conversación, consulta, debate», derivado de *parler*, pasa al inglés en forma de *parliament* a través del anglonormando *parlement*, que evoluciona al significado de «representación popular», análogo al francés desde el siglo xviii. Dicho de modo más exacto, en el francés del siglo xviii coexisten un significado más antiguo, «tribunal supremo» (entre los que estaba el de París, que debía registrar las leyes reales y podía introducir cambios en ellas, es decir, que poseía un derecho, aunque limitado, de intervención política) y un significado más reciente «representación popular (inglesa) con poder *legislativo*». Hasta 1825 no desaparece con la institución jurídica antigua el primer significado. Desde entonces sólo está vigente el significado más reciente. Procede, como hemos dicho, del inglés y designa la representación popular propia según el modelo inglés.

El español tomó prestada del francés posteriormente (en el siglo XIX) la palabra «parlamento», de modo que es un galicismo igual que «gubernamental», «debate» y «garantía»[45]. Otros ejemplos de préstamos (más bien de préstamos de vocabulario) son el ing. *to vote* «votar, elegir» > fr. *voter* (del siglo XVIII), it. *votare* (del siglo XVI); ing. *coalition* «unión, fusión» (en el siglo XVIII especialmente de estados) > fr. *coalition* (del que hay algunas citas esporádicas ya en el siglo XVI, citado de nuevo a comienzos del XVIII y usual desde finales del XVIII) y, a través de éste, también el it. *coalizione* y al. *Koalition* «coalición». Entre tanto, el préstamo francés e italiano, así como la palabra inglesa, tomaron también el significado de «unión de partidos» (por ejemplo, en fr. *coalition gouvernementale*), mientras que la palabra alemana en el uso lingüístico general tiene todavía el significado más reciente de «unión de los partidos gobernantes» (por ejemplo, en al. *die grosse Koalition* «la gran coalición», *die kleine Koalition* «la pequeña coalición»). Restos del significado más antiguo los encontramos todavía en el al. *Koalitionsfreiheit* («libertad de asociación»).

El ing. *congress* (< latín medieval *congressus*, de *congredi* «reunirse») > fr. *congrès*, it. *congresso*, esp. *congreso*; ing. *budget* /bʌdʒit/ «economía doméstica, presupuesto doméstico» > fr. *budget* /bydʒɛ/, it. *budget* (desde comienzos del siglo XIX la denominación normal en italiano es, sin embargo, *bilancio*).

Las diferencias fonéticas entre las formas francesas e inglesas muestran con claridad que la palabra ha sido un préstamo por tradición escrita. Es igualmente un *Rückwanderer* (palabra «repatriada»); la palabra inglesa procede del fr.

---

[45] Lapesa, Rafael, *Historia de la lengua española*, Madrid, 1959⁴, pág. 289.

ant. *bougette* /budʒétə/ «saco pequeño de cuero» y designaba, en principio, la bolsa del Estado, la «bolsa de las finanzas». En alemán coincidieron *Budget* (con pronunciación francesa), *État* (igualmente francés) y *Haushalt*, precisamente porque *Haushalt* tiene varios significados, «economía doméstica, presupuesto doméstico», etc.

El ing. *club* /klʌb/ > fr. *club* /kloeb, klyb/, como, por ejemplo, a finales del siglo XVIII «club des Jacobins», de donde el it. *club* (al igual que *giacobino, assegnato* y los nombres de partidos)[46].

3.8.4. TÉRMINOS POLÍTICOS PROCEDENTES DEL ESPAÑOL

En la transición del siglo XVIII al XIX pasó también a España la idea del dominio popular. Varias juntas de administración autónomas se unieron en una *junta central*, la cual abrió paso a una nueva soberanía: la representación popular. Ésta, por medio de la *soberanía del pueblo* o *soberanía nacional*, tuvo sus sesiones en Cádiz desde 1810 a 1812. Dos tendencias se oponían: los representantes del punto de vista liberal, que con mucha frecuencia usaban la palabra *liberal* y por ello se llamaban *los liberales*; sus enemigos fueron llamados *los serviles*, esto es, gente de ideas serviles, sumisas. La palabra liberal en principio significaba «que conviene al hombre libre», luego también «generoso, magnánimo». La palabra se había usado ya en el vocabulario político en Francia (1799) y en Inglaterra (1802), pero en el sentido moderno de «grupo político liberal y sus ideales»

---

[46] El español «club» es, según Lapesa, *Historia...*, pág. 290, un préstamo directo del inglés. Pero también podría haber llegado por el camino inverso, a través del francés, como el it. *club*.

pasó *liberal* de Cádiz a todas las demás lenguas [47]. Por la misma época surgieron en la mayor parte de España defensores irregulares de la libertad, los *guerrilleros* en contra del dominio extranjero de Napoleón e introdujeron una «pequeña guerra», la *guerrilla* (diminutivo de guerra), de donde el fr. *guérille*, it. *guerriglia*, semejante en inglés y alemán.

Pero ya en 1814 empezó en España, con la restauración absolutista, la persecución de los liberales; el mero uso de la palabra «liberal» fue prohibido. Las colonias latinoamericanas tuvieron mayor éxito, ya que en la primera mitad del siglo XIX se independizaron de la metrópoli, gobernada de nuevo por los absolutistas. Pero en estos países se consiguió una democracia sólo durante breves períodos (igual que en España: sólo de 1810 a 1813, hacia 1868 y hacia 1931, antes de la guerra civil). En la mayoría de los países latinoamericanos domina una *junta*, pues casi cada mes se produce un *pronunciamiento* en alguno de los estados políticamente inestables, como ya había ocurrido varias veces en España (> fr. e ing. *pronunciamiento*). La palabra *junta* se deriva del participio *junto* < lat. *iunctus* y todavía se usa en español para designar un comité o una reunión con fines políticos especiales. Pero es con el significado particular, derivado del primero, de «gobierno revolucionario provisional», la mayoría de las veces en el compuesto *junta militar*, con el que ha pasado a las demás lenguas románicas (por ejemplo, fr. *junte militaire*) [48], así como al alemán y al inglés (*Militärjunta, military junta*), y puede designar cualquier dictadura militar del mundo.

---

[47] Cf. Lapesa, R., *Historia...*, p. 292 y los artículos de Juan Marichal citados en esta página.

[48] En italiano, sin embargo, existía, ya en el siglo XVI, por influencia española, *giunta* «consejo, reunión, comité».

3.8.5. La revolución industrial

Con la guerra civil inglesa y la Revolución francesa empezó la tendencia moderna al dominio del pueblo, a la democratización. Del mismo modo, para la paulatina mecanización de la fabricación de objetos, esto es, para el paso del trabajo manual al trabajo mecanizado, se puede establecer una fecha inicial (convencionalmente, la implantación de la máquina de vapor en la producción de objetos, a finales del siglo XVIII) y hablar de una *revolución industrial.* (Por lo demás, «revolución industrial» e «industrialización» se usan con frecuencia como sinónimos, ya que la revolución industrial ha pasado de un sector a otro, de un país a otro.)

Para el vocabulario romance la revolución industrial es importante sobre todo porque produjo una enorme multiplicación, especialmente de *sustantivos,* consecuencia de la multiplicación de los objetos y productos. Existen hoy tantos términos técnicos (*termini technici*) en una lengua que han enriquecido considerablemente su vocabulario fundamental. *Una expansión cuantitativa del vocabulario* como ésta no se había producido en ninguna etapa histórica anterior. A esto se añade que la revolución industrial no se limitó desde el principio al dominio puramente técnico-económico, sino que abarcó, al mismo tiempo, la estructura de la población (por ejemplo, en al. *Unternehmer* «empresario», *Chef* «jefe», *Manager* «director», *Angestellter* «empleado», *Arbeiter* «obrero», *Arbeitsloser* «obrero en paro», *Streik* «huelga», *Gewerkschaft* «sindicato«, *Parvenu* «advenedizo», *Landflucht* «éxodo rural», *Pendler* «mendigo», *Grosstadt* «gran ciudad»). Deberíamos considerar aquí dos dominios: el técnico y el social. Pero esto es imposible, precisamente porque la revolución industrial introdujo una verdadera producción en cadena de palabras. Por ello me contentaré con exponer cuatro tendencias generales, que ya existían antes, pero que se hacen muy fuertes con la revolución industrial:

1.ª La multiplicación de las palabras cultas y afijos; tomando como modelo un ejemplo característico podríamos denominarla la tendencia al empleo del afijo *auto-*.

2.ª La generalización de los nombres propios.

3.ª El intercambio internacional de palabras.

4.º La preferencia por las formas abreviadas o siglas.

3.8.6. TENDENCIA AL EMPLEO DEL AFIJO «AUTO-»

En primer lugar vamos a hablar de las palabras cultas y de los afijos (esto es, de los prefijos y sufijos). Podemos partir de la palabra *auto*, ya que es un ejemplo que nos viene especialmente bien. El gr. *auto-* «mismo, personal, por sí mismo» aparece ya como prefijo en el Renacimiento (por ejemplo, en el fr. *autographe, autonomie*); en cambio, *automobile*, para el nuevo objeto técnico, existe desde la segunda mitad del siglo XIX, concretamente desde 1866, en el francés y como adjetivo. En 1875 tenemos *voiture automobile*[49], de donde procede la forma abreviada sustantivada *automobile* en 1896. Con el uso cada vez más frecuente del vehículo, *automobile* se hace popular y, finalmente, vuelve a abreviarse en *auto*. Lo mismo sucede en italiano y en

---

[49] De acuerdo con el estado actual de la investigación etimológica, ésta es la cita más antigua. Cf. especialmente Bloch, O. - Wartburg, W. v., *Dictionnaire étymologique de la langue française*, París, 1964⁴. En alemán aparece la palabra probablemente por primera vez en Carl Friedrich Benz, hacia 1885, así, pues, más tarde. El italiano y el español tomaron prestada la palabra del francés.

alemán. (Entre tanto, la lengua común italiana prefiere *la macchina*. En español la palabra es menos usada, quizá porque aquí se produce la homonimia con *auto* < *actu* «pieza teatral alegórico-bíblica» y «disposición jurídica».)

Así, pues, hasta ahora tenemos lo siguiente:

1) Una formación del griego (*auto* «mismo») y del latín (*mobilis* «movible»); es muy típico que las palabras cultas sean grecismos o latinismos, en este caso las dos al mismo tiempo [50].

2) Un prefijo culto, *auto-*, que posteriormente, en un compuesto usado con mucha frecuencia, se abrevia en la llamada cabeza de palabra. Lo que en su día fue prefijo se convierte así en una palabra.

Éstos son, por así decirlo, los primeros procesos. La multiplicación propiamente dicha aparece, en este caso, en un tercer proceso. Lo que en su día fue prefijo con el significado de «mismo» y más tarde una palabra con el significado de «coche» vuelve a ser un prefijo, pero con nuevo significado, y sirve para la formación de *autobus* (sustituye a *voiture omnibus* «para todos», abreviado en *bus*, dando luego el compuesto *auto-bus*; en el español la sinonimia, por lo demás, ha conducido a una escisión del significado: *el autobús, el ómnibus*), *autocar, autodrome, auto-école, auto-route, autostrade* («autopista»), *autostop*.

El mismo p r o c e s o d e t r e s f a s e s (antiguo prefijo en compuestos, luego abreviación en *un* compuesto determinado en una cabeza de palabra, luego uso de esta palabra,

---

[50] Cf. *polyvalent* (gr.-lat.), *bicyclette* (lat.-gr.), *monocorde, microsillon, polycopie* (gr.-fr.), *bureaucratie* (fr.-gr.). Hay numerosas formaciones híbridas. Pero más frecuentes son los grecismos y latinismos puros. Una visión de conjunto la da Marouzeau, J., «Procédés de composition en français moderne», en *Le Français moderne*, 25 (1957), págs. 241-247.

esto es, del antiguo prefijo con nuevo significado, en compuestos) lo encontramos, por ejemplo, en *photo-graphie*, en realidad «grabación de la luz» (gr. *gráphein* «escribir») > *photo*, de donde con nuevo significado, es decir, «imagen» no «luz», *photocopie, photocromie, photogénique, photogravure*, etc. Lo mismo pasa con *radio, télé, dactylo* (it. *dattilo*, por ejemplo, *dattiloscritto* «texto escrito a máquina»), *stéréo, sténo* [51]. A esto se añade con frecuencia que el prefijo *también* es muy productivo en su antiguo significado y forma nuevas palabras, como, por ejemplo, de *auto* «mismo»: *autoexcitation, autolumineux, autopropulsé*, etc.

Una gran cantidad de las palabras que he citado anteriormente pertenece a los préstamos de vocabulario y de formación. Del inglés proceden, por ejemplo, *autocar, autostop*; del italiano, *autostrade* y el préstamo de traducción *autoroute*. Sobre estos préstamos volveremos más adelante.

En el caso de *autoroute* tenemos el *proceso de tres fases* que hemos citado anteriormente; en el caso de *autolumineux* o de *autopropulsé* tenemos una f o r m a c i ó n a n a l ó - g i c a m o d e r n a sobre antiguos modelos, como, por ejemplo, *autonomie* [52].

Los dos procesos, el analógico y el de tres fases, los encontramos también en los s u f i j o s . Un ejemplo de proceso analógico: sobre el modelo de *télégramme* nacen *photogramme, sténogramme*. Un ejemplo de proceso de tres fases: *omnibus* se abrevia en *bus*, luego aparecen nuevas palabras con -*bus*: *autobus, trolleybus, bibliobus, europabus*.

---

[51] Cf. Migliorini, Bruno, *Saggi sulla lingua del novecento*, Florencia, 1963³, pág. 51.

[52] Sobre los prefijos archi-, extra-, ultra-, sur-, super-, hyper-, así como per- (cf. *peroxyde* y, comercialmente, *persavon, persil*) cf. Guilbert, L. y Dubois, J., «Formation du système préfixal intensif en français moderne et contemporain», en *Le Français moderne*, 29 (1961), págs. 87-111.

Sufijos de publicidad. En la lengua de la publicidad existen sufijos que pueden designar productos de diversas clases y no tienen un significado especial. Así, pues, son sólo de valor funcional y sirven de epílogo, por ejemplo, *-ex, -ine, -ol*. Pero desde hace mucho tiempo existen sufijos de esta clase que se aplican a una esfera determinada, por ejemplo:

-yl para productos farmacéuticos; las formas grecizantes con *y* dan sensación de científicas e inspiran confianza, por ejemplo, *Sympathyl* «regulador del simpático», *Tergyl*, contra las enfermedades de la piel (lat. *tergere* «purificar, mejorar»);

-cide con el significado de «matador, que mata» según modelos antiguos como *homicide*: *insecticide* (1855), de donde probablemente *microbicide, Coricide, Taupicide, Néocide*;

-ode servía en la Física del siglo XIX para designar el camino por el que entraba y salía la corriente eléctrica (gr. ὁδός «camino»): *électrode, anode, cathode* y desde entonces se reserva para el dominio de los aparatos de radio: *triode, tétraode, Selectode* o, para dar un ejemplo de publicidad mala, de publicidad machacona de bulevar: *Super-Octode* [53].

3.8.7. GENERALIZACIÓN DE LOS NOMBRES PROPIOS

Para la tendencia a la generalización de los nombres propios podemos citar como ejemplo el concepto de «Ampère». Andrés María Ampère fue un físico francés (1775-1836). Descubrió las causas de la atracción y repulsión de las corrien-

---

[53] Cf. Galliot, Marcel, *Essai sur la langue de la réclame contemporaine*, Toulouse, 1955, págs. 245-280; Bieri, Jean, *Ein Beitrag zur Sprache der französischen Reklame*, Winterthur, 1952, págs. 122-133.

tes eléctricas y estableció una teoría de las formas electro-
dinámicas. De él recibe su nombre la unidad de fuerza de
la corriente eléctrica.

Este procedimiento de denominación de un nuevo fenómeno existe ya en la Antigüedad, por ejemplo, el fr. *acadé-
mie* < lat. *Academia*, se remonta al nombre de un jardín de
Platón, éste a su vez al nombre de un bosquecillo de Atenas
que estaba consagrado al héroe Akademos. Del mismo modo,
el lat. *caesar*, al. *Kaiser*, viene del nombre de Julius Caesar
e, indirectamente, el fr. *juillet* («corrección» humanística del
fr. ant. *juignet* «pequeño junio», que quería restablecer la
forma latina Julius) del pre-nomen de Caesar.

Pero desde finales del siglo XVIII, o comienzos del XIX,
este procedimiento de designación se usa masivamente;
además de sustantivos (*Ampère, Renault, Citroën*, etc.) nacen
también adjetivos y verbos: por ejemplo, *artésien* (1803),
derivado de la región de Artois, donde fue colocado el primer pozo «artesiano», o *galvaniser* (1799), *galvanique* y *gal-
vanisation*, derivado de *galvanisme* (1797), de Galvani, físico
italiano que descubrió la electricidad de los animales; *vol-
taïque* (finales del siglo XIX), de *Volt* (1881), según el italiano
Alejandro Volta, que fue igualmente un físico distinguido [54].

3.8.8.   INTERCAMBIO INTERNACIONAL DE PALABRAS

El intercambio internacional de palabras constituye la
tercera tendencia. Desde la Edad Media hasta el siglo XVIII

---

[54] Cf. las palabras alemanas *Corioliskraft, Fourier-Darstellung, Ryd-
Scherhag-Effekt, Mössbauer-Effekt, Litfaßäule* (del impresor Ernst
Litfass, 1885), *röntgen* «radiografiar», *Röntgenstrahlen* «rayos X», *sadi-
stisch, masochistisch, Zeppelin*, así como, en el dominio político,
gaullistisch, maoistisch, etc. En general, para el fenómeno de la
generalización de los nombres propios cf. Migliorini, Bruno, «Dal
nome proprio al nome comune», en *Archivum Romanicum*, 1927; Marouzeau, Jean, *Notre langue*, París, 1955, págs. 117-143.

tenemos todavía un i n t e r c a m b i o d e p a l a b r a s i n
t e r r o m á n i c o; del italiano proceden palabras de la
banca y de las finanzas, después también de las artes plás-
ticas y de la música. Por otra parte, España y Portugal
transmiten, después de los primeros descubrimientos geográficos, términos exóticos y náuticos; Francia extiende, en
especial desde el siglo XVII, sus innovaciones en la moda y
la gastronomía y alcanza otra vez en el siglo XVIII, como
en la Edad Media, un momento culminante de su influencia
sobre todo en Italia. En los tiempos de la democratización,
de la industrialización y de la influencia creciente de las
ciencias el i n t e r c a m b i o d e p a l a b r a s i n t e r e u -
r o p e o prevalece, sin embargo, frente al interrománico. En
lugar de intereuropeo podríamos decir también i n t e r -
n a c i o n a l y de esta forma podríamos incluir las lenguas
no europeas de los antiguos países coloniales.

A continuación daremos algunos ejemplos significativos
del intercambio léxico internacional de los siglos XIX y XX.

La palabra *film* es un préstamo del inglés *film* de finales
del siglo XIX, que significa propiamente «membrana», luego
«capa finísima» (así, en francés, *film d'huile*, al. *Ölfilm*).
Todas las lenguas romances han aceptado esta palabra y
han formado derivados de ella. En cambio, todas las palabras que empiezan con *ciné-*, *cinéma-* se remontan al fr.
cinématographe, esto es, a la designación de un aparato
para la proyección de imágenes en movimiento, que des-
cubrieron los hermanos Lumière (gr. *kínema* «movimiento»,
gráphein «escribir». De la palabra francesa derivan también
el ing. *cinema* y el al. *Kino* «cine»).

Es igualmente significativo que, por medio de los primeros turistas ingleses y alemanes, *fata morgana* fuera préstamo del italiano (inglés, 1818; alemán, 1796), mientras que la
lengua culta italiana tomó un término francés: *miraggio* <

fr. *mirage*. La creencia popular del sur de Italia atribuía al hada Morgana la alucinación por espejismo. *Morgana* (fr. ant. *Morgain*) aparece en las antiguas novelas francesas, por ejemplo en las de Chrétien *Erec*, como hechicera y hermana de Artus. El sur de Italia es extremadamente conservador a causa de su situación geográfica marginada y de su historia, una historia única de la opresión de reyes coloniales extranjeros. De la época de los conquistadores normandos proceden, además de los galicismos, numerosas poesías juglarescas y dichos populares que, en último término, se remontan a la *matière de Bretagne*.

Otro ejemplo característico es la palabra italiana *ferrovia*, préstamo de traducción del al. *Eisenbahn* (de 1820). El derivado italiano *ferroviario* pasa a España, donde, además de la función adjetiva, ha conservado una función sustantiva [55] y, a través de la Suiza francesa, ha pasado al francés (*compagnie, réseau, trafic, ... ferroviaire*) [56].

Sobre los anglicismos hay numerosos trabajos en la literatura especializada [57]. La influencia de la lengua inglesa supera en el siglo XX la de cualquier otra lengua. Esto se debe sobre todo a dos causas:

1) De Inglaterra pasó al Continente la r e v o l u c i ó n i n d u s t r i a l e igualmente el t u r i s m o moderno que ella posibilitó (esto último se observa incluso en palabras como fr. *bifteck* y fr. *campeur*; la misma palabra turismo es un préstamo del inglés y a su vez el ing. *tourism* y *tourist* se remontan a *tour* < fr. *tour*).

---

[55] Lapesa, R., *Historia...*, pág. 290.

[56] Cf. Migliorini, B. - Baldelli, I., *Breve storia de la lingua italiana*, Florencia, 1964, pág. 314.

[57] Por ejemplo, Étiemble, *Parlez-vous franglais?*, París, 1964; Guilbert, Louis, «Anglomanie et vocabulaire technique», en *Le Français moderne*, 27 (1959), págs. 272-295.

2) Los USA se han convertido con las guerras mundiales en una potencia mundial; su influencia económica y política, especialmente en Italia y España, es más fuerte que la francesa (it. *americanizzarsi*, esp. *americanismo*). Los anglicismos y americanismos predominan en el siglo XX, pero continúa el intercambio de palabras interrománico e intereuropeo. Siguiendo con ejemplos italianos, lo vemos en conceptos históricos como *Duce* > préstamos de traducción como *Caudillo, Führer* y *fascismo*, y en palabras como *espresso, pizza, vespa, lambretta, FIAT*.

3.8.9. Preferencia por las formas abreviadas o siglas

La tendencia a preferir formas abreviadas se relaciona con el principio de la ley del menor esfuerzo (fr. *la loi du moindre effort*). El hombre sólo emplea aquella fuerza que cree que le es necesaria para la realización de sus metas y proyectos, conscientes o inconscientes. Esto se aplica también a la economía, al tráfico y a la lengua corriente. ¿Por qué ha de decir un hablante «le microphone», por ejemplo, si la forma abreviada, *le micro*, es suficiente para la mera comprensión? ¿O bien *radiotelegraphy*, si basta con *radio*? En estos casos nos encontramos con el fenómeno denominado *cabeza de palabra*: la denominación no se ha elegido muy acertadamente, pero se ha generalizado. Esta misma tendencia conduce a abreviaciones que sólo constan de las letras iniciales, por ejemplo, *TSF* en lugar de *Télégraphie* (o *Téléphonie*) *sans Fil* «Telegrafía sin hilo». Esta abreviatura se ha convertido en la palabra /teɛsɛf/ y por ello está en los diccionarios franceses modernos. En éstos encontramos, por ejemplo, *installation de T. S. F.* «instalación de la telegrafía sin hilo», *mât de T. S. F.* «poste telegráfico», *tour de T. S. F.* «torre de radio». A veces esta abreviación tiene, además, el significado especial de «estación emisora o receptora». Actualmente está en retroceso en este último significado y es sustituido por *radio* o *poste*. Abreviaturas del mismo tipo son *SABENA, ONU* (en al. *UNO), URSS, SNCF*. Fonéticamente han sido consideradas como palabras francesas normales: llevan el acento en la última sílaba, por ejemplo, *ONU /ony/*, con acento sobre la *y*. Con esto es suficiente; no vamos a considerar aquí otros tipos de abreviaturas como, por ejemplo, la combinación de las sílabas iniciales (*Be-ne-lux*) [58].

Abreviaturas había ya en la Antigüedad: se decía y se escribía, por ejemplo, *sestertius* en lugar de *semis tertius, audisse* en lugar de *audivisse*; se escribían abreviaturas como *S. P. Q. R.* (*Senatus Populusque Romanus*), o *a. u. c.* (*ab urbe condita*). Es cierto que el lingüista no debe tratar de explicar las formas abreviadas sólo a partir del cliché de «la prisa de nuestro tiempo». Más bien tienen su origen en una tendencia fundamental de la comunicación lingüística. Se han multiplicado precisamente tanto porque con la revolución industrial ha aumentado, de modo extraordinario, el número de objetos, experiencias e instituciones.

---

[58] Una serie de los tipos principales de abreviaciones se encuentra en Marouzeau, Jean, *Notre langue*, París, 1955, págs. 272-275; Martinet, André, *Éléments de linguistique générale*, París, 1961², especialmente §§ 6.5 y 6.6; Migliorini, Bruno, *Saggi sulla lingua del novecento*, Florencia, 1963³, especialmente págs. 23-55, 268 y sigs.; Zumthor, Paul, *Abréviations composées*. Verhandelingen van de Kon. Nederlandse Akademie van Wetenschappen, afd. Letterkunde, N. R. LVII, 2, Amsterdam, 1951.

II

FENÓMENOS DE IRRADIACIÓN Y ZONAS DE INTERFERENCIAS

4. HISTORIA DEL LÉXICO ROMÁNICO
EN LOS PAÍSES VECINOS A LA ROMANIA ACTUAL

4.1. Préstamos en las lenguas europeas

Hay diferentes maneras por las que una lengua puede influir sobre otra, especialmente en el terreno del vocabulario. Para ilustrarlo pondremos dos ejemplos de frases alemanas; primeramente una del medio mundano:

Auf der Hotelterrasse kokettiert eine elegante Dame mit dem Militärattaché: «En la terraza del hotel, una elegante dama coquetea con el agregado militar».

Si digo que esta frase es alemana, me baso en determinados elementos. Son alemanes todos los artículos y preposiciones, además de todas las terminaciones de la flexión, como, por ejemplo, la *t* de *kokettier*t y la *e* de *elegante*. Todo esto es alemán. Por el contrario, todos los sustantivos, adjetivos y verbos proceden claramente del francés. Son préstamos de vocabulario. Bien es verdad que *Hotelterrasse* forma un típico compuesto alemán. Lo mismo vale para *Militärattaché*. En francés sería *attaché militaire*. Esta frase ha sido citada *ad hoc*, naturalmente, para ilustrar con claridad la influencia de una lengua sobre otra. Es un ejemplo de la influencia del francés sobre el alemán y tiene un cierto estilo del siglo XIX.

La siguiente frase, en cambio, parece no tener ninguna influencia extranjera:

Am vergangenen Freitag nahm der Grossvater des Herzogs, mit Rücksicht auf die Beschwerden der Untertanen, an einer Sitzung in der Hauptstadt teil: «El viernes pasado, el abuelo del duque, considerando las quejas de los súbditos, participó en una sesión en la capital».

Un purista corriente admitiría sin reparo esta frase y diría: «Muy bien, por fin una frase alemana pura, sin elementos extranjeros». Pero si se echa una ojeada a cada una de sus partes integrantes desde el punto de vista histórico-lingüístico, se ven los hechos de modo muy diferente:

vergangen: préstamo de formación según modelo latino, en el que aparece *praeteritus*, de *praeterire*;

Freitag: traducción de los dos elementos *Veneris dies*;

nahm: verbo fuerte que es, por supuesto, alemán, pero al que pertenece *teil* «parte», constituyendo el compuesto *teilnehmen* que está formado según el lat. *participare*;

Grossvater: de fecha algo más reciente, está formado según el fr. *grand-père*, por tanto francés;

Herzog: formación del longobardo, de donde ha llegado al alemán. Los longobardos la tomaron de sus enemigos, los bizantinos. En la raíz hay una palabra griega *strat/elátes*; en la primera parte de esta palabra está el gr. *stratós* «ejército»; según ésta, han formado los longobardos *hari-togo*: en *togo* aparece la misma raíz que en el al. *ziehen, Zug*;

Rücksicht: compuesto formado según el lat. *re/spectus*;

Beschwerden: constituye un caso diferente; la palabra
no está formada directamente según un modelo latino, pero ha tomado el significado de una palabra
latina, *gravamen-gravamina*;

Untertan: compuesto formado según el lat. *sub/ditus*;

Sitzung: traducción del fr. *séance* y *session*;

Hauptstadt: adaptación libre de *capitalis*; originariamente se entendió por *capitalis* «*urbs capitalis*» [1].

Podríamos imaginarnos lo que sucedería si un purista
radical nos prohibiera en alemán el uso de todas aquellas
palabras que de una u otra manera están influenciadas por
el latín o por el francés. En el gobierno, en la economía,
en la escuela, en la familia, en todas partes, dominaría un
gran silencio. Ya no podríamos ni abrir la boca. ¿Qué ense-
ñan estos casos? La última frase contiene acuñaciones prestadas de diferentes tipos, sea en relación con el significado,
o en relación con los compuestos. Los préstamos de acuña-
ción son muchísimo más frecuentes en la historia de las
lenguas europeas que los préstamos de vocabulario propiamente dichos, de los que ya he dado un ejemplo con la primera frase. Esto comienza ya con la historia del latín. Si
usáramos también para el latín el mismo método que ahora
hemos usado para el alemán, podríamos asegurar que no
existe mucho latín puro. La mayoría es griego. Las formaciones según el griego, los préstamos de formación y semánticos dominan frente a los préstamos de vocabulario procedentes del griego. Tomemos, por ejemplo, una palabra latina
pura como *ars*. En la forma de esta palabra no hay nada

---

[1] El ejemplo y los comentarios a cada una de las palabras son de
Betz, Werner, *Deutsch und Lateinisch*, Bonn, 1949.

que notar, pero sí en su significado: éste ha sido formado según el griego *téchne*.

Del mismo modo que ha influido el griego sobre el latín, ha influido también el latín, a su vez, sobre las lenguas europeas. No sólo ha dado origen a las restantes lenguas románicas, sino que también ha influido fuertemente sobre las lenguas de los países vecinos de la actual Romania, en especial, sobre el alemán, inglés, céltico, vasco y albanés. Además, a través de las lenguas citadas, se ha propagado a otros idiomas e incluso a través del griego, al Oriente.

A su vez el alemán, por medio del bajo alemán, ha influido en las lenguas escandinavas. Así, una gran parte del léxico su. se remonta directamente al alemán; en otra parte también considerable se puede probar que se trata de formaciones análogas al alemán. Demos un solo ejemplo, una palabra compuesta sueca: *skenhelighet*. Está formada, elemento por elemento, según el al. *Schein-heilig-keit* «hipocresía». A partir del sueco, la influencia se ha extendido al finés. El finés, por una parte, ha tomado una gran cantidad de préstamos de vocabulario del sueco; por la otra, ha cambiado el significado de muchas palabras, de la misma manera que el alemán según modelo latino y el latín según modelo griego. Además de tales préstamos semánticos aparecen también numerosos préstamos de formación según modelo sueco [2]. De esta manera todas las lenguas europeas están de alguna forma unidas entre sí. No quiero decir «emparentadas», porque por esto se entiende algo diferente: el origen de una raíz común. Pero existe algo así como una *alianza de lenguas europeas* (así llamada para diferenciarla del parentesco), y sólo por eso es relativamente fácil tra-

---

[2] Cf. Hakulinen, Lauri, *Handbuch der finnischen Sprache*, Wiesbaden, 1960, t. II, § 20.

ducir de una lengua europea a otra, mientras que se tropieza con dificultades tan pronto como se sale de este ámbito cultural.

4.2. Irradiaciones en tiempos del Imperio romano

A veces podemos recurrir a palabras que fueron tomadas posteriormente del latín para compararlas con los préstamos de la época del Imperio. Con esto se demuestra que muchas veces en la forma fónica de las palabras podemos comprobar cuándo pasaron a los países vecinos de la actual Romania.

4.2.1. Préstamos de vocabulario latinos en Oriente a través del griego

En el análisis de la situación lingüística de Europa hace dos mil años he señalado los límites entre el latín y el griego y me he referido a la posición dominante del griego en el Imperio romano oriental. Durante los primeros siglos de nuestra era fue el griego la lengua más importante en todo el Este, desde Cirene hasta el Asia Menor, aunque tomó numerosas palabras latinas [3]. Algunas de estas palabras, en especial las del lenguaje administrativo y de la milicia, así como también determinadas expresiones técnicas, pasaron del griego a otras lenguas del Oriente. Si viajamos

---

[3] Sobre los préstamos de vocabulario latinos en el griego, cf. Reichenkron, G., «Die Bedeutung des Griechischen für die Entstehung des balkansprachlichen Typus», en *Beiträge zur Südosteuropa-Forschung*, con ocasión del I Congreso Internacional de Balcanólogos en Sofía en 1966, Munich, 1966, págs. 3-23, especialmente 4-8.

hoy por un país árabe, oímos con frecuencia al almuecín
pregonar desde el minarete la primera sura del Corán. En
esta primera sura hay una frase que, traducida al español,
sería «enséñanos el camino recto». En árabe es *ihdinā
'ṣ-ṣirāṭ al-mustaqīm*. Traducida literalmente es «llévanos a
la calle, a la recta».

's- es el artículo, *sirat* lo traducimos por «calle», lo cual
no es totalmente correcto, «camino» sería más exacto. La
palabra *sirat* es etimológicamente idéntica a la alemana
«Strasse» («calle»). Ambas proceden de manera complicada
del lat. *via strata. Via strata* es en realidad el camino «sem-
brado» (de adoquines), esto es, el camino empedrado.

La palabra tiene una historia bastante movida. En primer lugar, a partir del lat. *strata*, pasó al gr. στράτα,
pues los griegos no fueron constructores de calles, pero sí
los romanos. Esta palabra pasó luego al *arameo* a partir
del griego. El arameo es una lengua semítica, hoy casi desaparecida, pero que en la época del 600 a. C. al 100 d. C. fue
una de las más importantes lenguas del Oriente; es también
la lengua en la que habló Jesús con sus discípulos y la lengua en la que se escribieron algunas partes del Antiguo
Testamento. El arameo, como lengua de cultura un poco
a la sombra del griego, tomó prestadas del griego numerosas palabras y entre éstas están también aquellas que el
griego, a su vez, había recibido antes del latín. Uno de estos
ejemplos es *strata*.

El arameo, por su parte, ha propagado palabras posteriormente, sobre todo al este y al sureste, en la zona de las
costas árabes. Y, finalmente, de esta manera tomó el *árabe*
palabras que, en último término, se remontan al latín. Quisiera citar el caso curioso de otra palabra que no sólo ha
pasado a Arabia, sino que desde allí ha ido por todo el norte
de África hasta la Península Ibérica. Probablemente recorda-

rán los lectores la palabra española «alcázar». Quien esté un poco familiarizado con la historia de la lengua española, notará ya en la primera sílaba *al-* que la palabra es de origen árabe. Esta sílaba *al-* es el artículo árabe que en muchas palabras españolas y portuguesas se aglutinó. Así tenemos, por ejemplo, ár. *sukkar*, esp. *azúcar*, frente al italiano *zucchero*, al. *Zucker*, fr. *sucre* (sin artículo aglutinado). El artículo *al* puede aparecer como *a* simplemente y es una característica de muchos préstamos de vocabulario árabes en el español y portugués.

La palabra «alcázar» procede en realidad del latín. Sin embargo, no pasó al español por un camino directo. Ha emprendido el camino de Roma a Madrid en dirección inversa: pasó de Roma al Oriente bordeando todo el Mediterráneo y llegó luego a España por el sur.

En la raíz de la palabra está el lat. *castrum*. Pasó al griego como expresión del lenguaje militar: κάστρον. Del griego pasó como préstamo al arameo, al igual que *strata*, y del arameo al ár. *qaṣr*. Finalmente, esta palabra árabe, con ocasión de la conquista islámica del territorio español en el año 711, pasó a la Península Ibérica y fue tomada por el español en la forma con artículo *al-qaṣr*, de donde, posteriormente, el esp. *alcázar*. Son ejemplos aislados, especialmente curiosos.

Así, pues, la influencia de la lengua latina no se limitó al Imperio, sino que alcanzó también territorios próximos al Imperio. Los árabes vivían en las afueras de Siria y Palestina, países que pertenecían todavía al Imperio. No obstante, fueron alcanzados por la ola cultural griega y latina.

4.2.2. Préstamos latinos de vocabulario y de formación
        en alemán y en inglés

Algo parecido sucedió en la zona fronteriza del Rhin-
Danubio. Las fronteras militares romanas no impidieron el
intercambio de bienes culturales. El comercio y el tráfico
fueron de un lado a otro. También aquí los préstamos del
latín no quedaron limitados al territorio del Imperio, sino
que se extendieron al este del Rhin y al norte del Danubio.
En esta zona se hablaban ya en el año 0 dialectos alemanes,
antecesores del actual alemán. Los préstamos del latín al
alemán fueron muy numerosos durante los primeros siglos
de nuestra Era. En la mayoría de estas palabras no se per-
cibe a primera vista que procedan de una lengua extranjera. Ello depende, sobre todo, de que en estos dos mil,
o mil quinientos años, el alemán ha cambiado mucho fonéticamente. Al mismo tiempo, las palabras han sido some-
tidas a un «proceso de abreviación»: palabras que entonces
eran todavía trisílabas, son hoy solamente monosílabas. Por
esta razón, esas palabras han sufrido una profunda evolución y, en oposición a las palabras tomadas prestadas posteriormente del francés, o incluso del latín, que consideramos palabras de origen extranjero, no son ya reconocibles
externamente. Los préstamos del alemán procedentes del
latín abarcan las más diversas *materias*: agricultura, construcción, medidas, títulos y dignidades.

En el dominio de la agricultura hay que citar en primer
lugar los nombres de los árboles frutales. Los antiguos germanos conocían ya el manzano. Esto se puede demostrar
fácilmente porque el mismo nombre se encuentra en otras
lenguas indoeuropeas, por ejemplo, en el rus. *jábloko*. En
esta palabra, *abl* es idéntico al al. *Apfel* «manzana». Como

comparación podemos añadir, por ejemplo, el ing. *apple*; con esto tenemos la serie *apl*:

ie. *b* > germ. *p*
germ. *p* > alt. al. *pf*.

Pero éste es casi el único árbol frutal que conocían los germanos. En cambio, son préstamos:

Birne «pera» < *pirus*
Kirsche «cereza» < *cerasus*
Pflaume «ciruela» < *prunus*
Pfirsich «melocotón» < *persicus* (*malus persicus*)
Quitte «membrillo» < *cydoneus*
Zwetschge «ciruela» < *damascenus*.

Con las cosas, los árboles frutales, los germanos tomaron prestadas las palabras, los nombres de los árboles frutales. Esto puede decirse también de algunas otras plantas, como, por ejemplo, al. *Kohl* «col» < lat. *caulis*, al. *Zwiebel* «cebolla» < lat. *cepulla*. Ello es particularmente claro en la viticultura y en la técnica de la construcción. Estas técnicas no eran conocidas todavía por los germanos. Palabras que nos parecen «del primitivo alemán» (*urdeutsch*), son, en realidad, préstamos del latín, como sucede en la *viticultura*, que en toda Europa occidental fue introducida por los romanos: *Wein* «vino» < *vinum*, *Kufe* «copa» < *cupa*, *Trichter* «embudo» < *traiectorium*, y en la *técnica de la construcción*: *Mauer* «muro» < *murus*, *Ziegel* «teja» < *tegula*, *Keller* «sótano» < *cellarium*, *Küche* «cocina» < *coquina*.

Ya no nos sorprende en absoluto que las *monedas*, *medidas* y *pesos* sean de origen latino. El mismo origen tienen los nombres abstractos siguientes:

Münze «moneda» < *moneta*.

Meile «milla» < *milia* (*milia passuum*). Probablemente
 esta palabra haya sido tomada en préstamo en la
 frontera, o inmediatamente en su cercanía, es decir,
 allí donde, según la visión antigua, se conocían las
 vías romanas con sus piedras miliarias.

Uhr «reloj» < *hora*, naturalmente usada al principio en
 el sentido de «hora».

Pfund «libra» < *pondus*, usado en sentido abstracto como
 peso, o concreto como pesa.

De entre las denominaciones de *títulos* y *dignidades*
tenemos:

Meister «maestro» < *magister*. Como fenómeno curioso
 del cambio semántico se puede citar el hecho de que
 las palabras alemanas procedentes de *magis* y *minus*
 han sufrido una inversión en su significado: mientras
 que en latín el *magister* era más que el *minister*, hoy
 está el ministro por encima del maestro.

Kaiser < *caisar*, así se pronunciaba el nombre del primer
 soberano romano cuando llevó la guerra a las Galias.
 Este primitivo *nombre*, «*Kaisar*», les fue asignado en
 calidad de *título* a los sucesores de Julio César. En
 tiempos más recientes se da también el caso de que
 el nombre de un jefe se convierta en apelativo y sig-
 nifique simplemente «soberano». Éste es el caso, por
 ejemplo, del nombre de Carlomagno, que, igualmente,
 realizó importantes campañas en las fronteras y las
 extendió bastante al Oriente. Puesto que se le apli-
 caba un adjetivo, *Carolus Magnus*, fue fácilmente posible entenderlo, no como el «gran Carlos», sino como
 el «gran soberano»; de aquí que, en las lenguas esla-

vas, el rus. *korólj* y el cro. *králj* signifiquen «rey» (de modo análogo en otras lenguas eslavas).

Hay otros nombres de títulos y dignidades que, procedentes del latín, han pasado al alemán. Por ejemplo:

Vogt «magistrado» < *advocatus.*
Propst «prepósito» < *praepositus* («director», «jefe»).
Meier «mayordomo» < *major* (en el sentido de «el más alto»).

Por otra parte, debemos tener cuidado con todos estos nombres, en el sentido de que seguramente no todos han sido préstamos de los primeros siglos de nuestra Era procedentes de los límites militares romanos, sino que, en parte, proceden de tiempos más recientes, precisamente en relación con la introducción del Cristianismo y también con la expansión, bajo la dinastía carolingia, del Imperio franco hacia el Oriente.

Que hayan pasado al alemán nombres como
Strasse «calle» < (*via*)*strata,*
Weiler «caserío» < *villarium,* aglomeración de varias casas, pero menos que en un pueblo,

no nos extraña. Raro es, sin embargo, que una palabra tan usual como *Pferd* («caballo») sea de origen latino.

Pferd «caballo» < (*para*)*veredus,* «caballo de posta». Esta palabra procede, pues, de la esfera del servicio postal, en el sentido de transporte de personas.

Sin embargo, la primitiva palabra germana *Ross* se ha conservado en los dialectos del sur de Alemania, especialmente en la lengua poética; la misma palabra existe en el ing. *horse*. A diferencia de *Ross*, *Pferd* es usual, sobre todo, en el Norte y Centro de Alemania.

Todo esto nos permite, pues, sacar conclusiones sobre la zona del préstamo. De aquí se concluye que el préstamo no ha tenido lugar en la parte superior del Danubio, ni en el Limes, al menos en la parte sur del Limes, sino más bien en las fronteras del Rhin. La misma palabra existe también en los Países Bajos, hol. *paard*, esto es, justo en el territorio de las zonas limítrofes con el Rhin. De allí se extendió hacia Oriente y la palabra *Ross*, más antigua, se replegó a dos zonas marginales, las Islas Británicas y sur de Alemania.

Las palabras citadas hasta ahora abarcan sólo una fracción del material realmente existente. He citado solamente aquellas palabras que, con toda probabilidad, han sido un préstamo ya de los primeros siglos de nuestra Era.

En una serie de casos tenemos como criterio del préstamo primitivo la coincidencia léxica con el inglés y la correspondencia fónica, donde encontramos determinadas diferencias características. Doy estos ejemplos, porque también son especialmente importantes para la metódica de la etimología:

al.	ing.	al.	ing.	al.	ing.
Münze «moneda»	*mint*	z	t		
Strasse «calle»	*street*	ss	t	/a:/	/i:/
Pfund «libra», *Pflaume* «ciruela»	*pound, plum*	pf	p		
Käse «queso»	*cheese*	k	ch /tʃ/	/ε:/	/i:/
Lärche «lárice»	*larch*	ch	ch /tʃ/		

Los sonidos alemanes e ingleses correspondientes se parecen, pero no se trata de la semejanza, sino de la diferencia característica del al. *z* /ts/ frente al ing. *t*, *pf* frente al ing.

p, etc. Diferencias de este tipo se pueden fijar también en palabras nacionales, esto es, procedentes del primitivo alemán. He aquí algunos ejemplos paralelos:

al.	ing.	al.	ing.
zehn «diez», *Zahl* «número», *Zahn* «diente»	*ten, tale, tooth*	*z-*	*t-*
Nuss «nuez», *Schuss* «tiro»	*nut, shot*	*-ss*	*-t*
Apfel «manzana», *Pfuhl* «charco»	*apple, pool*	*pf*	*p*
Kinn «barbilla», *kiesen* «elegir»	*chin, choose*	*k-*	*ch-* /tʃ/
Aal «anguila», *Saat* «semilla»	*eel, seed*	/a:/	/i:/

Finalmente, por citar una correspondencia más:

al.	ing.	al.	ing.
Ziegel «ladrillo» < lat. *tegula*	*tile*	conservación de *g*	caída de *g*

En palabras del primitivo alemán encontramos los mismos hechos:

Segel «vela», *Hagel* «granizo» ~ *sail, hail.*

Desde el punto de vista histórico-lingüístico debemos clasificar estas correspondencias en dos grupos:

1) Casos en los que el inglés mantiene el estado del primitivo alemán, mientras el alto alemán experimenta cambios:

$$-t > -ss; \quad t > z; \quad p > pf.$$

En este caso se trata de *innovaciones del alto alemán* en relación con la llamada mutación consonántica del alto alemán.

2) *Innovaciones del inglés:*

al. *k-*, ing. *ch-*   al. *-g-*, ing. Ø.

Un caso especial lo constituye el al. /a:/, ing. /i:/. En
principio podríamos decir que aquí el alemán ha mantenido
la *a* larga. Pero no estamos completamente seguros de si
esta *a* larga, por ejemplo en *strata*, se pronunciaba en el
préstamo todavía como /a:/ o si ya sonaba /ɛ:/.

Por las palabras y formas fónicas citadas podemos ver
la coincidencia entre el grupo de los préstamos latinos y el
grupo de las palabras del primitivo germánico. Entre ambas
lenguas existen correspondencias fónicas, por ejemplo, al.
pf, ing. *p* y al. *k*, ing. *ch*. Dicho con otras palabras, el
alemán ha tratado completamente *igual*, desde el punto de
vista *fonético*, las palabras citadas del germánico primitivo
y los préstamos de vocabulario citados procedentes del latín.
El inglés, asimismo, ha tratado *fonéticamente igual* las palabras del primitivo germánico y determinados préstamos de
vocabulario latinos, de distinta forma que el alemán pero
con características correspondencias con él.

Esta relación de correspondencias, este paralelismo, nos
permite sacar la conclusión de que los préstamos de vocabulario latinos citados se introdujeron ya desde tiempos
muy antiguos. Dicho más exactamente, estos préstamos debieron de producirse antes del año 450.

Esta tesis no debe ser aceptada sin más, sino que habría
que explicar detalladamente su argumentación, precisamente
porque nos encontramos aquí con un ejemplo clásico del
método del *enlace de hechos políticos y lingüísticos*. No digo
«enlace de hechos históricos y lingüísticos» porque la evolución de las lenguas es una parte de la historia de la
Humanidad. De acuerdo con esto, «histórico» es un concepto superior que también incluye lo histórico-lingüístico.
Para poder completar la argumentación que ahora tratamos
de exponer, se deben conocer los siguientes hechos político-
militares:

I. Hacia el año 400 o algo después, tuvo lugar *la salida de Britania de las legiones romanas*. Britania era romana en su parte sur (la actual Inglaterra y el País de Gales, hasta las fronteras de Escocia aproximadamente o un poco más allá; la extensión cambió algo en el transcurso del dominio romano). Hacia el 400 o un poco después, salieron las legiones porque se las necesitaba urgentemente en la misma Italia. Los visigodos, al mando de su rey Alarico, habían penetrado en Italia y conquistaron y saquearon Roma hacia el año 410. Esta salida de las legiones romanas fue definitiva y tuvo importantes consecuencias para el destino posterior de Britania.

II. Cuarenta o cincuenta años después, hacia el 450, tuvo lugar la invasión de los *anglos*, de los *sajones* y de los *jutlandeses* en la Britania evacuada anteriormente por los romanos.

III. Aproximadamente hacia el año 400 se desplomó el frente defensivo romano en las Galias. Diferentes núcleos germanos, en especial burgundios, visigodos y francos, penetraron en las Galias y ocuparon todo el territorio durante los decenios siguientes.

He aquí ahora la argumentación lingüística, que se apoya igualmente en hechos lingüísticos, militares y políticos: si las palabras procedentes del latín, existentes tanto en inglés como en alemán con las diferencias ya citadas, no hubiesen sido tomadas por el germánico antes del año 450, sino después, no habrían tenido el mismo tratamiento que las palabras nacionales, es decir, procedentes del primitivo germánico. Los préstamos de vocabulario latinos no mostrarían las mismas diferencias entre estas dos lenguas que las palabras del primitivo germánico. En consecuencia tenemos:

1.º Los restos de la cultura lingüística latina (que era una cultura de las clases superiores, mientras las inferiores hablaban celta), que quedaron en Britania tras la marcha de las legiones y el fin de la administración romana, fueron aniquilados totalmente por los invasores anglosajones y jutlandeses; por esta razón no pudo producirse en el interior de Britania un intercambio lingüístico intenso después del año 450. Con mucha probabilidad tampoco penetraron a través de las Galias préstamos de vocabulario nuevos, porque desde el siglo v las relaciones de las Galias con el extranjero eran muy escasas. Después de la caída del Imperio romano nacen en el territorio de las antiguas provincias monarquías germánicas independientes y entre éstas ya no volvieron a dominar las intensas relaciones comerciales y de tráfico que en otro tiempo existieron dentro del Imperio romano.

2.º Un préstamo posterior, esto es, desde la batalla de Hastings y el comienzo del dominio normando en Inglaterra (1066), tiene en inglés consecuencias fonéticas esencialmente diferentes a las del alemán. Ya no existen las correspondencias características citadas anteriormente entre el inglés y el alemán, porque el inglés toma los préstamos de vocabulario latinos sólo del franco y en la forma fónica francesa; dicho de otra manera, entre la palabra de la lengua latina usual y el préstamo de vocabulario encontramos en inglés la evolución fonética francesa. Un ejemplo característico de lo que venimos diciendo es el ing. *money*.

Del lat. *moneta* proceden dos formas inglesas: *mint* y *money*. La forma *money* nos atestigua la influencia de la evolución fonética francesa: no tiene *-t-*. La desaparición de la *-t-* se explica como un cambio fonético en el territorio de las Galias, no de Britania o de Germania. Esta *-t-*, como todos los sonidos oclusivos intervocálicos, se sonoriza en Francia. Finalmente, después de unas fases de transición, desaparece por completo en el siglo x u xi, de donde el fr. ant. **moneie* > ing. *money*. (El poeta francés de Champagne, Chrétien de Troyes, tiene la forma *monoie*, fr. mod. *monnaie*.) Así, pues, el ingl. *money* pertenece a un estado posterior. Por el contrario, el estado anterior (*mint*) muestra una correspondencia exacta con el alemán:

germ. *-t-* > al. *-z-*, del mismo modo que

lat. *-t-* > al. *-z-*.

Esta *t* latina se ha mantenido en el ing. *mint*, mientras que en el al. *Münze* se ha convertido en una africada. (La /ü/ del alemán *Münze* ha surgido porque en la siguiente sílaba hubo en su tiempo una /i/; la palabra sonaba en el alt. al. ant. *muniza*. El carácter palatal de la /i/ pasó a la /u/.)

Para el alt. al. ant. *muniza* y para el ing. *mint* podemos reconstruir una forma anterior **múnita*. El paso del lat. *moneta* a **múnita* debió haberse producido en los primeros tiempos del desarrollo de las lenguas germánicas.

Con el ejemplo de los préstamos de vocabulario del lat. *moneta* en inglés hemos fijado la existencia de un estado más antiguo y otro más reciente dentro de los préstamos. En la palabra *money*, a la que se pueden añadir naturalmente otros muchos ejemplos, reconocemos el origen francés (antiguo) del estado *más reciente*. Queda por explicar de dónde procede el estado *más antiguo* y cómo se introdujo en el inglés. Las palabras del estado más antiguo procedentes del latín han pasado prestadas al *Continente*, precisamente en los tiempos posteriores a la guerra de César en las Galias y antes de la invasión de los bárbaros. El préstamo tuvo lugar en la *línea del Rhin* o en la *línea del Rhin-Ems* (la actual Holanda fue romana durante largo tiempo). Esto ha sido estudiado penetrando particularmente en los pormenores, por Th. Frings, _Germania romana_, Halle, 1932.

La línea del Rhin o del Rhin-Ems fue a veces una línea de lucha, pero mucho más frecuentemente fue un lugar de intercambio de cultura y vocabulario. Las palabras pasaron primeramente al germánico continental y luego, hacia el 450, fueron llevadas a Britania por los anglos, sajones y jutlandeses como parte integrante de su idioma.

En un pequeño cuadro podemos resumir de la siguiente manera los resultados, en inglés, sobre las palabras prestadas por la Romania:

Estado más antiguo (_primitivo_):

Época del préstamo: entre el año 50 a. C. y 450 d. C.
Origen de los préstamos de vocabulario: desde la línea del Rhin-Ems, pasando por la Germania continental, a los sajones, anglos y jutlandeses.
Características: correspondencias fonéticas con el alemán.
Ejemplo típico: MONETA > germ. *_múnita_ > ing. _mint_ (alt. al. mod. _Münze_).

Estado más reciente (_posterior_):

Época del préstamo: después de 1066.
Origen de los préstamos de vocabulario: de Francia, a través de los conquistadores normandos de habla francesa.
Características: la forma léxica muestra la evolución fonética francesa.
Ejemplo típico: MONETA > fr. ant. *_moneie_ (sin -_t_-) > ing. _money_.

Para los préstamos de vocabulario latinos en alemán encontramos mucho material en Maurer-Stroh, _Deutsche Wortgeschichte_, Berlín, 1959[2].

Ésta es una obra fundamental en tres tomos. De ellos nos interesa en especial el tomo primero, que trata de los tiempos más antiguos. En él se afirma también que la influencia del latín sobre la evolución lingüística alemana no se limita de ninguna manera al préstamo de vocabulario, sino que, en mucha mayor medida, actúa a través de los préstamos de formación. Por poner sólo dos ejemplos:

lat. *im-press-io*
lat. *ex-press-io.*

En alemán se formó, de la misma manera que en latín, con el equivalente del radical *druck*:

Ein-druck «impresión», según el modelo *im-press-io*.
Aus-druck «expresión», según el modelo *ex-press-io*.

Préstamos de formación de este tipo según modelo latino encontramos miles en alemán, así como según modelo francés (con menos frecuencia según modelo italiano).

4.2.3. Préstamos de vocabulario latinos en las lenguas celtas

Vamos a ocuparnos ahora de las lenguas celtas de las Islas Británicas. De éstas nos interesa sobre todo la mayor, porque sólo ella (o mejor dicho, una parte de esta isla) fue miembro del Imperio romano. Irlanda no perteneció nunca a este Imperio. Estuvo en el límite, pero a consecuencia de la proximidad con el Imperio estuvo muy influenciada por la cultura romana. Pero esto sucedió en una época relativamente posterior, al comienzo del siglo v. Por estos tiempos, cuando ya habían partido las legiones romanas, aunque todavía Britania seguía siendo romana de nombre, llegó a Irlanda procedente de las Galias un misionero, S. Patricio (o Patrick), que introdujo en este territorio el Cristianismo y también al mismo tiempo la cultura latina. Es una casualidad histórica el hecho de que justamente Irlanda, que nunca había pertenecido al Imperio romano, fuera posteriormente uno de los pocos territorios en los que existió ininterrumpidamente la cultura latina, es decir, sin complicaciones bélicas y sin los cambios sociológicos resultantes de éstas. De esta forma pudo Irlanda no sólo mantener su cultura latina, sino también devolverla al Continente posteriormente con un nuevo sello propio.

En Britania, desde la partida de las legiones poco después del 400, estuvo el país, por así decirlo, sin jefes. Los súbditos romanos rezagados se vieron envueltos en difíciles luchas con los pueblos no sometidos de las montañas del Norte, la actual Escocia. Llamaron en su ayuda a los anglos, sajones y jutlandeses. Éstos llegaron a través del mar procedentes de sus territorios en la parte baja del Elba y en Jutlandia, es decir, en la parte continental de la actual Dinamarca. Estas inmigraciones tuvieron lugar, probablemente, en el año 449 ó 450. Los aliados germánicos se convirtieron muy pronto en conquistadores. Fundaron reinos propios. En la mayor parte del país, esto es, sobre todo en el sur, este y sureste, impusieron su lengua paulatinamente. El *celta* fue relegado a zonas marginales, precisamente a la parte más al sur-oeste: *Cornualles*. Aquí se mantuvo el celta hasta aproximadamente el siglo XVIII. Luego, un poco más al norte, hubo un nuevo brote: *Gales*. Aquí se habla todavía hoy por una considerable parte de la población el *címbrico*. «Címbrico» y «galés» son sinónimos. El nombre «galés» procede del nombre del territorio «Gales», que es etimológicamente idéntico a la raíz de «Galias» [4]. El nombre «címbrico» procede de una palabra nacional, que sirve para la denominación de la lengua:

cymraeg (kimraig).

Un poco más al norte, en medio del mar de Irlanda, está la *Isla de Man.* También aquí se habló una lengua celta independiente que desapareció hace unos años.

Por último, hay otros dos territorios celtas, *el norte y el noroeste de Escocia,* con las Hébridas, además de tres zonas en Irlanda, en las que vive aproximadamente un cuarto o un quinto de la población. Es a finales del siglo XVIII y en el XIX cuando desaparece el celta en Irlanda, es decir, justamente en los tiempos en que Irlanda estaba todavía bajo el dominio inglés, pero cuando ya se había hecho considerablemente autónoma. Son hechos semejantes a los acaecidos en la actual Argelia, donde el francés, justo después de la salida de los franceses, consigue su mayor triunfo.

Las *lenguas celtas* nos interesan, naturalmente, sobre todo en tanto que han tomado prestado vocabulario latino en mayor o menor cantidad. Ya hemos dicho que de las Islas Británicas sólo la mayor (y precisamente su parte sur) perteneció al Imperio; de las lenguas habladas en ella sólo el címbrico permanece todavía en Gales. Por esto, nuestro interés se concentra sobre esta única lengua celta. Emparentado con el címbrico, que igualmente puede citarse en esta relación, está también el *bretón,* hablado en los tres departamentos occidentales de Bretaña. El bretón no es, como pudiera sospecharse a primera vista, un resto del pri-

---

[4] Para la etimología de Gales, Cornualles, Galias, así como también de galés, Valonia, Valaquia, cf. Tagliavini, Carlo, *Le origini delle lingue neolatine,* Bolonia, 1962³, págs. 123-124, nota 13.

mitivo idioma celta hablado en las Galias que llamamos
galo o *celta continental*. Todo lo contrario, la lengua de los
bretones procede de *Cornualles*; se trata, con toda probabilidad, de inmigrantes que, después de la conquista germana en la segunda mitad del siglo v, huyeron de Bretaña
y se establecieron en la provincia de *Armorica,* que posteriormente se llamó «Britannia minor». No sabemos si este
territorio estuvo totalmente romanizado con anterioridad, o
si el celta continental seguía existiendo allí. En cualquier
caso, el actual bretón tiene claramente rasgos del celta insular y está bastante lejos de la lengua celta que conocemos
por unas inscripciones de las Galias de los primeros siglos
después de Cristo.

El címbrico contiene una cantidad de préstamos de vocabulario latinos que sólo pueden proceder de los tiempos
del dominio romano. Ofrezco seguidamente una serie de
ejemplos:

> *ysgol* «escuela» < *schola*: el origen es evidente. El cím-
> brico, al igual que las lenguas romances occidentales,
> tiene una vocal protética, delante de *s* + consonante
> a comienzo de palabra, escrita y pronunciada en una
> parte del territorio como una *i* fuerte, es decir, como
> una *i* velar; en la otra parte como una *i* normal;
>
> *ysbaid* «espacio» < *spatium*;
> *aur* «oro» < *aurum*;
> *cawl* «col» < *caulis*;
> *ffrwyth* «fruto» < *fructus*, igual al al. *Frucht.*

En cambio, son palabras cristianas posteriores las siguientes:

crog «cruz» < *crucem*;
proffwyd < *propheta*;
diafol < *diabolus*.

4.2.4. LA IDENTIFICACIÓN DE LAS DIVERSAS FASES DEL PRÉSTAMO
EN LAS LENGUAS VECINAS, A EJEMPLO DEL ALEMÁN

La mayoría de los préstamos de vocabulario que hemos
citado se encuentra también en alemán. Esto puede decirse
de *Kreuz* «cruz», *Frucht* «fruto», *Teufel* «diablo», *Kohl* «col».
Aquí no podemos colocar *Prophet* «profeta», porque se trata
en alemán de un préstamo de vocabulario posterior, como
podemos reconocer fácilmente por el acento. Los préstamos
de vocabulario latinos más antiguos se acentúan en alemán
en la primera sílaba. A veces nos encontramos, en esta lengua, incluso con tres fases del préstamo, como puede apre-
ciarse en el siguiente ejemplo:

1.ª *Pfalz* «palacio» < *pálatium* (con acento en la primera
sílaba y mutación consonántica del alt. al. ant.:
p > *pf, t* > *z*).
2.ª *Palást* «palacio» < *palátium*, con acento en la misma
sílaba que en latín.
3.ª *Palais* «palacio»; 3.ª fase: procede directamente de
la palabra francesa.

La coincidencia de los préstamos de vocabulario es
un fenómeno universal, que podemos observar en hechos
histórico-culturales totalmente diferentes, como, por ejemplo, la irradiación de los préstamos de vocabulario alemanes
al eslovaco, al húngaro y al retorrománico, aproximadamente
del 800 al 1200. Si investigamos los préstamos de vocabu-

lario alemanes antiguos en las distintas lenguas, podemos afirmar que coinciden en una gran parte. Algo parecido puede decirse de los préstamos de vocabulario del latín. A veces encontramos coincidencias sorprendentes entre el gótico, bereber y vasco, lenguas que, incluso históricamente, nada tienen que ver entre sí. Un círculo cultural se distingue precisamente por ciertos objetos o conceptos determinados y gracias a ellos se extiende a toda la vecindad.

Algo que podría ser llamativo es el hecho de que entre los préstamos de vocabulario latinos del címbrico, préstamos que pertenecen al estado más antiguo, esto es, que entraron en el címbrico a lo más tardar en el siglo v, encontramos también palabras cristianas. Esto es tanto más llamativo por cuanto que el vocabulario cristiano del alemán, en general de origen latino, casi exclusivamente procede de tiempos posteriores. Hay sólo unas cuantas expresiones que ya antes de la caída del Imperio, es decir, antes del 400, pasaron, en las orillas del Rhin y Danubio, a los dialectos alemanes de estas zonas. Según esto, los términos cristianos de origen latino se diferencian de los préstamos primitivos, como, por ejemplo, los nombres de los árboles frutales, los nombres de otras plantas y los términos de la arquitectura. Los préstamos cristianos se diferencian de estos préstamos más antiguos, tomados en las orillas del Rhin y del Danubio, por la diferente *disposición fonética*: precisamente por una disposición fonética posterior, románica. Tomemos, por ejemplo,

> *cellarium* > *Keller* «sótano»;
> *cella* > *Zelle* «celda».

En estas dos palabras, que pertenecen a la misma raíz (*cellarium* es en realidad un derivado de *cella*), nos encontramos en latín una *k* delante de *e*; en alemán nos encontramos mantenida la *k* en una palabra, en la otra la *k* se ha convertido en *z*. Esta evolución no es producto de las leyes fonéticas del alemán. No hay explicación de por qué en alemán una *k* pueda convertirse en *z*, pero sí existe esta evolución en las lenguas románicas. Que aquí se trata de una diferencia cronológica se deduce también del significado o esfera semántica a la que pertenecen estas dos palabras: *cellarium* es un término de la técnica arquitectónica de la casa, es originariamente la «despensa» y, posteriormente, como ésta estaba en la mayoría de los casos en el sótano, se convirtió en denominación del sótano. En cambio, *Zelle* «celda» es, naturalmente, la «celda del convento». Por tanto, procede evidentemente de los tiempos de la Cristianización.

He aquí otro ejemplo para una *c* delante de *e* en posición intermedia:

laricem > *Lärche* (ing. *larch*) «lárice»;
crucem > *Kreuz* «cruz».

En las dos palabras tenemos *c* intervocálica delante de *e*. En un caso encontramos en alemán *ch*, en otro *z*. Debo añadir para los no germanistas que esta *ch* del alto alemán se apoya en una *k más antigua*. En inglés la *c* se ha palatalizado a causa de la *i* precedente, con lo que tenemos en ing. /*la*:*tʃ*/. (Las dos *ch* son idénticas sólo como grafías, como sucesión de letras.) En lo que se refiere a la evolución lingüística, ambas, por caminos totalmente diferentes, se remontan a una *k* más antigua. En el caso de *crucem* se trata de nuevo de una palabra del estado más reciente, de un término cristiano, que ha sido tomado prestado en una época en que en la Romania, es decir, en los territorios que estaban cercanos a la zona de habla alemana, se pronun-

ciaba la *c* delante de *e* ya con el sonido *ts*. En la zona de
habla alemana la Cristianización aparece más tarde que en
Britania. Se lleva a cabo en realidad a partir de los siglos VII
y VIII.

4.2.5. VISIÓN DE CONJUNTO DE LAS DEMÁS LENGUAS VECINAS

Al igual que al germánico occidental y al celta británico,
los préstamos de vocabulario latinos pasaron masivamente a
todas las lenguas del Imperio. Ya he citado la situación
especial de la parte oriental del Imperio romano. En esta
zona dominó el griego. En este territorio pasaron palabras
latinas a otras lenguas orientales sólo por mediación del
griego. Préstamos de vocabulario latinos fueron tomados
también por el *ibérico*, el *paleo-sardo*, el *galo*, etc. Sólo que
estas lenguas, al igual que algunas otras, han desaparecido
por completo, de suerte que no podemos saber demasiado
sobre su estructura. Las lenguas que desaparecen se hablan
en su última fase generalmente sólo en las comarcas campe-
sinas, por lo cual ya no tienen uso escrito. En cambio, en
las lenguas nacionales de la Galia y de la Península Ibérica
nos encontramos con inscripciones, aunque no muchas, de
los primeros siglos después de la conquista de los romanos.
Los romanos no sometieron a la fuerza las lenguas nacionales. No existía todavía ninguna política chauvinista de las
lenguas, descubrimiento de los tiempos posteriores. No las
sometieron a la fuerza ni con decretos oficiales. Por otro
lado, se preocuparon de que existiera un estímulo por el
aprendizaje del latín. El dominio del latín ofreció en cualquier caso ventajas económicas y jurídicas. Esto vale naturalmente, en primer lugar, para la población de las ciudades,
de tal forma que la *romanización* se verificó primeramente

en las ciudades y luego, en una segunda fase, pudo pasar también de ellas a las zonas periféricas [5].

Si se observa el *desarrollo histórico-lingüístico* tomando a Roma como centro, como punto de partida, se presenta de la siguiente forma:

La influencia lingüística de Roma disminuye concéntricamente hacia la periferia. Es decir, los territorios situados más próximos a Roma son los que se romanizan antes. Esto vale especialmente para la *Península itálica*: en la parte al sur de Roma se hablaron lenguas emparentadas, de suerte que el aprendizaje del latín no resultó en absoluto difícil. Al norte de Roma se hablaba el *etrusco*, una lengua totalmente extranjera, que sólo poco a poco fue abandonada por la población. En el siglo I de la Era cristiana el conocimiento del etrusco era ya algo especial. Todavía duró un par de siglos más; no sabemos cuándo el etrusco desapareció definitivamente, en todo caso mucho antes que las lenguas nacionales de las provincias.

La ola de la romanización, que duró siglos y que se vio disminuida con la irrupción de los germanos en el siglo V y de los eslavos en el VI, alcanzó sólo débilmente algunos territorios laterales del Imperio, de suerte que en ellos domina aproximadamente la misma situación que en los territorios que están situados inmediatamente fuera del Imperio. En estos territorios se mantuvieron las lenguas pre-romanas, aunque tomaron una cierta cantidad de préstamos de vocabulario latinos. A continuación voy a enumerar, resumidamente, estas lenguas que, como una corona, se sitúan alrededor de la Romania. Empezando por el sur tenemos:

---

[5] Una clasificación de la romanización en *cuatro* fases podemos encontrar en Lapesa, Rafael, *Historia de la lengua española*, Madrid, 1955³, pág. 42.

el bereber, en el norte de África [6],
el vasco, en el sector pirenaico del Golfo de Vizcaya,
el címbrico y el bretón, en Gales y en Bretaña,
el germánico occidental, en el que incluimos el alemán,
holandés, frisón e inglés.

En el este:

el esloveno, en la zona de Ljubljana, al norte de Yugoslavia,
el servo-croata, en la mayor parte de la actual Yugoslavia,
el búlgaro,
el albanés, en la actual Albania y en unos territorios
limítrofes,
el griego [7].

La intensidad de la influencia latina es variable. Los más
fuertemente influenciados son el *albanés* y el *vasco*, por lo
que el estudio de estas dos lenguas tiene una gran importancia para los romanistas.

---

[6] Cf. Lüdtke, Helmut, «El bereber y la lingüística románica», en
XI Congreso Internacional de Lingüística y Filología Románicas, 1965
(Madrid, 1968).

[7] Una lengua desaparecida es, en cambio, el *gótico*. Se hablaba en
la actual Rumanía en tiempos en que tomaba préstamos de vocabulario procedentes del latín. Los godos se establecieron durante los
siglos III y IV en el sur de Rusia, en Ucrania; levantaron aquí un
poderoso Imperio, fueron derrotados en el 375 por los hunos y después de esto pasaron a la provincia de Dacia, fundada por los
romanos en el 275, la actual Rumanía. El griego es muy importante
para la lengua y el alfabeto góticos. La lengua de cultura dominante
fue para los godos el griego. En consecuencia, la influencia latina fue
menor. Una orientación sobre los préstamos de vocabulario griegos
y latinos en el gótico la ofrece Jellinek, Max Hermann, *Geschichte der
gotischen Sprachen*, Berlín y Leipzig, 1926, págs. 177-200.

Las *lenguas eslavas* entraron en contacto con el mundo románico bastante tarde. Una de ellas, el servocroata, tuvo luego un contacto muy intenso y duradero con la Romania, especialmente en la zona de las costas de Dalmacia. Algo parecido puede decirse también del *griego*, sólo que el griego era ya una lengua de cultura cuando aún el latín no se escribía. Por ello, los griegos siguieron sintiéndose superiores culturalmente aun después de la conquista de los romanos; en consecuencia mostraron poca tendencia a tomar palabras latinas, al menos en lo que concierne a la lengua escrita. En lo que respecta a la lengua popular griega, las cosas son algo diferentes: recogió mucho léxico latino y románico, aunque en un espacio temporal bastante largo, de tal forma que, al igual que en alemán e inglés, tenemos que diferenciar en cada caso varias fases lingüísticas de la influencia latino-romance.

4.2.6. Préstamos de vocabulario latinos en vasco

Sobre estas palabras ha publicado especialmente G. Rohlfs un extenso artículo en el *Homenaje a Voretzsch* (1927). Además existe un amplio trabajo especializado de Luis Michelena, *Gramática histórica vasca*, San Sebastián, 1961.

En esta obra se estudian igualmente los préstamos de vocabulario latinos, porque juegan un importante papel en la historia fonética del vasco y frecuentemente ofrecen puntos de apoyo. Entre las palabras que aquí nos interesan citaremos las siguientes:

gorputz	«cuerpo»	*corpus*
dembora	«tiempo»	*tempora*
nekatu	«cansarse», «sufrir»	*necatum* (inf. *necare*)
kurutse	«cruz»	*crucem*

ingude	«yunque»	*incudem*
gela	«aposento»	*cellam*
zeru	«cielo»	*caelum*

(la zeta se pronuncia de modo parecido al español, pero no como interdental, sino aproximadamente entre la *s* alemana y la interdental sorda)

bake	«paz»	*pacem*

Esto es sólo una pequeña selección. Algunas de estas palabras son de especial interés para nosotros porque, al igual que los préstamos de vocabulario del alemán, reflejan dos fases diferentes de la evolución de la *k* latina, o de la *g* delante de vocal sonora.

Tomemos, por ejemplo, la palabra vasca *bake*, de *pacem*; podemos compararla con los resultados en las lenguas romances, es decir, con el it. *pace* y esp. *paz*, por una parte, con el log. (la lengua de la mitad norte de Cerdeña) *páke*, con mantenimiento de *-k-*, por otra.

La *-k-* del logudorés, es decir, de una lengua románica, y la *-k-* del vasco, reflejan la pronunciación clásica, mientras que el italiano y el español nos muestran una fase más tardía. Pero esto vale, dentro del vasco, sólo para una parte del vocabulario tomado del latín. En otras palabras nos encontramos con la palatalización de *c*; en *kurutse* (< *crucem*) tenemos ante la vista el mismo fenómeno que en el al. *Kreuz*. Lo mismo cabe decir de *zeru* < *caelum*: también en este caso la *c* se ha palatalizado delante de vocal palatal. Por otro lado, la *k* en *gela* se ha sonorizado, al igual que la *p* de *pacem* en *bake*, pero ha mantenido su carácter velar, no ha pasado a /ts/ o a /s/.

Las palabras *kurutse* y *zeru* no pueden ser préstamos del español moderno o del español medieval. Se reconoce esto por la evolución fonética: si se tratara de una palabra española no existiría la *e* en *kurutse* (análogo al esp. *cruz*), ni la *-l-* de *caelum* hubiera pasado a *-r-*, como en las palabras antiguas, sino que se hubiera mantenido como *-l-*. Se trata, pues, de palabras antiguas, pero no siempre de palabras totalmente antiguas. Dicho de otra forma, nos encontramos con dos fases, al igual que en alemán: de la misma manera que tenemos en alemán *Keller* y *Zelle*, tenemos en vasco *gela* y *kurutse*.

No es ninguna casualidad que las palabras con *k* palatalizada, esto es, las palabras para «cielo» y «cruz», sean palabras de la *esfera cristiana*. Tampoco es casual que precisamente la fase léxica más antigua proceda de la época *anterior* a la introducción del Cristianismo, es decir, quizá ya de los siglos II o I a. C., o de los primeros siglos después de Cristo, mientras el vocabulario cristiano data del siglo III. La semejanza de las relaciones entre el vasco y el alemán, en parte incluso en los mismos ejemplos de *Kreuz* y *kurutse*, procede naturalmente de una relación indirecta: en ambas zonas lingüísticas el contacto con el latín se prolonga a lo largo de un espacio temporal bastante largo. Que en estos territorios las palabras de la terminología cristiana muestran siempre la disposición fonética más reciente se explica por el hecho de que el Cristianismo se introdujo en Europa occidental en una fase más tardía, en una época en la que el proceso del préstamo de palabras a las lenguas próximas al latín estaba en su apogeo.

4.2.7. PALABRAS ABSTRACTAS EN VASCO, ALEMÁN E INGLÉS

Ahora podríamos hacer la siguiente pregunta: ¿Entonces no tenían antes los germanos la palabra «cruz» ni el concepto «cruz»? También en latín, se puede argumentar, existió la palabra y el concepto *cruz* mucho antes de la llegada del Cristianismo. Hay que pensar en este caso que se trata de un concepto más abstracto, de un concepto geométrico que para los pueblos que en aquel entonces estaban en un grado cultural más bajo que el romano, de ninguna forma era evidente. Los germanos y los vascos en absoluto tuvieron necesidad, antes de la introducción del Cristianismo, de tomar del latín esta palabra abstracta. Sólo por causa de la llegada del Cristianismo se convirtió la palabra *cruz* en un término central, en el símbolo histórico-sagrado de la pasión mística y de la salvación. Sólo a partir de entonces pasó la palabra a las lenguas próximas al latín, y lo hizo con su doble significado: el antiguo en sentido geométrico y el nuevo cristiano.

Quisiera citar algunos conceptos abstractos parecidos que, como en alemán, se formaron en una época relativamente posterior. Son conceptos como tiempo, espacio, lugar, cuerpo. En parte, estos conceptos son auténticos préstamos del latín. El alemán *Körper* («cuerpo») se remonta evidentemente al latín *corpus*, más exactamente a una forma de la declinación con *r*, como *corporis*; luego la *i* provoca el *Umlaut*. Otros de los abstractos ya citados, como tiempo, espacio, lugar, no son préstamos del latín. Son palabras germánicas más antiguas, pero estas palabras, antes del contacto con el latín, no tenían todavía su actual significado abstracto. Los que sean germanistas conocen quizá el pasaje de la canción de Hildebrand, en el que los dos héroes se atacan mutuamente con la punta de sus lanzas. La punta de la lanza se llamaba antiguamente *ort: ort ₩idar orte*. Y por medio de dos procesos de abstracción, primero de punta de lanza a punta en general, punta como concepto geométrico, y luego, en un segundo proceso de punta a lugar

(*Ort*), lugar en sentido geométrico, se formó el significado
en el sentido actual. Algo semejante sucede con la palabra
Zeit «tiempo». Un criterio por el cual podemos saber muy
fácilmente si había existido como tal concepto abstracto en
el primitivo germánico, es decir, hacia el año 0, es la
coincidencia en las diferentes lenguas germánicas. En alemán, inglés y en las lenguas escandinavas encontramos toda
una serie de conceptos fundamentales que coinciden. En
cambio, en los conceptos de tiempo, espacio, cuerpo, lugar
no encontramos ninguna coincidencia. Esto no significa
siempre, aunque sí en muchos casos, que estos conceptos
abstractos se hayan formado posteriormente. Así, por ejemplo, la palabra alemana *Zeit* se relaciona etimológicamente
con la palabra del bajo alemán *Tide* que significa *Gezeit*
«marea», esto es, la sucesión regular de flujo y reflujo. De
ella ha nacido por separación el actual concepto abstracto
de *tiempo*, basado en el lat. *tempus*. *Zeit* es un *préstamo
de significado*, o dicho de otra manera, un *préstamo semántico*. La palabra había existido ya como cuerpo fónico, como
serie fónica /*tsi:t*/, pero su significado actual es un préstamo. Lo mismo vale para el concepto *Raum* «espacio». En
las palabras inglesas (correspondientes al al. *Raum*) *room*
«habitación» y *space* «espacio», podemos comprobar que
room ha mantenido el significado concreto más antiguo del
germánico común, que tiene todavía la palabra alemana
Raum, junto a su significado abstracto más reciente. (El
significado de «habitación», más antiguo, se encuentra también en escandinavo.) Podemos comprobar además que las
dos lenguas germánicas, el inglés y el alemán, han tenido
una evolución diferente: el inglés estuvo desde el siglo XI
en adelante bajo una influencia románica mucho más fuerte
que el alemán. El inglés tomó una palabra del francés, o del

latín a través del francés; el alemán utilizó la antigua palabra *Raum* y le dio el significado del lat. *spatium*.

En otros casos tenemos el proceso inverso: pensemos, por ejemplo, en las palabras para «escribir». La escritura fue, en cierto aspecto, algo nuevo, aunque no totalmente nuevo. Los germanos no escribían, no tenían pergamino ni papel, pero rayaban en la madera: los signos rúnicos. La palabra inglesa que se relaciona con el al. *ritzen* («rayar»), ing. ant. *writan*, ing. mod. *to write*, se mantuvo en Inglaterra, pero no con el viejo significado, sino que fue aplicado a la moderna técnica del *scribere*. Se puede decir que actualmente la palabra significa, en general, sólo «escribir». En cambio, en alemán se ha conservado la palabra *ritzen*, pero sólo en su antiguo significado. Para la nueva técnica de escritura en papiro o pergamino se tomó en alemán la palabra latina *scribere*. Si observamos los dos casos, *spatium* y *scribere*, nos damos cuenta que las dos lenguas germánicas tuvieron un proceso diferente en cada caso, pero no hasta el extremo de que se pueda hablar de una regularidad.

4.2.8. Préstamos de vocabulario latinos en albanés

La zona de habla albanesa fue parte integrante del Imperio romano; por este motivo estuvo expuesta a una fuerte presión de la cultura latina. Hoy sabemos que el albanés es un resto de una comunidad lingüística más grande, la *daciotracia*. Esta lengua, o, hablando con mayor precisión, este grupo de dialectos, pues naturalmente no se trata de una lengua uniforme, dominó, antes de la romanización o de la helenización, un territorio que incluía la actual *Rumanía* (entonces Dacia), la mayor parte de la actual *Bulgaria*, *Macedonia* y *Albania*. Este territorio estuvo limitado en el sur por la expansión del griego, pero sobre todo en el norte por la expansión del latín. Una parte de este territorio ha mantenido su lengua romance: la actual Rumanía. Otra parte no tomó elementos románicos, sino que mantuvo la antigua lengua pre-romana: la actual Albania. Los actuales albaneses y los actuales rumanos se remontan al mismo pueblo de la Antigüedad. Una parte de este pueblo se romanizó: sus descendientes son los actuales rumanos; otra parte conservó su lengua pre-romana: sus descendientes son los actuales albaneses. Con esta teoría se explica que encontremos una serie de palabras que coinciden en rumano y en albanés, palabras que no son de origen latino. A veces se ha visto en este hecho un problema. Se planteaba la cuestión de si se trataba en estos casos de préstamos del albanés. No se comprendía con exactitud, en primer lugar, en qué medida debió existir un contacto entre el albanés y el rumano, y, en segundo lugar, de qué forma justamente el albanés, una lengua culturalmente inferior, debió haber proporcionado préstamos de vocabulario al rumano, un descendiente del latín. Hoy las cosas están bastante explicadas: se sabe que el albanés, como se sospechaba anteriormente, no es un continuador del *ilirio*, sino que, dicho con más precisión, fue un dialecto vecino del *dacio*. En consecuencia, los rasgos comunes en el léxico se explican no porque se trate de palabras de origen latino, sino simplemente por una *base común*. En estas palabras rumanas se trata de palabras que fueron recogidas por el latín regional de la lengua hablada en el espacio y lugar anterior al latín.

Muchas palabras latinas pasaron al tracio y con ello al continuador actual del tracio, el albanés.

He aquí algunos ejemplos:

qytet «ciudad»	*civitatem*	pronunciación: $y = /ü/$, $q = /k/$ palatalizada
kujtue	*cogitare*	mantenido también en el esp. *cuidar* y en el fr. ant. *cuider*
kal	*caballum*	también en rum. *cal*
ungj	*avunculum*	cf. el al. *Onkel* «tío», pero que procede del fr. *oncle*
kunat «cuñado»	*cognatum*	
kryq	*crucem*	

Esta última palabra ya no nos asombra, pues, si el albanés es una de las dos lenguas no románicas (al lado del vasco) que especialmente tomaron mucho vocabulario del latín, resulta evidente que este concepto central de la terminología eclesiástica es igualmente de origen latino.

Otra palabra interesante que no se encuentra sólo en albanés es

shtëpí «casa» *hospitium*.

Esta palabra se encuentra también en griego moderno: *to spíti*. Las dos se remontan al lat. *hospitium*. Este cambio semántico de *hospitium* a «casa» no es nada raro. Lo encontramos en diversas regiones de la Galorromania; entre otras, nos lo encontramos en el prov. med. *oustau*, como palabra normal para «casa»; no viene de *hospitium*, sino del derivado *hospitalem*. En todo caso, esta raíz ha dado la palabra para «casa» en diversos territorios románicos y no románicos.

Sobre las palabras latinas en todas las lenguas no románicas tenemos la siguiente bibliografía:

Tagliavini, Carlo, *Le origini delle lingue neolatine. Introduzione alla filologia romanza*, Bolonia, 1962[3], en especial los §§ 33-39.

Sobre el albanés concretamente:

Kuhn, Alwin, *Romanische Philologie*, 1.ª parte: «Die romanischen Sprachen», Berna, 1951, págs. 146 y sigs.

Sobre los elementos latinos en el celta:

Jackson, Kenneth, *Language and History in Early Britain. A chronological survey of the Brittonic Languages 1st to 12th c. A. D.*, Edimburgo, 1963².

4.3. REPERCUSIONES DE LAS INVASIONES DE LOS BÁRBAROS Y DE LA CRISTIANIZACIÓN

4.3.1. PERÍODOS DE IRRADIACIÓN Y DE RECEPCIÓN

Los *fenómenos de irradiación* analizados aquí son grandes procesos histórico-culturales y, al mismo tiempo, procesos lingüísticos. Esto quiere decir que los hechos lingüísticos se ordenan siempre dentro de una relación histórico-cultural mayor. Muchas veces estos fenómenos, si no estamos muy instruidos sobre los restantes hechos, constituyen el único, o en todo caso el principal, indicio del proceso histórico-cultural mayor. Tales fenómenos de irradiación, que en absoluto se limitan, en lo que se refiere a lo lingüístico, a la toma de préstamos de vocabulario, sino que también se muestran, por ejemplo, en la influencia de la *Sintaxis* de una lengua sobre la de otra, culturalmente inferior, como se ve, en alemán, en las palabras *Ausdruck* «expresión» y *Eindruck* «impresión», no se han dado solamente en determinadas épocas en Europa occidental, sino que aparecen en todas partes. En la historia del vocabulario latino-romance alternan períodos de irradiaciones propias hacia fuera, hacia los territorios situados fuera de la

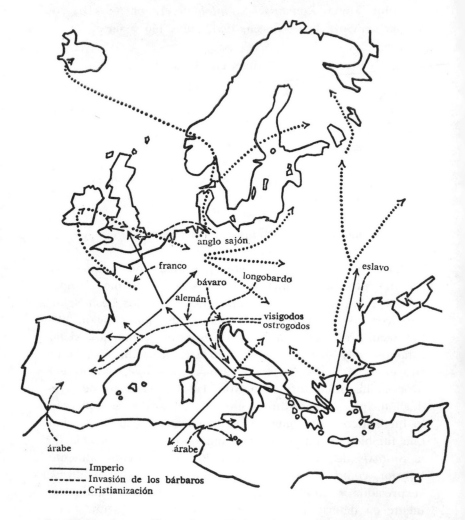

anglo sajón

franco

longobardo

bávaro

eslavo

alemán

visigodos
ostrogodos

árabe

árabe

——— Imperio
------- Invasión de los bárbaros
••••••••• Cristianización

Irradiación y recepción en época del Imperio romano de las invasiones
de los bárbaros y de la Cristianización

Romania, con períodos de *recepción,* períodos en los que el vocabulario románico se vio influenciado y transformado por la toma de léxico extranjero. Así, por ejemplo, a la irradiación del vocabulario latino a las lenguas nacionales del Imperio romano, le precedió un período de recepción de vocabulario del *griego* y del *etrusco.* Al período de irradiación de los años 200 al 400 d. C. aproximadamente siguió, en relación con la caída del Imperio romano occidental y la fundación de los estados germánicos en su suelo, una época de toma de palabras germánicas en las lenguas populares y, ocasionalmente, también en la lengua latina escrita. Por citar sólo un ejemplo: desde el siglo v o vi encontramos una palabra latina, *feodum,* traducida posteriormente al alemán por *Lehen.* Pero a su vez este *feodum* latino es un préstamo de vocabulario germánico; procede del gótico o del franco y pasó primero a la lengua románica popular y después a la lengua literaria. Se convirtió en una importante expresión jurídica y desde entonces ya no pudo ser extraña a la lengua escrita. Por lo demás, este *feodum* es idéntico a la palabra alemana *Vieh* «ganado», de la que debemos decir que tenía antes un significado totalmente diferente, mucho más general: piensen, por ejemplo, en el ing. *fee* que se pronuncia de la misma forma y que significa hoy algo así como «precio de entrada», «cuota». Pero las dos palabras son etimológicamente idénticas y tienen tras sí una historia semántica bastante complicada. En una fase más antigua esta palabra germánica pasó al latín en la forma de *feodum.*

4.3.2. Digresión sobre los préstamos de vocabulario
       germánicos en la Romania

   ¿Cómo debemos interpretar el hecho de que palabras
procedentes del germánico hayan sido tomadas en préstamo
por las lenguas populares romances y, a veces, incluso por
las lenguas escritas? En los dominios de la Etimología románica existe la idea de que palabras como *feodum* no son de
ninguna manera germanismos. Esta tesis se funda especialmente en el hecho de que los germanos eran culturalmente
inferiores a los romanos. De aquí que no se comprenda muy
bien cómo el germánico pudo proporcionar a las lenguas
romances tantos préstamos de vocabulario, de hecho una
gran cantidad. Con esto llegamos a un tema muy delicado
y muy debatido entre los historiadores: la cuestión de si
los antiguos germanos eran «bárbaros».
   Ante todo, ¿qué significa esta expresión? Deriva del
griego y designa, en primer lugar, aquellos que no hablan
correctamente, que sólo tartamudean y balbucean, es decir,
en general, los extranjeros. Puesto que, al mismo tiempo,
desde el punto de vista de los antiguos griegos, la mayoría
de los extranjeros era también inferior culturalmente (la
única excepción la formaban en realidad sólo los persas y,
eventualmente, los egipcios), era comprensible que esta palabra, *barbaroi*, tuviera un matiz negativo. Esta palabra fue
tomada por los romanos y designaba simplemente los *pueblos fuera del Imperio.* En los primeros tiempos hubo también ciudadanos romanos, súbditos y extranjeros; los extranjeros se llamaban bárbaros. Más tarde, por el *edicto del
emperador Caracalla (212)* se realizó la equiparación de ciudadanos y súbditos; posteriormente sólo hubo romanos y
bárbaros. Pero detrás de esta denominación de bárbaros se

oculta toda una escala de diferencias, no sólo de pueblos de diferentes grados culturales en una época determinada, sino que detrás se esconde también un proceso de *aculturación* que realizaron los germanos gracias a su contacto con la cultura mediterránea. Dicho de otra forma: los germanos frente a los que César consiguió su victoria en la Alsacia y los germanos que hacia el 450 irrumpieron en el Imperio romano no eran los mismos. Entre estas dos épocas tuvo lugar un considerable cambio cultural. El nivel de los germanos había subido y se había adaptado al de la capa inferior del romano de la provincia. Hacia el 400 la diferencia de nivel entre un romano de la clase popular más baja y los germanos era muy poca, o ya no existía. Sólo seguía existiendo un considerable desnivel cultural entre los germanos y los romanos de las clases *superiores.*

Los préstamos de vocabulario germánicos pasaron a las lenguas románicas predominantemente a través de las capas *inferiores* de la población romana. Esto ocurrió sobre todo en los siglos v y vi. De esta época procede, por ejemplo, el fr. *gerbe* «gavilla, haz» < fra. **garba*, fr. *blé* «trigo» < fra. **blad*, it. *fiasco* «fracaso» < gót. **flasko*, esp. *orgullo* < gót. *urgôli* (al igual que el fr. *orgueil*).

Esta ola de préstamos de vocabulario germánicos no duró mucho tiempo. Los germanos invasores impusieron su lengua sólo en las zonas laterales que estaban en inmediata relación con el territorio que ya hablaba germánico anteriormente. Esto vale para los territorios de la orilla izquierda del Rhin, desde Flandes hasta la Alsacia, así como para una parte del territorio de los Alpes y la zona entre el Danubio y los Alpes. Por otro lado, en la mayor parte de la Galia, España e Italia los dialectos germánicos desaparecieron relativamente pronto. No disponemos de ninguna cita exacta de cuándo desaparecieron. Desde los comienzos de la conquista de las correspondientes partes del Imperio romano los germanos renunciaron a la imposición de su lengua. Así, por ejemplo, de la época gótica, puesto que los ostrogodos se establecieron en Italia, tenemos muchos menos testimonios escritos que de la época anterior. Los germanos tomaron también las instituciones del Estado romano transformándolas un poco. En lo que se refiere a la lengua popular, evidentemente no eran lo suficientemente numerosos como para imponer su lengua. Eran bilingües, probablemente en la segunda, o, al menos, en la tercera generación y terminaron por renunciar a su lengua. Es complicado saber en qué medida pueden haber influido en las lenguas romances prescindiendo del *vocabulario,* esto es, de los préstamos de vocabulario, como el fr. *blé,* y de formación, como el fr. *compagnon* (germ. *ga-hlaiba,* sobre *hlaifs* «pan»). En la *Morfología* las influencias germánicas son comprobables con seguridad. En la *Fonética,* en cambio, se ha demostrado que los intentos de ver aquí también los llamados «superestratos» (así como «sustratos» y «adstratos») descansan la mayoría de las veces en una base insegura. Excepciones conocidas son la *h* del francés, que se pronunció como un sonido realmente aspirado durante la Edad Media en los préstamos de vocabulario procedentes del franco, así como también la *h* del retorrománico (y del mismo modo la *h* del rumano, pero que procede del eslavo). Por lo demás, según las más recientes investigaciones y teorías, los pueblos conquistadores influyeron en la *Gramática* de las lenguas romances en general sólo indirectamente, por delimitación y aislamiento de cada uno de los países y regiones [8].

---

[8] La bibliografía sobre las influencias germánicas en las lenguas romances, en especial sobre los préstamos de vocabulario germánicos, es muy extensa y ha rastreado muchos hechos interesantes; natural-

4.3.3. Préstamos de vocabulario latino-cristianos en alemán

Después de esta ola germánica vuelve a cambiar la situación en el siglo VIII. Ahora penetran muchos préstamos de vocabulario en los dialectos germánicos en relación con la introducción del Cristianismo. Ya hemos aludido a las diferencias fonéticas entre las palabras de esta segunda ola cristiana frente a las palabras de la primera, la ola romana antigua, por ejemplo, *Zelle* frente a *Keller*, con la palatalización de *c* latina delante de *e*, como ocurre en *Kreuz* frente a *Lärche*. He aquí unos cuantos ejemplos más de los préstamos de vocabulario latino-cristianos en alemán:

segnen «bendecir»: *signare*. (Análogo significado encontramos todavía en textos del fr. ant., por ejemplo, en Rol. 2205: *E l'arcevesque l'ad asols e seignét* = el arzobispo le dio la absolución y le bendijo [o hizo sobre él la señal de la cruz])

opfern «sacrificar»: *operare*. La evolución semántica es bastante ilustrativa, *operare* en el sentido de obrar, hacer una obra, de donde *opfern*, originariamente, «hacer una obra a Dios»

Bischof «obispo»: *episcopus*

Feier «fiesta»: *feria*. La palabra latina aparece al principio sólo en plural: *feriae, -arum*. El singular está ates-

---

mente, ha seguido algunos caminos equivocados. Esto vale especialmente para la obra principal en este dominio, la de Gamillscheg, Ernst, *Romania germanica*, 3 tomos, Berlín, 1934-1936. Especialmente para la Galo-romania, cf. el *FEW*, tomos 15-17. Otras numerosas referencias bibliográficas se pueden encontrar en Tagliavini, Carlo, *Le origini delle lingue neolatine*, bibliografía del capítulo 5.

tiguado desde Tertuliano, es decir, desde el 200 aproximadamente

Pfingsten «pentecostés»: *pentecostes*

Messe «misa»: *missa,* en realidad un participio, concretamente en la frase *ite, missa est.*

Esto no es más que una breve selección; las palabras alemanas de origen latino-eclesiástico están recopiladas en la obra ya citada de Maurer y Stroh, *Deutsche Wortgeschichte.* He aquí otros ejemplos:

Priester «sacerdote»: lat. *presbyter,* una palabra que, a su vez, procede del griego, al igual que *episcopus.*

Propst «prepósito»: originariamente es un «superior», un *praepositus.*

Almosen «limosna»: *elemósyna.*

Mönch «monje»: *monachus.*

Küster «sacristán»: *custos,* pero que a causa de su rara terminación se transformó en *custor.*

Kloster «claustro»: *claustrum.*

Todos éstos son términos de los que se espera sin más que puedan ser préstamos. Pero hay también palabras, como, por ejemplo, determinados adjetivos de la esfera de la Ética, que no podemos considerar y suponer sin más que sean de origen latino; ejemplos:

sauber «limpio» < *sobrius*

nüchtern «en ayunas, frugal» < *nocturnus*

keusch «casto» < *conscius.*

Si analizamos cuidadosamente las palabras cristianas de origen latino, tenemos que encontrar naturalmente *diferencias histórico-culturales,* en tanto que no todas las palabras que han llegado al alemán en los siglos VII, VIII y IX pertenecen a la misma ola de préstamos. Tenemos que contar con que entre estas palabras algunas, como *segnen*, *opfern*, *Bischof*, proceden ya de época romana tardía, del siglo IV. En esta época existía ya el Cristianismo en la orilla izquierda del Rhin, esto es, en territorio romano. De esta zona llegaron algunas palabras latino-cristianas, a través de las fronteras del Rhin, a las lenguas de los pueblos germánicos vecinos, todavía paganos en esta época. Por la misma época y por el mismo camino llegó al germánico una denominación *griega* que dio origen al alt. al. ant. *kirihha*, alt. al. mod. *Kirche* «Iglesia»[9].

Algunas palabras latinas siguieron el camino del gótico. Los godos estaban parcialmente cristianizados en el siglo IV. Se establecieron en Ucrania y en Dacia, la actual Rumanía. Desde aquí extendieron su territorio a la Panonia, la actual Hungría, llevando luego su misión hasta la actual Baviera. Los godos eran arrianos y por esta razón estaban en contra del Catolicismo. Unas cuantas palabras latinas y griegas llegaron, sin embargo, a la lengua eclesiástica alemana a través del gótico. Entre éstas tenemos:

Engel «ángel» < *angelus*.

Teufel «diablo» < *diabolus*.

Pfarre «parroquia» < *parochia*, una palabra griega que pasó al latín y que sigue existiendo en el fr. *paroisse*.

Pfaffe «Papa» < lat. *papa* < gr. *papas*.

La palabra griega *papas* «padrecito» sufrió un cambio de significado. Mientras que en gótico y también, a través del gótico, en alemán (*Pfaffe*) y lenguas eslavas (*Pope*) tenía el

---

[9] Sobre otros detalles cf. Eggers, Hans, *Deutsche Sprachgeschichte*, tomo I, Hamburgo, 1963, págs. 118-119.

significado de «sacerdote inferior» (en la Edad Media sin sentido peyorativo), en el sur y oeste de Europa era un apelativo para lo más espiritual y, finalmente, durante el siglo V se convirtió en la denominación del más alto obispo, el Papa. De aquí, por ejemplo, el fr. *pape*, it. *papa*, esp. *papa*. En alemán volvemos a encontrar otra vez dos fases:

fase más antigua: alt. al. ant. *pfaffo*, alt. al. mod. *Pfaffe* (con mutación consonántica de *p-* > *pf-*, en el siglo V o VI);

fase más reciente: alt. al. ant. *bâbes*, alt. al. med. *bâbest*, alt. al. mod. *Papst*, forma de compromiso bajo la influencia del lat. *papa* (ya sin ninguna mutación consonántica; la sonorización de *p* > *b* en la palabra del alt. al. ant., así como la *s* final, apuntan a la mediación del francés del norte [cf. *li reis*, *li chevals*]; el préstamo tuvo lugar aproximadamente en el siglo VIII o IX).

La irradiación de palabras latinas a través de la Cristiandad romana no sólo abarcó Alemania, sino también toda Europa central y occidental. Del mismo modo, en el este de Europa se propagó el Cristianismo griego más hacia el norte. De esta manera se formaron nuevos límites entre la zona de influencia cultural griega y latina (cf. el mapa de las págs. 190 y 200).

4.3.4. DESIGNACIONES DE «OBISPO» COMO EJEMPLO DE LOS NUEVOS
   LÍMITES ENTRE LAS ZONAS DE INFLUENCIA GRIEGA Y LATINA

Ya hemos hablado de los antiguos límites entre la zona de cultura latina y griega. A causa de las invasiones y de la Cristianización estos límites se cambiaron. La zona de influencia latina retrocedió hacia el este, mientras la griega se extendió hacia el norte. Las fronteras se formaron entre Polonia, por una parte, y Rusia, por la otra. Desde aquí continuaron más al norte; además de Polonia pertenecían a la zona de influencia latina los Estados Bálticos y Finlandia. Ésta ha sido influida por Suecia. Sin embargo, Carelia estuvo influenciada culturalmente por la antigua Rusia, aunque ambas están relacionadas lingüísticamente. El finés y el carelio son en realidad dos dialectos diferentes, pero entre ellos existe desde el año 1000, aproximadamente, una frontera cultural: los límites entre la zona de cultura griega y latina. En el siglo IX fue importante la posición del gran Imperio búlgaro, un Imperio que además de la actual Bulgaria abarcaba también Rumanía y la parte oriental de Hungría. Esta zona fue pagana en parte hasta el siglo IX; desde los tiempos antiguos, en concreto desde época romana existían restos de Cristianismo, pero la conversión realmente oficial sólo se realizó en el siglo IX y se debatió largamente si los búlgaros tenían que convertirse al Cristianismo romano o griego. Al final terminaron decidiéndose por el romano oriental. De esta forma nacieron los actuales límites religiosos y también culturales en el sureste.

Católico-romanos son Croacia, Hungría, Eslovaquia y Polonia; católico-griegos son Montenegro, Servia y Transilvania. El hecho de que Transilvania, que luego perteneció durante largo tiempo al Imperio húngaro, esté dirigida hacia la iglesia oriental, se apoya en la elección del Imperio búlgaro a favor de la Iglesia romana oriental.

De estas circunstancias religiosas y políticas resulta una distribución particular de las palabras que llegaron a las lenguas europeas con el Cristianismo. Tomemos, por ejemplo, las designaciones de «obispo». Esta palabra, del gr. ἐπίσκο-

Designaciones de «obispo» en las lenguas europeas

πος, que significa propiamente «guardián», se extendió a todas las lenguas europeas, en parte directamente del griego, en parte a través del latín. En general, aparece como préstamo de vocabulario, a menos que siga existiendo directamente, como en las lenguas románicas o en griego moderno. Pero tomó formas muy diferentes. Así, dentro de la Romania tenemos:

port. b*i*spo   esp. ob*i*spo   cat. b*i*sbe.

Estas tres formas son características por su *i*; compárese con:

fr. *évêque*   prov. *avesque*   it. *vescovo*.

Por supuesto, un límite totalmente claro no existe, pues la forma b*i*sbe se encuentra también en prov. ant. al lado de avesque o ev*e*sque. En todo caso, estas dos formas se oponen en la Romania occidental. Luego, en el Cantón de los Grisones tenemos en retorrománico:

sobres. *uestg*
eng. *ovais-ch.*

Son formas que se relacionan estrechamente con el it. *vescovo*. En la Cerdeña central y en Sicilia la *i* breve del lat. *episcopus* se mantuvo de acuerdo con las leyes fonéticas:

log. *p*í*skamu*   sic. *v*í*spicu.*

Las demás formas que encontramos en Cerdeña muestran una fuerte influencia continental: en el galu. *vescamu* se cruzan el it. *vescovo* y el log. *p*í*skamu* y las formas del campidanés se remontan al esp. *obispo*. También es sorpren-

dente el cambio de lugar de las dos consonantes, la metátesis, en la denominación siciliana y del sur de Calabria
víspicu. Volvemos a encontrar una metátesis de este tipo
en algunas formas propiamente no románicas:

> alb. *pespek*
> vasc. *iphizpiku, aphezpiku*
> húng. *püspök*.

Se podría pensar en una relación entre las formas de
Sicilia, sur de Calabria y de Albania. Pero como la metátesis
también se ha producido en húngaro y en vasco, esto es,
en dos zonas lingüísticas que están bastante distantes entre
sí, este cambio de posición de las consonantes podría también remontarse a un proceso interno, que pudo haber ocurrido en épocas totalmente diferentes, en varios lugares, sin
influencia del exterior. En este caso, la metátesis sería poli-
genética.

En cambio, resulta fácil de explicar por qué en el húng.
püspök encontramos una *ü* y una *ö*. En húngaro las vocales
en palabras polisílabas se asimilan frecuentemente. Tampoco sorprende la *p* en posición inicial. La palabra hún-
gara *püspök*, al igual que el tirolés *pischof*, se remonta, en
último extremo, al alt. al. ant. *piscof*, o a una forma anterior con *p* en posición final.

Otro grupo de formas lo constituyen:

> al. *Bischof*
> hol. *bisschop*
> ing. *bishop*.

Evidentemente, estas formas están relacionadas. La forma alemana es fonéticamente normal; se debe a la mutación
consonántica del alto alemán (-*p*>-*f*) y ya en el alto alemán

antiguo se encuentra la forma *biscof* al lado de *piscof*. Por el contrario, el hol. *bisschop* y el ing. *bishop* han mantenido la *p* en posición final.

En danés, noruego y sueco existen dos formas, una larga (*biskop*) y otra abreviada en la lengua corriente (*bisp*). Estas formas aluden a la influencia cultural del bajo alemán (ing. ant. *bisceop*, saj. ant. *biscop*). De la forma abreviada sueca, *bisp*, nació, a su vez, el fin. *piispa*.

La palabra *biskup* de Centroeuropa oriental y el eslov. *škof* corresponden con bastante exactitud a las palabras germánicas y es muy probable que sean préstamos de lenguas germánicas. Así como se formó la forma finesa del sueco, así también se formó la forma lituana del polaco: *vijskupas*. (La terminación es típicamente lituana; corresponde al lat. *-us* y al gr. *-os* y se añadió a todos los préstamos masculinos de vocabulario.) El let. *biskaps* se remonta probablemente a una forma del bajo alemán. A todo este conjunto pertenece también el eston. *piiskop*.

Todas las formas del centro y norte de Europa están, a causa de la mediación germánica, en relación genética y fonética con la forma latina.

Al otro lado de los límites entre la influencia latina y griega, entre la Iglesia romana y bizantina, encontramos otras formas, como, por ejemplo:

eslav. ecl. ant. *jepiskup*
rus. *jepiskop*
búlg. *jepiskop* y *vladika* (préstamo de formación)
rum. *episcop*.

Como vemos, el rumano se aparta de las lenguas romances occidentales, pero esta separación no es específicamente rumana, ni tampoco específica dentro del romance, sino que es, grosso modo, una diferencia entre el europeo occidental y el oriental, llegando en este caso el europeo occidental hasta las fronteras de la antigua Rusia. Tomemos como comparación la forma gótica *aipiskaupus*, que procede directamente del griego. En todos estos casos vemos conservada la sílaba inicial, mientras las formas que se extendieron desde el latín a través del germánico perdieron la vocal inicial y frecuentemente empiezan con una *b*. El hecho tiene la siguiente explicación. La primera *p* de *episcopus* se encuentra en posición intervocálica. En la parte occidental de la Romania (desde la Península Ibérica hasta los Apeninos y, en parte, también hasta la Toscana) la *p* intervocálica se sonorizó en *b*. La caída de la *e* inicial (aféresis) se realiza en una época en que la primera *p* de *episcopus* se había ya sonorizado, es decir, cuando ya había alcanzado el grado *b*. A esta fase se remontan las formas germánicas al. *Bischof*, ing. *bishop*, etc. En lo que se refiere al finés y al estonio, la *p* no es antigua, sino que se apoya en el hecho de que las lenguas finesas del Mar Báltico no hacen ninguna diferencia entre la *b* y la *p*, ni entre la *g* y la *k*. Toda *b* sueca y alemana se convierte regularmente en *p* en finés y estonio.

Si observamos las formas de la designación de «obispo» en relación espacial, notamos la existencia de varios grupos. En primer lugar, se diferencia claramente un grupo occidental de otro oriental, al menos fuera del área continua de la Romania. En el grupo oriental la vocal inicial y la -*p*- intervocálica se han mantenido, mientras que las formas del grupo occidental fuera de la Romania están sin vocal inicial y, aparte de algunas excepciones, empiezan por *b*-. El grupo románico occidental sonorizó igualmente la primera *p* intervocálica (a excepción de la Cerdeña central), pero muestra resultados diversos en relación con la inicial vocálica.

Los dominios de las lenguas celtas y del vasco aparecen como zonas marginales que han mantenido en parte la vocal inicial, la *p* y la *k*.

Por último, en servo-croata y en albanés hay varias formas. De aquí que sólo se pueda fijar de manera aproximada un límite entre el grupo occidental y el oriental, lo cual, a su vez, es significativo: en las dos lenguas se encuentran y se cruzan las influencias que partieron del griego y del latín.

Hasta ahora hemos seguido los siguientes fenómenos de irradiación y recepción:

1) En la época del Imperio romano, la ola de latinismos que se extendió por los países limítrofes de la actual Romania, cuando éstos pertenecían aún parcialmente al Imperio.

2) En la época de las invasiones germánicas, en especial durante los siglos v y vi, la ola contraria de préstamos de vocabulario germánicos, que tuvo sobre la Germania una repercusión numérica menor.

3) En la época de la Cristianización de Centroeuropa y de Inglaterra, sobre todo en los siglos vii al ix, la irradiación de términos latino-cristianos.

(En cambio, la zona de habla vasca, que entonces estaba más extendida que hoy, estuvo cristianizada ya desde el siglo iii. Irlanda adoptó la religión cristiana ya en el siglo v. Algunos préstamos de vocabulario en alemán, procedentes del latín eclesiástico, se remontan igualmente a una época mucho más antigua, probablemente al siglo iv, pero son excepciones.)

A estas tres olas siguió, cronológicamente, la ola de galicismos que sobre todo desde el siglo x al xiii pasaron a las lenguas germánicas vecinas. Sobre esta cuestión trataremos a continuación.

4.4. Irradiaciones en la Edad Media y Moderna

4.4.1. La irradiación del vocabulario del francés antiguo a las lenguas germánicas

La ola de galicismos no sólo se dirigió al norte y este, sino también a las lenguas germánicas vecinas. También alcanzó zonas lingüísticas situadas al suroeste y sureste de Francia: la Península Ibérica, norte de Italia, Toscana e, incluso, sur de Italia y Sicilia. Esta irradiación del sur abarcó también el vocabulario provenzal [10].

Las lenguas germánicas vecinas sólo tomaron préstamos de vocabulario del francés del norte. La Lírica cortesana primitiva de la zona de habla germánica recibió una fuerte inspiración de la Lírica provenzal, pero la Épica cortesana partió de los modelos del francés del norte. También, fuera de la épica, fue sólo el norte de Francia quien, por su situación geográfica, dio impulso cultural a los germanos y no el provenzal del sur.

El dominio político y cultural de Francia empezó ya en el siglo IX con el *Imperio de Carlomagno* y el *Renacimiento carolingio.* Durante los siglos XI y XII se fortaleció la influencia de Francia a causa de su *literatura popular,* su *cultura cortesana* y su *predominio en las Cruzadas* [11].

En esta época, en especial entre los años 1000 y 1300, pasaron al alemán, holandés e inglés préstamos de vocabulario del antiguo francés. Junto con los nuevos avances culturales y modos de vida pasaron a los países vecinos las denominaciones correspondientes.

---

[10] Cf. el capítulo 3.5. de la 1.ª parte.
[11] Cf. el capítulo 3.5. de la 1.ª parte.

4.4.2. Préstamos de vocabulario franceses en alemán

Doy a continuación sólo una pequeña selección de diversos dominios. De la esfera del principado, del jefe gobernante tenemos los siguientes términos: el *Prinz* «príncipe» vive en su *Palast* «palacio» y se rodea de *Vasallen* «vasallos». En francés tenemos:

> *prince*
> *palais*
> *vassal.*

Con la -*t* de *Palast* pasa algo parecido a lo que ocurre con la -*d* en posición final de *jemand* «alguien», *niemand* «nadie»: las formas más antiguas son *ieman, nieman*; el origen de la -*t* o de la -*d* no está claro [12].

También proceden del antiguo francés:

Tanz «baile»: *danse.*
Turnier «torneo»: *to(u)rnei* (fr. mod. *tournoi*).
Banner/Panier «estandarte»: *banière.*
Panzer «coraza»: *pancier*, «armadura del cuerpo».
Lanze «lanza»: *lance.*
Galopp «galope»: *galop.*

De piezas de vestir y joyas tenemos:

Wams «jubón»: *wambais.*
Brosche «broche»: *broche.*
Harnisch «arnés»: *harnais.*

---

[12] Cf. Wilmanns, W., *Deutsche Grammatik I: Lautlehre*, Estrasburgo, 1911³, § 152.

Baldachín «baldaquín», que no procede de Francia, sino que llegó a través de ella. En la base de esta palabra está el nombre de la ciudad de *Bagdad*; en la Europa medieval era *Baldac*.

De la esfera de la Literatura:

Reim «rima»: originariamente era una antigua palabra germánica, *rīm*, que significaba algo así como número o serie. Pero la palabra desapareció en alemán durante el siglo IX y como término literario fue tomada de nuevo del francés.
Fabel «fábula»: *fable*.
Abenteuer «aventura»: *aventure*.

Finalmente, tres adjetivos muy usados:

fein «fino»: fr. ant. *fin*;
rund «redondo»: *roont, ront* (cf. fr. mod. *rond*);
nett «agradable»: *net*, fem. *nette* (esta palabra, sin embargo, pasó al alemán en el siglo XV a través del holandés).

Sólo hemos ofrecido aquí una pequeña selección, pero existía una gran cantidad de préstamos de vocabulario franceses, sobre todo en la terminología especializada de la caballería y de la cultura cortesana. Muchas de estas palabras que están atestiguadas en los textos del alto alemán medio han vuelto a desaparecer posteriormente. Algunas se han conservado sólo en los dialectos. A propósito de la palabra *Reim* se dijo ya que esta palabra pasó originariamente al francés procedente del germánico y que luego, a su vez, fue tomada de nuevo por el alemán. Los lingüistas hablan en tales casos, un poco irónicamente, de *Rükwanderern* (palabras «repatriadas»). Éste es un fenómeno bastante frecuente. Podría recopilarse toda una serie de tales palabras repatriadas. A veces el camino es más complicado; esto es lo que sucede, por ejemplo, con

al. *Balkon* «balcón» < fr. *balcon*. El francés lo tomó en el Renacimiento durante el predominio de la influencia italiana, especialmente en la arquitectura; el it. *balcone*, por su parte, se remonta al germ., gót. o long. *balko*. El al. *Balkon* no es en realidad más que *Balken* «madero». Este largo recorrido trajo consigo el cambio de significado.

Algo semejante puede decirse en el caso de *Waggon-Wagen* «vagón-coche». También *Waggon* llegó al alemán del francés, pero, a su vez, la palabra se remonta a una palabra germánica que es etimológicamente idéntica al alemán *Wagen* «coche» [13].

4.4.3. Préstamos de vocabulario franceses en holandés, a ejemplo de «frans»

El holandés está influenciado por el francés mucho más que el alemán. Esto probablemente está en relación con la enorme proximidad geográfica. Los holandeses estuvieron en un intercambio comercial y cultural con la zona de habla francesa mucho más intensivo; también los centros económicos y culturales, por una parte la Île de France con París, por la otra el norte con la Picardía, estaban más

---

[13] Bibliografía: cf. Eggers, Hans, *Deutsche Sprachgeschichte*, t. 2, Hamburgo, 1965, pág. 254; Katara, P., «Das französische Lehngut in den mittelniederdeutschen Denkmälern des 13. Jahrhunderts», en *Annales Acad. Scient. Fennicae*, Serie B, t. 50 (1942), págs. 525-591.

próximos que el territorio de habla alemana. La influencia sobre la zona lingüística germánica continental a través del francés fue, durante la Edad Media, tanto más fácil por cuanto los límites entre Francia y el Imperio no coincidían en ninguna parte con la frontera lingüística germánico-romance. La *frontera política* pasaba por la región del *bajo Ródano,* iba desde aquí hacia el norte, a la comarca de *Reims,* luego a *Lille* y de aquí a la *desembocadura del Escalda.*

En cambio, la *frontera lingüística* iba, partiendo del Canal de la Mancha a la altura de Boulogne, de Oeste a Este y luego torcía hacia el Sur, entre Aquisgrán y Lieja. Una parte de la zona lingüística occitana y francesa, la zona entre el Ródano y los Alpes y luego el territorio entre Lyón y Lieja, estaba dentro del territorio del Imperio. En cambio, Flandes, en el viejo sentido histórico, es decir, el actual oeste de Bélgica (Gante, Brujas, Amberes), pertenecía a la corona francesa, pero era zona de habla germánica.

La parte occidental de habla francesa, que políticamente era una parte del Imperio, tenía entonces una auténtica función mediadora. En relación con el uso de la lengua escrita, se guiaba, en lo esencial, por el modelo occidental, esto es, por el modelo *normando, franco* y *picardo.* Debido a su pertenencia política al Imperio, pudo transmitir más fácilmente la cultura occidental francesa a la zona de habla germánica.

En algunos casos se han creado diferencias dialectales dentro del francés, en tanto que, por ejemplo, los holandeses tomaron «abundante» vocabulario sobre todo de la *Picardía* (este fenómeno va en parte desde los Países Bajos hacia Alemania, hasta la zona del *Weser-Ems*). Por otro lado, el *valón* y el *lorenés* extendieron su vocabulario al oeste y sur de Alemania.

Un ejemplo lo constituye la palabra alemana

Franzose, que se apoya en la evolución fonética del francés. En la base está la raíz

*frank-, que, con ocasión de la invasión de los francos, siglo v al vi, fue tomada por el románico del bajo franco, provisto de un sufijo romance

-ensem. Esto se ve en el francés antiguo occidental, por ejemplo, en las más antiguas *chansons de geste,*

franceis. Este diptongo *-ei-* pasa a *-oi-* en el francés central y oriental. En una parte de la Lorena, la comarca de Metz hasta los Vosgos, este diptongo *-oi-* pasa a *-o-* larga.

Si se observa, por ejemplo, el adjetivo *froid* en el mapa 612 del *ALF,* se encuentra en una parte de Valonia y de la Lorena *-ö-,* mientras que al sur, desde Metz hasta los Vosgos, aparece *-o-.* Así, pues, la palabra alemana *Franzose* descansa en la forma sur-lorenesa de *franceis,* que en francés moderno encontramos como *français* o *françois.*

Si comparamos el al. *Franzose* con el hol. *frans* (y del mismo modo con el ing. *French*), se puede observar una gran diferencia. Ésta se debe más a un hecho cronológico que dialectal. En la toma, por parte del germánico, de préstamos de vocabulario podemos diferenciar determinadas fases en relación con el desarrollo fonético general, sobre todo en relación con el *acento.* En la fase *más antigua* de los préstamos de vocabulario el acento en germánico es llevado a la *sílaba inicial,* a menos que estuviera ya en esta sílaba. Según esto, las sílabas postónicas en la época del alto alemán tardío, es decir, aproximadamente del 1000 al 1100, pasan a ser llanas; se convierten en la vocal muda /ə/ o desaparecen del todo. De aquí procede la forma holandesa *frans.* En una época *posterior* ya no tiene lugar este cambio de acento. Entonces el acento permanece en la sílaba que lo llevaba en el románico. De esta forma el al. *Franzose* también mantiene el acento en la segunda sílaba. En algunas palabras, como por ejemplo en ésta, la primera sílaba se mantiene por completo y en otras se reduce.

4.4.4. Préstamos de sufijos

En capítulos precedentes (3.2.3.; 3.3.6. - 3.3.7.; 4.2.2.) hemos diferenciado entre préstamos de *vocabulario* y préstamos de *formación*, o, dicho de manera más abstracta, préstamos *materiales* y préstamos *formales*. En los primeros podemos diferenciar todavía entre préstamo de *raíces* y préstamo de *elementos de formación de la palabra* (afijos). Ambos fenómenos los podemos encontrar en las fases de la historia del léxico romance; en lo que concierne al tipo de los elementos de formación de la palabra tomados en préstamo, diremos que se trata sobre todo de sufijos.

Ya en sus primeros contactos, en época pre-cristiana, habían tomado los romanos el sufijo -ίζειν del griego, en la forma -*issare*, que sirvió sobre todo para la formación de verbos denominativos. Así encontramos en Plauto *patrissare* «parecerse al padre», formado sobre el lat. *pater*; en griego antiguo no tenemos un verbo análogo.

En la época de Augusto, los romanos aprendieron a imitar la letra griega ζ (pronunciada /dz/); entonces el mismo préstamo de sufijo griego recibió la forma latinizada -*izare*. Cuando más tarde, en relación con la introducción del Cristianismo en la parte occidental del Imperio, apareció un gran número de palabras formadas con este sufijo (*baptizare*, *prophetizare, anathematizare* y muchas más), este sufijo se hizo muy productivo y se emplea hoy día en las lenguas romances para diversos neologismos (fr. *-iser*, it. *-izzare* y *-eggiare*, esp. *-izar*).

En la irradiación del vocabulario y de la cultura latina dentro del marco histórico del Imperio romano se repite también el mismo fenómeno: con el préstamo de un gran número de raíces latinas a las lenguas vecinas va emparejado el préstamo de algunos sufijos. Lo mismo puede decirse de la irradiación de la cultura francesa a los países próximos, románicos y germánicos, durante la Alta Edad Media; la toma por parte del italiano de sufijos franceses ha sido analizada ya brevemente (cf. 3.5.5.).

Como ejemplo significativo de préstamos de elementos latinos de formación de palabras en germánico citemos el sufijo *-arius*. Originariamente este sufijo tenía un carácter puramente adjetivo y significaba algo así como «que tiene que ver con...»; de esta forma, se creó, sobre *coquina* «cocina», *ars coquinaria* «arte culinaria»; sobre *carpentum* «armazón, coche», *artifex carpentarius* «carretero». A causa de la frecuente desaparición del sustantivo estas formaciones en *-arius* se independizaron poco a poco y se convirtieron en simples nombres de oficios; así encontramos ya en Plauto *carbonarius* «carbonero» y en este uso el sufijo sigue siendo todavía hoy productivo en las lenguas románicas (fr. *-ier*, it. *-aio, -iere*, esp. *-ero*).

La influencia cultural de las ciudades mediterráneas sobre los germanos del Rhin, Limes y Danubio trajo prosperidad económica con el incremento de la división del trabajo. En lugar del autoabastecimiento en la familia y en la estirpe aparecieron actividades artesanas cada vez más especializadas. En algunos casos esto iba unido a la utilización de instalaciones técnicas más perfeccionadas, como en el caso de la molienda del trigo: mientras que el antiguo molinillo manual (alt. al. med. _kürn_, ing. _quern_) era un instrumento doméstico, la _molīna_ (también _molinum_), el molino de agua, alt. al. ant. _mulin_, era manejado por un artesano especializado, el _molīnārius_ > alt. al. ant. _mulināri_. Objetos, actividades y sus denominaciones correspondientes irradiaron de manera diversa a la zona de habla germánica desde las fronteras del Imperio romano; así encontramos en alt. al. mod. _Mühle_ «molino» - _Müller_ «molinero»; ing. _mill_ - _miller_; hol. _molen_ - _molenaar_; en cambio, en sueco tenemos _kvarn_ - _mjölnare_, frente al danés _mølle_ - _møller_.

Para la designación de la profesión o actividad, el antiguo germánico no poseía ningún elemento de formación de palabras propio; las pocas expresiones que se precisaban, como _Beck_ «panadero» (de _backen_ «cocer») y _Schmied_ «herrero», fueron acuñadas directamente de las raíces verbales. Sin embargo, a causa del progreso técnico y económico surgieron cada vez con más frecuencia nuevas profesiones que tenían que ser denominadas de algún modo. Justamente para esto sirvió el sufijo _-ārius_ > _-āri_ existente en algunos préstamos de vocabulario y como tal fácilmente analizable. De esta forma, junto con el sistema económico de la alta cultura se tomó también el medio que servía a su dominio lingüístico. En las lenguas germánicas modernas ya no se puede prescindir de este sufijo que sirve para designar las profesiones (alt. al. ant. _-āri_ > alt. al. med. _-aere_ > alt. al. mod. _-er_; hol. _-aar_, _-er_; ing. _-er_). Al poder ser añadido, al menos en alemán, tanto a raíces verbales como nominales (cf. _Weber_ «tejedor», _Schneider_ «sastre», _Fahrer_ «conductor», frente a _Köhler_ «carbonero», _Wagner_ «cochero», _Schlosser_ «cerrajero»), posee una múltiple posibilidad de usos, que sólo a consecuencia de la Revolución industrial disminuye algo. Como dato curioso diremos todavía que el préstamo de sufijo _-er_ puede ser añadido también a una raíz que fue tomada en préstamo del latín incluso independientemente; es el caso de la palabra *Schreiber* «escritor», cuyas dos partes integrantes proceden del lat. *scrīb-* y *-arius*; evidentemente no existía en lat. **scribarius* (los *nomina agentis* correspondientes eran *scriba* y *scriptor*): la unión de los dos es, pues, puramente alemana.

En el caso que acabamos de citar, el francés, al igual que otras lenguas romances, es paralelo al alemán; el fr. *-ier*, continuador fonéticamente regular del lat. *-arius*, y el al. *-er* son hermanos, hablando metafóricamente. A diferencia de esto, y como consecuencia de la irradiación de la cultura francesa desde la alta Edad Media, hay en alemán, holandés e inglés una serie de sufijos que, paralelamente a la toma de innumerables raíces, fueron tomados del francés. Entre estos sufijos tenemos:

-lei (al. *allerlei* «toda clase de», *vielerlei* «de muchas clases», *mancherlei* «de algunas clases», *einerlei* «de (la) la misma clase»)

    (hol. *allerlei, velerlei, menigerlei, enerlei*)

    < fr. ant. *lei* que no sólo significa «ley», sino que también aparece en la locución *a (la) lei de* «a manera de»;

-ieren (al. *hausieren* «vender por las calles», *halbieren* «partir», *schimpfieren* «insultar»)

    (hol. *stofferen, trotseren*)

    < fr. ant. *-ier* (terminación de infinitivo);

-és (hol. *lerares* «profesora», *secretares* «secretaria»)

    < fr. ant. *-esse* (que, a su vez, se remonta al gr. -ισσα a través del latín *-issa*); este sufijo [14] del francés antiguo pasó también al alemán dando lugar al sufijo

---

[14] Cf., entre otros, el fr. mod. *maîtresse, diableresse*; este sufijo no

-*sche* pasando por grados intermedios, que significa actualmente en el lenguaje popular la actividad de personas femeninas con un matiz peyorativo (*die Müllersche* «la molineruca»);
-*ei* (al. *Vogtei* «prisión», *Abtei* «abadía», *Prahlerei* «jactancia», *Bäckerei* «panadería»)
(hol. *voogdij, abdij, pralerij, bakkerij*)
< fr. ant. -*ie* < lat. tardío -*ia* < gr. -ια.

En algunos casos se llega en alemán al encubrimiento de un préstamo de sufijo latino por medio de uno francés etimológicamente idéntico. El gr. -ισσα entró en alemán hasta de tres formas distintas, como se puede ver en los siguientes ejemplos: *Diakon*isse - *Mätr*esse - die *Müller*sche. A pesar de la diversidad material y estilística, el significado fundamental del sufijo griego de «persona femenina» coincide en las tres palabras [15].

4.4.5. Ortografía francesa y préstamos de vocabulario franceses en inglés

Del mismo modo que el alemán y el holandés, cuyos préstamos de vocabulario y de sufijos franceses se corresponden en gran medida (lo cual se debe, en parte, a la emigración del préstamo del holandés al alemán), el inglés estuvo también por la misma época en estrecho contacto con

---

tiene nada que ver con -*esse* < lat. -*itia* (fr. *faiblesse, tristesse*), que sirve para la designación sustantiva de propiedades.

[15] Bibliografía sobre los préstamos de sufijo: Bergmann, Karl, *Die gegenseitigen Beziehungen der deutschen, englischen und französischen Sprache auf lexikologischem Gebiete*, Dresde, 1912, págs. 25 y sigs. Niedermann, Max, «L'interpénétration des langues», en *Recueil Max Niedermann*, Neuchâtel, 1954, págs. 9-27, especialmente págs. 18-19.

la lengua y la cultura francesas. Pero vamos a considerar el inglés preferentemente, porque de las tres lenguas germánicas que estimamos como vecinas del francés es la que está influenciada en mayor medida.

El inglés se aparta de las restantes lenguas germánicas en puntos esenciales. Este hecho generalmente conocido, así como el lugar de la lengua inglesa como lengua universal y como comunidad lingüística más extendida, ha llevado a que en muchos países la Filología Inglesa y la Alemana se hayan institucionalizado como dos especialidades universitarias diferentes. Me gustaría insistir en que el lugar privilegiado del inglés, tal y como se presenta actualmente, descansa en *dos* factores: no sólo en la *influencia del francés*, aunque ésta ha sido decisiva, sino también en la *situación insular*, es decir, en la unión poco intensa con las restantes zonas de habla germánica. Esto es también importante para la Filología Románica, en tanto que hay una lengua romance que se aparta considerablemente de las demás lenguas románicas, a saber, el *rumano*. También en el caso del rumano no es *un* factor solo el que ha motivado esta situación especial, sino *dos*. Quizá se encuentre todavía en obras antiguas la opinión de que el rumano es una lengua románica de fuerte influencia extranjera, de donde procede la diferencia que a primera vista se le presenta al que la aprende. En realidad, esto no es así: la primera razón de por qué el rumano se aparta de manera tan considerable de las lenguas románicas occidentales reside en su situación insular, entendiendo aquí «isla» en sentido figurado: el *rumano* es una *isla lingüística romance* en un entorno de habla extranjera. Sólo secundariamente es considerable en el rumano la influencia de las lenguas vecinas. Éstas forman toda una serie: por una parte, la lengua sustrato, el *dacio*, que está emparentado con el actual albanés, y por otra el *eslavo,* también el *húngaro,* el *turco* y el *griego moderno.* De todas estas lenguas que han influido sobre el rumano, sólo el eslavo, en su expresión del sur, juega un papel realmente importante. Por tanto, si el rumano tiene influencia extranjera, procede en primer lugar del eslavo. Pero el eslavo solo no motiva la posición muy especial del rumano.

Muy parecida es la situación del inglés con respecto a la influencia francesa. La situación histórica es la siguiente: en el año 1066 penetraron los normandos en Inglaterra al mando de *Guillermo el Conquistador*; se luchó en Hastings, y los anglosajones fueron derrotados; el duque normando Guillermo ocupó todo el país, los nobles sajones perdieron su influencia, sus tierras fueron expropiadas en gran parte y se fundó en Inglaterra un estado feudal normando.

Tres fueron las lenguas de este estado: el *latín* fue la lengua oficial como lo era, en general, en todo el Occidente. El *francés,* en especial en su expresión normanda, fue la lengua corriente de las clases superiores, además de ser la lengua literaria, como una especie de lengua intermedia que no poseía el rango y el valor internacional del latín, pero que en prestigio estaba por encima de la lengua popular. El *inglés* fue sobre todo la lengua corriente de las clases medias e inferiores y apenas fue usada, al menos en los primeros cien años después de la conquista de los normandos, como lengua literaria. Alguien podría ahora preguntar: ¿Es posible que las clases superiores hablen una lengua y las inferiores otra? ¿Puede funcionar de esta forma una sociedad? La respuesta es evidentemente no. No existe ninguna sociedad clasista en la que las clases estén separadas rigurosamente por las lenguas, pues quien quiere dominar sobre otra clase tiene que hablar la lengua de esa clase. No se trata de que las clases inferiores estén obligadas por presión de las superiores a aprender la lengua de los conquistadores. Es más bien a la inversa: los conquistadores tienen que aprender la lengua de las capas inferiores para poder dominar, para poder dar órdenes.

En un contacto de este tipo entre las lenguas, el camino del préstamo va de la clase superior a la inferior, esto es, aquellos que aprenden la lengua de los demás tienen para ello la posibilidad de influenciar la lengua de esta gente usando sus préstamos de vocabulario.

Así debemos imaginarnos la situación de Inglaterra durante la Edad Media. Evidentemente había también en las clases medias muchas personas que encontraban útil aprender el francés. Pero igualmente útil, en parte incluso necesario, era para la clase superior aprender, además del francés, la lengua de la clase inferior, el inglés. Y precisamente este bilingüismo de la clase superior motivó que una gran cantidad de préstamos de vocabulario pasara al inglés procedente del francés.

Los reyes normandos de Inglaterra mantuvieron al principio sus posesiones en el continente, los territorios de Normandía. Más tarde, como consecuencia de las sucesiones, hubo príncipes que, procedentes del continente, se convirtieron en reyes de Inglaterra y con ello contribuyeron a mantener sus posesiones continentales considerablemente mayores, de suerte que durante cierto tiempo, sobre todo en el siglo XII, la mayor parte de Francia estaba sujeta nominalmente a la corona francesa, pero constituía posesión del rey de Inglaterra en calidad de feudo. Por tanto, el Canal de la Mancha, sobre todo en el siglo XII, no fue una frontera ni política ni lingüístico-cultural.

La influencia del francés sobre el inglés abarca diferentes dominios. De manera evidente aparece en el vocabulario, donde siempre es muy posible una influencia de

este tipo; probablemente también en la sintaxis; muy poco
o nada en la pronunciación, pero con toda seguridad en la
ortografía. Ya dijimos anteriormente que el inglés a lo
largo de un siglo apenas fue usado por escrito, en cualquier
caso sólo en medida muy limitada; hacia el 1250 notamos
un incremento renovado del inglés, que casi es un nuevo
comienzo, y este incremento surge bajo una fuerte influencia del francés. Todavía en la actual ortografía inglesa, que
en los puntos esenciales se puede fechar en los tiempos de
la introducción de la imprenta, esto es, dos siglos después,
al final del siglo xv, encontramos muchas influencias francesas. Tomemos una palabra totalmente germánica: *house.*
En esta época se pronunciaba todavía con *u* larga, esto es,
/*hu:s*/, como en muchas lenguas y dialectos del germánico continental. Esta palabra se escribió desde el siglo xiii
al estilo francés. Por esta época se había establecido en
Francia la grafía del fonema /*u*/ por medio de *ou*, una
grafía que en Francia todavía hoy sigue vigente. Esta grafía
se adoptó en Inglaterra. No cambia nada la situación el
hecho de que esta *u* larga se haya escrito posteriormente
con el diptongo /*au*/, ya que la fijación de la ortografía
inglesa es muy anterior a la diptongación de la *u* larga.
Podríamos citar aún toda una serie de ejemplos de este tipo,
en los que una /*u:*/ del primitivo germánico se ha escrito
como *ou* [16].

---

[16] Una variante de esta -*ou*- es la forma -*ow*-. Hasta finales de la
Edad Media la *u* y la *v* no estaban diferenciadas, eran dos variantes
de la misma letra. La *v* se usaba generalmente en posición inicial
de palabra, la *w* es en realidad una doble *u*. También en la ortografía del antiguo francés aparecen con frecuencia indistintamente la *u*
simple y la *u* doble; por ejemplo, la palabra para «agua» se escribe
eve (= *eue*), o *euue, ewe*. Esto corresponde en inglés al cambio entre
-*ou*- y -*ow*-.

La influencia del francés sobre la ortografía inglesa se manifiesta también en la grafía de la consonante /tʃ/. El inglés antiguo la escribía como una simple *c*. La *c* tenía en el inglés antiguo, al igual que en el latín tardío y también hoy en las lenguas romances, un valor fonético doble, algo parecido al actual italiano. Por influencia del francés se llegó a escribir una *ch* en lugar de *c*, como, por ejemplo, ing. ant. *cin* > ingl. med. y mod. *chin*.

Una característica especial del francés es, finalmente, la grafía del sonido /ü/ por medio de *u*. También el inglés tomó esta grafía, como, por ejemplo, en la palabra *duke* (fr. *duc*). En Inglaterra se pronunciaba /ü/ o /ju/ y pronunciaban /ü/ los que sabían; los que no sabían sustituían esta /ü/ por /ju/. No se trata de un cambio fonético regular, sino de una *sustitución fonética* que aparece siempre que no se puede reproducir correctamente un sonido extranjero.

Todavía hoy se puede observar que aquellos hablantes a los que no les es familiar la vocal /ü/ la producen por medio de la unión de *j* + *u*. Un inglés que quiera reproducir una /ü/ alemana o francesa generalmente dirá /ju/. Lo mismo vale para rusos y polacos que tampoco tienen en su lengua /ü/.

Por tanto, siguen el modelo francés las grafías *ou* por /u:/, *ch* por /tʃ/ y *u* por /ü/ o /ju/.

Tratemos ahora de los *préstamos de vocabulario franceses en inglés*. A continuación doy una pequeña selección, que en parte es casual y en parte característica, porque los grupos de materias elegidos muestran de manera especialmente clara la fuerza de la influencia francesa.

Títulos y dignidades

La influencia francesa en este dominio fue considerable porque los normandos dominaron todo el país y le dieron su propio sistema de gobierno:

count	*conte*
viscount	*vicomte* «vizconde»
emperor	*empereur*
duke	*duc*
peer	*pair*
baron	*baron*
(e)squire	*escuyer* «escudero»
prince	*prince.*

Si comparamos estas palabras con las que quedaron en los títulos nacionales vemos que no hay muchas; las más importantes son:

king (< ing. ant. *cyning*)
queen.

Estos dos títulos eran ya muy familiares, incluso internacionales, es decir, que el concepto de *king* o de *cyning* correspondía exactamente al fr. *rei* o lat. *rex*. En este caso no se trata de una institución nueva, sino de una continuación; en consecuencia, se mantuvieron las antiguas denominaciones. Por el contrario, no hubo ningún soberano nacional y toda la estructura de la nobleza inferior era igualmente nueva y fue designada con los términos franceses correspondientes.

Una excepción la constituye el ing. mod. *lord* < ing. ant. *hlaford* «amo, señor». En la primera parte de la palabra aparece *hlaf*, la misma palabra que en el al. *Laib* «masa».

Nombres geográficos

country	contrée
coast	coste, fr. mod. côte
isle, island	isle, fr. mod. île (island: adaptación del inglés)
lake	lac
city	cité
village	village
river	rivière.

Si volvemos a comparar la terminología nacional que se ha conservado, encontramos en este dominio una relación del 50 : 50, aproximadamente:

land
sea
stream
hamlet
town.

La palabra inglesa *town* está emparentada con el al. *Zaun* y con el hol. *tuin* «huerto, jardín». El hecho de que las denominaciones correspondientes para ciudad, vallado y jardín procedan de la misma palabra se explica a partir del significado antiguo fundamental «trozo de tierra cercado». Partiendo de aquí se llega al significado de «cerca» (*Zaun*), luego al de la tierra que existe en ella: un pedazo de tierra labrada («huerto») o un lugar de asentamiento (cel. *dunum*, ing. *town*).

En el dominio de los nombres geográficos el elemento francés es realmente importante, pero no el que más. En este dominio se llegó a una diferenciación conceptual. Esto ocurre, por ejemplo, con la diferenciación de dos clases de ciudades, ciudades de primer rango, que son las que poseen sede episcopal y catedral (*city*), y ciudades de segundo rango, sin estos atributos (*town*), análoga a la primitiva diferenciación francesa con los nombres de *cité* y *ville*, que corresponde también en portugués a *cidade* y *vila*. De modo parecido se diferencian conceptualmente *land* y *country*. Todo este dominio de los nombres geográficos es, quizás, particularmente apto para mostrar cómo el elemento francés enriqueció la lengua inglesa y cómo la lengua inglesa, a su vez, llegó a una diferenciación conceptual de matices. Otra característica que se encuentra citada con frecuencia la constituyen los nombres de las diferentes *clases de carne*:

veal	*veau*
beef	*boeuf*
mutton	*mouton*
pork	*porc.*

Lo característico es que, además de estos nombres románicos para las comidas, se ha mantenido la denominación germánica para el animal vivo:

calf
ox
cow, bull
sheep, lamb
swine.

Otra palabra interesante del grupo de las comidas es el ing. *flower*. Esta palabra se pronuncia exactamente del mismo modo que *flour* y de hecho se trata aquí etimológicamente de la misma palabra. La variación es semántica y gráfica; en la base está el fr. *fleur de farine*; por tanto, *flour* es, en realidad, «la mejor harina». Hoy es «harina» simplemente.

Quizá no deje de ser interesante decir que este uso de *flour*, que se debe remontar a un normando *flour*, no es en absoluto específicamente inglés, sino que se encuentra también en los dialectos normandos actuales. En líneas generales las particularidades, en especial las de la evolución del significado, que encontramos en las palabras inglesas de origen francés, no constituyen, en la mayor parte, particularidades del desarrollo interno del inglés. Surgieron ya en la parte normanda de la zona de habla francesa.

Toda una serie de *adjetivos*, que son muy ilustrativos, llegaron, igualmente en época normanda, del francés al inglés:

fine	*fin*
clear	*clair*
neat	*nette*
sure	*sûr*
noble	*noble*
poor	*pauvre* (o una forma secundaria dialectal de la palabra francesa)
fierce	*fier* (con una *-s*, que evidentemente es un resto del nominativo singular)
scarce	*escars* (fr. ant.)
nice	*nice* (fr. ant.)
round	*rond.*

Citemos también dos *adverbios* muy usados:

very	fr. ant. *verai*, fr. mod. *vrai*
quite	*quitte.*

Si comparamos las palabras que han sido tomadas por el alemán, es decir, *fein, nett, nobel, rund,* podemos ver que el alemán tiene también algunas de estas palabras, pero no todas. Si hiciéramos un balance completo, se obtendría un cuadro semejante. El alemán tomó quizá un tercio, quizá incluso la mitad de tales palabras. En algunos casos el alemán tiene la misma palabra, pero no tomada del francés. La palabra *klar,* por ejemplo, la tomó directamente del latín, del mismo modo que *sicher,* una palabra que, como la francesa *sûr,* deriva del lat. *securus.*

Seguidamente vamos a dar una serie de ejemplos por los cuales se ve que los galicismos del inglés no cambiaron su significado, como, por ejemplo, en Inglaterra (de hecho esto pudo haber ocurrido en algunos casos), sino que justamente conservan en su significado los estados del francés antiguo.

La palabra *dainty* «manjar delicado» se remonta al lat. *dignitatem.* En medio hay un largo camino; el puente lo forma la palabra correspondiente del fr. ant. *deintié.* Esta palabra tiene diferentes significados en francés antiguo; conserva todavía el de *dignidad,* como el lat. *dignitas,* pero luego, en sentido figurado, la dignidad no como atributo personal, como cualidad de la persona, sino la dignidad como en el empleo alemán de la «dignidad» de un caballero, de un duque, es decir, como el *cargo* o el título. También significa la *propiedad,* el feudo, unido en el estado feudal a una dignidad en este sentido figurado. La evolución posterior al significado de «manjar delicado», que existe también ya en el francés antiguo y que no ha nacido en el inglés, todavía no está suficientemente explicada. Von Wartburg en el *FEW* hace notar en la palabra *dignitas* que el significado de «manjar delicado» nació del lenguaje de la caza. De esta forma podría relacionarse de algún modo con la caza y con el derecho de la caza. Una tarea quizá interesante sería investigar la evolución del significado de esta palabra como problema especial del francés antiguo.

Otro ejemplo de mantenimiento de arcaísmos en inglés lo constituye la palabra *stationer*, etimológicamente muy clara, pero con la salvedad de que en Inglaterra se entiende por *stationer* el comerciante en papel. Se puede preguntar el porqué de este significado. En el francés antiguo y en otros dialectos románicos (como, por ejemplo, en el norte de Italia) nos encontramos ocasionalmente con el cambio de significado del lat. *statio* de «lugar de parada» a «tienda». También en un texto picardo del año 1340 encontramos la forma *estachon* con el significado de «tienda». Ahora bien, ¿cómo se llega precisamente al significado de «comerciante en papel»? Evidentemente, nos encontramos ante un problema semántico. He observado que, en la redacción del artículo *statio* en el *FEW*, von Wartburg ha pasado por alto algo interesante. En la lectura de un libro sobre las instituciones públicas de la Francia medieval, casualmente me tropecé con una organización digna de tenerse en cuenta: la del grupo formado por los comerciantes de papel del Barrio Latino durante el siglo XIII. Éstos eran llamados *stationarii*. Eran gentes que en esta época vendían papel a los estudiantes. (Entonces el papel era un objeto de valor que no se podía usar en las cantidades de hoy.) La palabra *stationarius* evidentemente fue usada también en la forma del francés antiguo. En la forma del francés antiguo es como debe haber pasado a Inglaterra y allí se ha mantenido hasta hoy en la forma de *stationer*. (Naturalmente, esto no es una demostración completa. Habría que encontrar aún otras citas del francés medieval.)

Otra palabra del mismo grupo: siempre le llama la atención a un europeo del continente el hecho de que la palabra para biblioteca sea la misma en todas las lenguas continentales, por ejemplo, en alemán, mientras que, en cambio, en Inglaterra se emplea *library*. Etimológicamente, también en este caso, la palabra está clara. En cambio, es oscuro el porqué los ingleses han seguido aquí un camino propio. En realidad, lo propio del camino que los ingleses han seguido no consiste en haber introducido una innovación, sino al contrario, en haberse cerrado frente a una innovación de las lenguas continentales, puesto que esta palabra, que en francés existe como *librairie*, análoga a otras lenguas romances, ha tenido también en la Edad Media el significado de «biblioteca» en las lenguas románicas. En una época en la que los libros todavía eran muy caros, no existía aún la diferencia que hoy hacemos entre un comercio en el que se venden libros, y una biblioteca en la que se leen y prestan libros.

Un caso parecido lo tenemos en el ing. *nice*, que se remonta al lat. *nescius*, con un cambio semántico muy complicado, como también lo encontramos frecuentemente en otros adjetivos. Piensen en el lat. *sobrius*, de donde el al. *sauber* «limpio». Lo interesante es el hecho de que los matices semánticos que encontramos en el ing. *nice* no son especialmente ingleses, sino que ya se habían formado en el territorio de habla francesa y que estos matices se encuentran todavía hoy en algunos dialectos franceses. Detalles sobre esta cuestión en el *FEW*, t. VII, cf. *nescius*.

He aquí algunos ejemplos más:

El ing. *to search* «buscar, investigar» < fr. central **sercher* < lat. *circare*. La palabra inglesa nos hace pensar en un estado lingüístico desaparecido del francés central. La *k* latina delante de *i* se convierte normalmente, en francés central, en *s*; la forma del fr. mod. *chercher* descansa en la asimilación de las dos consonantes palatales.

El ing. *to translate* < fr. ant. *translater*. El concepto «traducir» era expresado en la Francia medieval no con una sola palabra, sino, por lo menos, con cinco o seis verbos diferentes, por ejemplo, *de latin a romans traire*. Es en época tardía cuando se impuso uno de estos verbos, *traduire*.

El ing. *heir* «heredero» < fr. ant. *eir* < lat. *heres*. Esta *h* no se pronuncia en inglés; se trata de una ortografía etimologizante.

El ing. *scarce* «escaso» < fr. ant. *escarce*. En francés se usa la palabra hasta el año 1600 aproximadamente. También la ha tomado el holandés: *schaars*.

En ocasiones una palabra francesa cambia su significado en inglés. He aquí dos ejemplos:

El lat. *gesta* (neutro plural) «hechos (de guerra)» > fr. ant. *geste* «acción épica» > ing. *jest* «broma, chanza, relato chistoso». Esto se relaciona con la decadencia de las *chansons de geste*; así, por ejemplo, ya en los viajes de Carlomagno se parodiaba la jactancia de los héroes y se presentaba simplemente como historias mentirosas. Desde el siglo XVI surge en Inglaterra este *jest* con el significado de «historia fingida, historia divertida», un cambio que tiene lugar en el inglés, pero cuyos orígenes están ya en el francés antiguo.

El lat. *factura* (neutro plural derivado de *factum*) > fr. ant. *faiture, feiture* «confección, hechura», esto es, «forma realizada» > ing. *feature* «facción, descripción narrativa» (entre otros significados). También encontramos la palabra en el moderno anglo-alemán (como el de los locutores de radio).

En los últimos ejemplos nos encontramos con una continuidad del francés antiguo en el inglés, pero no del francés antiguo en el francés moderno. El fr. mod. *facture* hay que considerarlo como *mot savant*; el concepto de *chanson de geste* sigue existiendo en el francés moderno, pero es una palabra culta que se ha vuelto a tomar de la denominación del francés antiguo. Si *geste* hubiera seguido existiendo sin interrupción en francés, se habría convertido en **gête*, como *beste > bête, feste > fête*.

Para la Filología románica, los préstamos de vocabulario franceses en inglés son importantes sobre todo porque en ellos podemos diferenciar dos fases de palabras, que son diferentes tanto *regional* como *cronológicamente*. Los primeros hablantes franceses que vinieron a Inglaterra siguiendo a Guillermo el Conquistador eran en su mayoría normandos. Procedían del ducado de Normandía o de los territorios que estaban en las inmediaciones. Más tarde pudieron haber ido allí hablantes franceses procedentes de otras regiones. Pero esto es menos importante que el hecho de que desde el siglo XIII la lengua de la ciudad de *París* se impusiera cada vez más como la lengua modelo de todo el territorio de habla francesa. Tampoco la lengua francesa que entonces se hablaba en Inglaterra se vio libre de esta influencia. Como ejemplos especialmente significativos de la dualidad de la influencia francesa en Inglaterra quisiera citar dos *dobletes léxicos*, es decir, palabras que aparecen en parejas en el inglés actual y que, si las llevamos hasta el latín, tienen la misma etimología. Su doble aparición se explica porque la palabra pasó primeramente al inglés del dialecto normando y después, por segunda vez, del dialecto de París.

El ing. *to catch* «apresar, coger» < norm. *cachier* /katʃier/ < lat. **captiare*, derivado verbal de *captus*, en lugar del lat. clás. *capere*. En el norm. *cachier* se ha mantenido la *k* delante de *a*. El ing. *to chase* «cazar, perseguir» (sustantivo *chase* «caza, persecución») < fr. central *chacier* /tʃatsier/, igualmente del lat. **captiare*. En este caso la *k* delante de *a* se ha palatalizado en *tʃ* > fr. mod. *ʃ*, *chasser* /*ʃase*/.

Nos encontramos con una diferencia tanto regional como cronológica: la forma del normando ha pasado al inglés antes que la del francés central. Además, vemos una diferencia semántica interesante: el ing. *to catch* se aproxima a la etimología latina, mientras que la forma originaria del francés central ha experimentado ya la evolución semántica al concepto de «caza» a partir del fr. mod. *chasser* y del ing. *to chase, chase.*

El ing. *to reward* «recompensar, devolver» y *to regard* «considerar, atender a». En la base de estas palabras está claramente el fr. *regarder* < *re-ward-are.* La bilabial germánica /w/ del franco **ward-* (préstamo del siglo V al VI, aproximadamente) se ha conservado, en su forma primitiva, en los bordes norte y este de la zona de habla francesa, análogo también al ing. *to reward*; en cambio, en la mayor parte de la zona de habla francesa ha pasado a *g-*, a través de *gu-*, igual que en ing. *to regard.* También en este caso la forma normanda fue tomada por el inglés antes, mientras que la otra, la forma del sur, lo fue después.

Sobre los préstamos de vocabulario franceses en inglés quisiera dar algunas referencias bibliográficas:

Behrens, Dietrich, *Beiträge zur Geschichte des englischen Sprache in England*, Heilbronn, 1886.

Brüll, Hugo, *Untergegangene und veraltete Wörter des Französischen im heutigen Englisch*, Halle, 1913. Ésta es una obra especial sobre las palabras que podemos usar como testimonios del francés antiguo.

Mackenzie, Fraser, *Les relations de l'Angleterre et de la France d'après le vocabulaire*, 2 tomos, París, 1939-1946.

Finalmente se puede encontrar más material sobre los préstamos de vocabulario franceses en inglés en la *Gramática histórica* de Karl Luick; también en las gramáticas e introducciones del inglés medieval, como, por ejemplo, en Rolf Berndt, *Einführung in das Studium des Mittelenglischen*, Halle, 1960. En estas dos obras citadas en último lugar se estudian los préstamos de vocabulario franceses del inglés sobre todo en relación con su tratamiento fonético, mientras que otras obras consideran más las palabras en sus relaciones semánticas. Por último, citemos un nuevo artículo de Rolf Berndt, «The linguistic situation in England from the Norman conquest to the loss of Normandy (1066-1204)», en *Philologica Pragensia*, 8 (1965), 145-163. En este trabajo se aborda en especial el problema de en qué medida apareció el francés en Inglaterra durante los siglos XI al XIII, o la cuestión de qué parte de la población inglesa utilizó el francés como lengua madre. Se revisan las diferentes hipótesis; la cuestión no se puede resolver con absoluta certeza, porque en aquella época no existía todavía ningún censo ni estadística lingüística alguna.

Sobre los préstamos de formación e influencias fraseológicas en el inglés del francés antiguo nos habla John Orr, *Old French and Modern English Idiom*, Oxford, 1962.

4.4.6. DIFERENCIACIÓN TEMPORAL Y GEOGRÁFICA DEL VOCABULARIO
ROMANCE EN LAS LENGUAS GERMÁNICAS VECINAS

Para hacernos una idea exacta de la aparición del vocabulario latino-romance en las lenguas germánicas vecinas, debemos tener en cuenta la estratificación cronológica. En casos extremos se pueden encontrar en la misma lengua varios estratos, si consideramos un período largo de ésta.

Así, por ejemplo, el lat. *securus* ha pasado al inglés en tres formas distintas. La primera, en los tiempos más antiguos, formaría el primer estrato en la forma del ing. ant. *sicor*. Ésta es una de las palabras que con toda probabilidad fue tomada en préstamo por los anglos y sajones, todavía en el continente, y que llegó hasta el norte a través de las fronteras del Rhin, pasando desde aquí a Inglaterra. El ing. ant. *sicor* corresponde también fonéticamente a la palabra alemana *sicher*, cuya *-ch-* se apoya en la llamada mutación consonántica del alto alemán que, a su vez, se remonta a una *-k-* más antigua. Este *sicor*, en inglés, desapareció posteriormente y fue sustituido por un nuevo préstamo del francés: ing. med. *shure* (ing. mod. *sure*). El sonido *ü* del fr. *sûr*, como ya dijimos, se intenta imitar por la serie fónica /*ju*/. La serie *s + j* se convierte en /ʃ/. En el ing. mod. *sure* encontramos evidentemente una forma etimologizante afrancesada, mientras que la forma del ing. med. *shure* se aproxima algo más a la pronunciación. Todavía hay una tercera fase: el ing. mod. *secure*. Esta palabra ha pasado al inglés directamente de la lengua latina escrita en época posterior, como consecuencia del Humanismo y del Renacimiento.

He aquí la exposición esquemática de lo que hemos dicho:

lat. *securus*

Fase I	ing. ant. *sicor*
Fase II	
fr. *sûr*	ing. med. *shure*, ing. mod. *sure*
Fase III	ing. mod. *secure*.

En alemán sólo podemos oponer un débil reflejo de estas tres fases. Si comparamos *sicher*, por ejemplo, con *Assekuranz* «seguridad», vemos que todavía existe en *Assekuranz* la misma raíz. Esta palabra corresponde cronológica e históricamente a la tercera fase, en cambio *sicher* a la primera. La segunda en este caso falta en alemán.

Un poco diferente es el caso del holandés, que igualmente ha experimentado influencias románicas en diferentes etapas. Tomó prestado en la antigüedad tardía, junto con el alemán y la forma antigua del inglés, el antiguo *securus*, que hoy aparece fonéticamente como *zeker*. Éste representa claramente la fase más antigua. Si tomamos un sintagma como *op zekere dag*, vemos que corresponde semánticamente al al. *eines Tages* «un día». He dicho que corresponde semánticamente, no etimológicamente, pues esta palabra, al menos en esta relación, es de origen románico en doble sentido: en primer lugar ha sido tomada del latín, como el al. *sicher*; posteriormente esta palabra se vio influenciada en su uso por el francés. Así, pues, la expresión *op zekere dag* se ha formado según la expresión francesa *un certain jour*. En este ejemplo podemos ver dos fases de la influencia latino-romance en una misma palabra.

4.4.7. RESUMEN DE LOS PRÉSTAMOS DE VOCABULARIO ROMÁNICOS EN GERMÁNICO

A continuación quisiera concluir con los préstamos de vocabulario en el germánico y hacer un breve balance. Si analizamos cronológicamente todo el proceso de los préstamos desde la antigüedad, podemos diferenciar *cuatro fases*:

La primera fase entre la época de Julio César y el año 400 al 450 (caída del Imperio romano occidental). En esta época encontramos sobre todo préstamos aislados de palabras latinas en los dialectos germánicos.

La segunda fase está en relación con la Cristianización de los siglos VII y VIII. De esta época tenemos, además de algunos préstamos de vocabulario, sobre todo una gran cantidad de préstamos de formación. Esta influencia es mucho más profunda que la influencia anterior de los préstamos de palabras.

La tercera fase se forma por los préstamos procedentes del francés antiguo en relación con la caballería, el feudalismo y la cultura cortesana.

La cuarta fase empieza en las lenguas germánicas durante el Humanismo y Renacimiento y dura hasta hoy. Lo característico de esta cuarta fase es que no hay préstamos aislados, sino que se toma todo el principio según el cual el vocabulario latino y griego permanece abierto a las lenguas modernas. Ya no se trata sólo del vocabulario atestiguado, sino de todo el material léxico: a partir del vocabulario latino y griego podemos crear hoy libremente e incluso formar palabras que no han existido en el latín o en el griego en esa forma, como, por ejemplo, las palabras alemanas *Enzyklopädie* (acuñada en 1508 por Guillaume Budé) y *Teleskop* (de 1611).

4.4.8. LA FASE EUROPEA COMÚN DE LOS «CULTISMOS»

Si comparamos las modernas palabras europeas comunes, por ejemplo, *doctor, radio*, con las palabras cristianas que se extendieron por toda Europa, por ejemplo, las designaciones de «obispo», descubrimos determinados parecidos y diferencias. Similitudes, en tanto que algunas de estas expresiones científicas y técnicas actuales son de origen *latino* y otras de origen *griego*, como, por ejemplo, *teléfono* y *enciclopedia*. Sería el mismo caso de los términos cristianos *presbyter, episcopus, elemosyna*, que proceden del griego, frente a los términos latinos como *missa, feria, operare*.

Las diferencias existen en un doble sentido: en la cronología y en los procedimientos de préstamo. Cronológicamente considerados, los términos cristianos pertenecen a la segunda de las fases citadas anteriormente que, por supuesto, no es el siglo VII y VIII para todas las lenguas europeas, sino que hay que establecerla en parte mucho antes y en parte después. En cambio, las expresiones científicas y técnicas pertenecen a la cuarta fase; muchas se remontan hasta el Renacimiento, algunas incluso hasta la Escolástica, pero la mayoría han nacido en los dos últimos siglos. Junto a esta diferencia cronológica existe una diferencia en los procedimientos de préstamo, que permite explicar la diversidad formal de los términos cristianos y la relativa similitud de las formas de los conceptos técnico-científicos. Evidentemente, el origen es el mismo en los dos casos: las palabras proceden de una lengua escrita y normalizada, esto es, codificada, latina o griega. Pero las palabras de la fase más antigua, de las que he dado como ejemplo «obispo», han pasado de una lengua escrita o leída a lenguas que, o bien exclusivamente, o bien en gran medida, son lenguas *habladas*, lenguas que en cualquier caso no habían sido codificadas aún, que no disponían de una gramática establecida. La consecuencia es que estas palabras se hablan y se escriben de manera muy diferente en las actuales lenguas europeas. Esto vale, como hemos dicho, para las palabras del primer grupo, para las palabras del tipo «obispo». Tomemos ahora como ejemplo contrario las palabras alemanas *Photograph* y *Photographie*:

> ing. *photographer, photograph*
> esp. *fotógrafo, fotografía*
> rus. *fotógraf.*

Si citáramos las correspondientes de estas palabras en todas las lenguas europeas, podríamos comprobar que hay sólo diferencias muy pequeñas en los sonidos como, por ejemplo, la misma /*ou*/ del inglés en relación con la /*o*/ de las demás lenguas. Hay diferencias en el tono, como el ruso *fotógraf* y el al. *Photográph*. Y hay diferencias aún más leves en la escritura, que generalmente se limitan a la oposición de *f* y *ph*. Podemos tomar otros ejemplos de este tipo en los que la diferencia sea quizá un poco mayor, como ocurre, por ejemplo, con las correspondencias del al. *Doktor*, fr. *docteur*, it. *dottore*, port. *doutor*, rum. *doftor* (en la lengua popular). Aquí las diferencias son ya menores, las formas de la palabra son más unitarias que las de los términos cristianos, lo cual se relaciona con el hecho de que los términos técnico-científicos fueron tomados en una época en la que la mayoría de las lenguas europeas eran lenguas ya *escritas*. El préstamo fue realizado por el que escribía y no por el que hablaba. La toma se realizaba, y hoy aún se realiza, de la lengua escrita latina y griega a las lenguas escritas europeas. En las lenguas modernas sólo después del uso escrito tiene lugar también el uso oral.

5. DIFERENCIAS ENTRE EL LATÍN
Y EL ROMÁNICO

Frecuentemente se plantea la pregunta de cuándo, en el curso de la historia lingüística, ha pasado a ser el latín lengua románica (en sentido estricto). Generalmente se supone esta evolución no como una ruptura brusca con la tradición, sino como un proceso; se postula una fase en la que los cambios lingüísticos han transcurrido con un ritmo más acelerado de lo ordinario y se la sitúa preferentemente en los siglos «oscuros», esto es, en los tiempos posteriores a la caída del Imperio romano occidental y, consiguientemente, de la antigua aristocracia, que había actuado como portadora de la cultura clásica: evolución lingüística como función de la historia social.

Los profanos (aunque no sólo éstos) formulan generalmente el problema del «proceso» simplemente de esta forma: «¿Hasta cuándo se ha hablado latín y desde cuándo es el latín una lengua muerta?»

Por muy razonable que pueda parecer, esta pregunta es absurda. Implica que el latín ha desaparecido, del mismo modo que han desaparecido el galo o el etrusco. Como sabemos, éste no es el caso; existe una continuidad ininterrumpida entre la lengua extendida a través de todo el Imperio por comerciantes, legionarios y colonos romanos y los actuales dialectos romances. En el curso de estos dos mil años, aproximadamente, nunca una generación ha tenido la conciencia o la intención de hablar un idioma diferente al de sus padres y antepasados.

Pero si todavía hoy se sigue hablando el latín con otros nombres, surge la cuestión de cómo puede ser aprendida como lengua muerta en nuestras escuelas. Evidentemente, tiene una doble existencia: como lengua viva y como lengua muerta.

Esto constituye una aparente paradoja. Vivimos en una sociedad históricamente consciente e históricamente informada, para la que resulta natural el hecho de *actualizar* las manifestaciones culturales de cualquier época pasada. De esta forma, por ejemplo, podemos imitar los estilos arquitectónicos (clasicismo, neo-gótico). Algo semejante ocurre con las fases pasadas de la lengua; aprendemos y enseñamos francés antiguo, alto alemán medio, griego antiguo, etcétera.

En relación con el latín, un interlocutor obstinado no se daría por satisfecho. Creerá que hay que poner esta lengua en el mismo plano de las llamadas lenguas «antiguas» y «medias». Luego encontrará una diferencia entre lenguas muertas y vivas, de acuerdo con la siguiente definición: denominamos *viva* a una lengua que actúa en una comunidad lingüística como lengua materna; esto vale para el francés, inglés, alemán, etc., pero no para el latín. Y aún queda la cuestión de a partir de cuándo ya no se puede aplicar para el latín.

Para mostrar que también esta cuestión está mal planteada se necesita todavía una diferenciación más aguda y reflexiones más profundas. Una clasificación de las lenguas en «vivas» y «muertas», como la que obtenemos de la confrontación comparativa de nuestras lenguas escolares (de donde nace, en consecuencia, la pareja conceptual «Filología clásica - Filología moderna»), una clasificación de este tipo se muestra como insuficiente, tan pronto como se amplíe el horizonte geográfico o se incluya la dimensión temporal (histórico-lingüística); la realidad lingüística es más complicada.

Intentaré mostrar esto a ejemplo de la «competencia lingüística». Es cierto que para el dictamen de la corrección lingüística es mucho más competente el educado en el país que el extranjero. De ahí la oposición conceptual de «lengua materna - lengua extranjera», que también deja espacio para el fenómeno del bilingüismo (como caso especial) y, por otra parte, asigna a una lengua como el latín (y el griego antiguo) el lugar de un idioma «no-natural», en el que nadie posee una auténtica competencia y que, por tanto, es lengua extranjera para todos.

Personas con el horizonte escolar de la Europa occidental pueden imaginar estos datos como normales, evidentes y, en consecuencia, universales. Sin embargo, esto no ocurre así. Ya al otro lado del Mediterráneo encontramos una situación totalmente distinta. Mientras que un estudiante de Románicas puede viajar a cualquier ciudad de la zona de habla francesa para mejorar sus conocimientos de francés, un estudiante de Semíticas no puede hacer lo mismo. Los árabes no hablan árabe. Hablan un dialecto diferente de un país a otro, de una región a otra, dialecto que, por supuesto, está emparentado con *el* árabe; incluso se puede mostrar, si se estudia cualquiera de estos dialectos y se establecen sus leyes fonéticas, que proceden *del* árabe en una evolución ininterrumpida, de la misma manera que los dialectos románicos derivan del latín. ¿Debemos, según esto, poner *al* árabe y latín a un mismo nivel?

Sí y no, o mejor dicho, ni sí ni no. Depende de los criterios que queramos aplicar a la realidad lingüística. Tomemos, en primer lugar, el criterio de la «competencia». Un árabe culto no se atreverá a diferenciar con la misma seguridad que un francés, un anglosajón o un alemán culto, si una frase, que se le presenta, es correcta o falsa en su lengua. Antes bien, se acogerá a la gramática escrita o al diccionario, del mismo modo que un profesor de latín, que tampoco puede hacer ningún juicio partiendo de su «sentimiento lingüístico». Del mismo modo, la «pluralidad» de la lengua árabe tampoco se puede perfilar tan claramente como en muchas lenguas europeas. ¿Por qué tiene que ser un persa culto, o un arabista europeo, que dispone de suficiente práctica, menos competente que un árabe culto?

A pesar de esto, la comparación de latín y árabe es equívoca. De esta forma se deja de considerar el relativo significado de estas lenguas en su círculo cultural. Mientras que entre nosotros el noventa por ciento de la población se las arregla en la vida sin el latín, se necesita árabe para oír la radio o aprender a leer o escribir (las lenguas populares no son lenguas escritas). La diferencia que esto significa con respecto a la posición de las dos lenguas culturales podemos captarla mejor con ayuda de un resumen a modo de esquema de las *esferas de empleo* de la siguiente manera:

   I.   Conversación (familia, negocio, lugar de trabajo, círculo de amistades).

   II.   Cultura (enseñanza general, radio, prensa, libros).

  III.   Ritual (liturgia, recitación, enseñanza teórica).

Si aplicamos este esquema al francés, inglés, alemán, latín y árabe, podemos extraer la siguiente clasificación:

I + II   francés, inglés y alemán.
II + III   árabe.
III   latín.

¿Hay también una lengua que sea sólo I? La denominaremos, naturalmente, *dialecto* (fr. *patois*); también entra en esta categoría la lengua usual de los árabes (que varía en cada región).

De acuerdo con el esquema citado de las esferas de empleo podemos clasificar las lenguas del mundo en categorías, para las que propongo los términos siguientes:

I   dialecto; lengua espontánea.
I + II   lengua de cultura espontánea; lengua nacional.
II + III   lengua de cultura codificada.
III   lengua ritual.

Explicaciones: se habla de «dialecto» sobre todo si se quiere resaltar la fuerte variación regional; si falta ésta o queda fuera de consideración, se usa mejor la expresión «lengua espontánea». «Lengua de cultura espontánea» suena algo complicado, pero con ella se expresa la circunstancia de que una y la misma lengua es una lengua de *cultura* y *conversacional*. En Europa, la mayoría de las lenguas de cultura espontáneas son lenguas nacionales, es decir, actúan como lenguas oficiales en uno o varios estados.

Este esquema puede abarcar la múltiple y variada realidad sólo de forma limitada; los casos especiales más complicados necesitan una terminología todavía más matizada. Hay que tener en cuenta sobre todo que pueden tener lugar *mutaciones laterales*, que no suceden de la noche a la mañana, sino que motivan situaciones de transición.

5.1. EL CONCEPTO DE «DIGLOSIA»

Para los modernos europeos, norte- o sudamericanos, aparte de algunas excepciones esporádicas (Grecia, Noruega, Paraguay), se consideran como «normales» las siguientes situaciones lingüísticas: o domina solamente una lengua culta espontánea (lengua nacional), I + II, pero que puede ser al mismo tiempo una lengua ritual, I + II + III (como en los rumanos y eslavos ortodoxos), o bien un dialecto y una lengua culta espontánea, I/II + II, o bien una lengua culta espontánea y una lengua ritual (como el latín), I + II/III, o, finalmente, dialecto, lengua culta espontánea y lengua ritual, I/I + II/III. La situación I/II + III (lengua espontánea frente a lengua culta codificada) no es frecuente; por eso lleva el nombre especial de *diglosia*.

Como puede deducirse del capítulo anterior, la situación lingüístico-cultural tal y como domina en la zona de habla árabe es la misma (esto hay que añadirlo) que en la actual Grecia. Lo característico de esta situación es que la conversación se realiza con una lengua, mientras que la cultura y el rito se realizan con otra diferente, que, sin embargo (esto debe añadirse con restricción), se relacionan recíprocamente, al valer para la relación de las dos las condiciones siguientes:

a) I y II + III están estrechamente emparentadas; la mayoría de las veces II + III puede ser considerada como una fase del *pasado actualizado* de I, artificialmente conservado (mientras que los hablantes, erróneamente, consideran I como una variedad corrupta de II + III).

b) El vocabulario fundamental de I y de II + III es idéntico en su mayor parte, en el sentido de que las palabras de la lengua culta codificada se leen con la fonética

que las mismas palabras tienen en la lengua espontánea.
Además, hay elementos léxicos que sólo aparecen en I y
otros que sólo están en II + III.

Diglosia es la coexistencia de dos lenguas con la distribución de funciones citada y en las condiciones expuestas.

5.1.1. Diglosia latino(-romance)

La ampliación del «horizonte escolar de Europa occidental» nos ha llevado al conocimiento de que la idea, ampliamente difundida, de que hay *lenguas muertas y vivas, tertium non datur,* es *una opinión infundada.* En el griego y
árabe modernos no se puede aplicar este esquema, mucho
menos en el latín clásico y medieval. Como lenguas de *cultura* no están estas lenguas tan muertas como las lenguas
puramente *rituales;* como lenguas *codificadas, aprendidas
en la escuela* no son tan vivas como las lenguas *espontáneas.*
Ahora podemos continuar la discusión empezada en el capítulo 5, al intentar re-formular razonablemente la cuestión,
ya planteada, de a partir de cuándo es el latín una lengua
muerta o desde cuándo el latín ya no es la lengua materna
de una comunidad lingüística. De esta pregunta pueden
deducirse, aunque por caminos diferentes, dos nuevas preguntas, que apuntan a hechos histórico-lingüísticos totalmente separados: 1.ª ¿Cuándo se empezó a aprender latín
como lengua de cultura ya no espontáneamente, sino en
la escuela? Y 2.ª ¿Desde cuándo no es ya el latín lengua
de cultura, sino sólo lengua ritual?

La respuesta a estas preguntas no puede darse con datos
temporales, esto es, ni puntual (como fecha), ni temporal
(como época). Es necesario un análisis diferenciador más
preciso.

5.1.2. Diglosia como estado

La explicación del concepto de «diglosia», dada en el
capítulo 5.1., no es totalmente suficiente, en tanto que no
considera el hecho de que también en las modernas lenguas
nacionales europeas siempre existe una escala de estadios
estilísticos, cuyo uso (o no uso) está subordinado normati-
vamente a determinados elementos léxicos. Así, por ejemplo, en la lengua alemana del siglo xx las palabras para
«cara» se pueden interpretar así: *Antlitz* como «poética»,
Gesicht como «neutra», *Visage* como «expresiva» y «familiar», *Fresse* como «vulgar». Algo parecido vale para el francés. También el europeo occidental actual diferencia entre
lengua inferior y superior, de donde resulta la cuestión de
si la diglosia árabe o griega representan algo esencialmente
diferente.

En la respuesta no podemos eludir una base definitoria.
Como criterio pueden servir los siguientes puntos: *a*) el
número de las palabras afectadas por la matización distintiva en relación con el número total de palabras de una lengua; *b*) una investigación más amplia sobre la existencia o
no existencia de una matización distintiva semejante en la
Morfología. La aplicación del primer criterio supondría investigaciones estadísticas minuciosas que todavía no existen.
El último criterio, en cambio, nos permite ver una diferencia fundamental entre la situación del alemán e inglés por
una parte, que está caracterizada por la *uniformidad del sistema flexivo* en el uso estilísticamente matizado (cf. los
ejemplos anteriores para el concepto de «cara»), y el doble
estadio en la zona de habla árabe, por la otra, caracterizada
por *dos sistemas flexivos diferentes* (especialmente en el
verbo). El uso consciente por parte de una comunidad lin-

güística de dos sistemas flexivos diferentes, aunque parecidos, puede llevar a que en último lugar los matices estilísticos del uo de las palabras se apliquen a los dos estadios
de la Morfología, o, dicho de otra forma, a que se subordi-
nen a cualquiera de los dos sistemas flexivos determinadas
palabras como estilísticamente análogas. En lugar de una
matización distintiva múltiple, asistemática, aparece una
polarización del vocabulario (cf. 5.3.2.).

De estas explicaciones podría deducirse que *la* situación
de diglosia no existe de manera absoluta, sino que, más
bien, hay formas y grados de diglosia. Si se acepta la Morfología como criterio delimitante, las actuales relaciones
en el territorio de habla francesa caen también bajo la
definición conceptual de «diglosia». La doble fase se muestra de la manera más clara en el uso o no uso del *passé
simple*: la narración escrita de acontecimientos en *passé
composé* produce un efecto ridículo de inculto o infantil [1],
de la misma forma que el uso del *passé simple* en la conversación (incluso entre cultos) suena un poco cómico. Ningún profesor de Francés que se tome en serio las cosas
elude seguir el principio de *las dos normas contrarias* del
uso temporal.

---

[1] Cf. el siguiente pasaje: «Je suis monté dans l'autobus de la
porte Champerret. Il y avait beaucoup de monde, des jeunes, des
vieux, des femmes, des militaires. J'ai payé ma place et puis j'ai
regardé autour de moi. Ce n'était pas très intéressant. J'ai quand
même fini par remarquer un jeune homme dont j'ai trouvé le cou
trop long. J'ai examiné son chapeau et je me suis aperçu qu'au lieu
d'un ruban il y avait un galon tressé. Chaque fois qu'un nouveau
voyageur montait, ça faisait de la bousculade. Je n'ai rien dit, mais
le jeune homme au long cou a tout de même interpellé son voisin.
Je n'ai pas entendu ce qu'il lui a dit, mais ils se sont regardés d'un
sale oeil. Alors, le jeune homme au long cou est allé s'asseoir préci-
pitamment» (R. Queneau, *Exercices de style*, París, 1963, págs. 56-57).

Si comparamos la situación de la lengua francesa con los países árabes, se obtiene una diferencia considerablemente gradual: mientras que en francés la diferencia entre lengua conversacional (de las clases superiores) y lengua de cultura es pequeña, en los países árabes es tan grande, que los libros de textos tienen que ser escritos por separado (distinción en el título: al. *Arabisch/Vulgärabisch*; ing. *Arabic/Colloquial Arabic*).

5.1.3. ORIGEN DE LA DIGLOSIA

En primer lugar, vamos a fijar la época de la diglosia de la lengua latina culta y espontánea. Va desde Augusto hasta Carlomagno. En estos ochocientos años tuvo lugar en estas dos lenguas una evolución múltiple con varios cambios menores.

Consideremos en primer lugar la cuestión de los estadios previos. ¿Cómo nace una diglosia? Al principio surge un *écart* estilístico, un querer separarse de la banalidad de la lengua corriente. Pero la elevación a la categoría de lengua literaria no es todavía una diglosia. Ésta necesita dos cosas: un Corpus literariamente importante y, posteriormente, su codificación. En lo que respecta al Corpus literario puede tratarse de la obra de una persona genial (como dentro del mundo árabe el Corán del profeta Mahoma), o de la obra de un grupo, como la literatura latina del último siglo a. C., la italiana de los tres autores del Trecento (Dante, Petrarca y Boccaccio), o la francesa del Siècle de Louis XIV; es necesario un Corpus que sea respetado por las generaciones posteriores religiosamente como *sagrado*, o secularmente como *clásico* y se constituya en modelo lingüístico. Por medio de una vigorización válida de este tipo, y esto significa una actualización de una norma lingüística pasada, se forma un abismo entre la lengua conversacional, aprendida espontáneamente en continua evolución, y la lengua de cultura, artificialmente actualizada y que hay que aprender en la escuela [2].

Si aplicamos también al latín el criterio morfológico de la diglosia, encontramos los primeros indicios en los tiempos de Augusto. El arquitecto Vitruvio emplea por primera vez los verbos *ire* y *vadere* en su tratado *De architectura* en un solo paradigma supletivo; los conjuga según el esquema *vado-vadis-vadit-imus-itis-vadunt / vade!-ite! / ire*. Igual sistema encontramos luego en los escritores latinos cristianos, así como en diversos territorios de habla romance (en parte hasta hoy). En cambio, contemporáneos de Vitruvio y sus descendientes paganos siguen el antiguo sistema, representado por Cicerón y los poetas, según el cual *ire* y *vadere* son dos verbos diferentes, con un paradigma independiente y con un significado fácilmente diferenciable. Con esto se manifiesta la separación incipiente del latín en lengua espontánea y lengua culta codificada En adelante, formas como *eo-is-it-eunt* tienen que ser aprendidas en la escuela.

El siguiente paso de la historia lingüística de la Romania se caracteriza por el mantenimiento obstinado de la lengua culta en el sistema flexivo de la época ciceroniana. Puesto que, por otra parte, la evolución morfológica de la lengua espontánea no se puede mantener, el abismo entre los dos idiomas debió ser cada vez más profundo y la diglosia cada vez más evidente.

---

[2] Sobre la formación de un canon literario-lingüístico cf. Curtius, Ernst Robert, *Europäische Literatur und lateinisches Mittelalter*, Berna-Munich, 1961[3], especialmente págs. 46 y 253-276.

5.1.4. DESAPARICIÓN DE LA DIGLOSIA

Si un árabe se propusiera traducir el *Corán* a la lengua
árabe espontánea tendría que contar con ser apedreado.
Cuando apareció a finales de siglo una traducción de la
Biblia en lengua espontánea griega, la *dimotikí* (ἡ δημοτική
γλῶσσα = la lengua popular), se entabló una lucha calle-
jera, comparable a la batalla de Hernani. Las lenguas cultas codificadas, que no sólo son lenguas de cultura, sino
también lenguas rituales, la mayoría de las veces cuentan
con partidarios fanáticos. La desaparición de la diglosia por
supresión de la lengua culta, al asumir la lengua espontánea
las funciones hasta entonces asignadas a aquélla, es comparable a una revolución cultural.

El hecho de que se haya llegado en la Romania, sin embargo, a la desaparición de la diglosia (en forma regular),
tiene sus motivos específicos. Decisivo fue el profundo cambio fonético que había experimentado el latín en el norte de
Francia y que fue asimilado por las dos lenguas, la lengua
espontánea y la lengua culta codificada, en la misma medida,
porque existía *identidad de palabras*: una palabra escrita
de la lengua culta tenía, al leerla o dictarla, la pronunciación de la misma palabra de la lengua espontánea (según
el mismo principio que establecemos en la lectura de las
lenguas modernas). El acontecimiento más decisivo en este
complejo proceso fue la desaparición de la mayoría de las
vocales postónicas y el allanamiento de las restantes en la
vocal muda /ə/ [3]. La consecuencia de este proceso fonético
de reducción fue que los textos redactados en los siglos VII

---

[3] Cf. sobre esto el capítulo 3.5.1. de la parte I, así como mis explicaciones en *Vox Romanica*, 23 (1964), págs. 3-21.

y VIII en el norte de Francia contenían muchas faltas de ortografía y de flexión.

Un análisis comparativo en el mundo árabe, donde casi por los mismos tiempos, aunque un poco después, hubo una reducción parecida de las sílabas finales, con consecuencias morfológicas semejantes (la desaparición de la flexión de los casos nominales), nos enseña que por ello no ha de desaparecer necesariamente la diglosia. En verdad, los datos no eran los mismos. La escritura árabe deja sin expresar muchas unidades de la flexión; pero lo que no existe en la forma de letra no es tampoco sagrado. A esto se añade que la reducción de las sílabas finales había abarcado casi la totalidad del territorio de lengua árabe, no sólo una pequeña parte, como en el caso de la Romania. De esta forma se explica la reacción diferente: acogida del estado aparecido por parte de los árabes, frente a las enérgicas medidas entre los franceses de la época de Carlomagno.

La reforma carolingia de la pronunciación latina afectó especialmente a las sílabas postónicas. El acento fue desplazado a la sílaba final, anteriormente átona. Además, se partió del modelo escrito (que existía codificado en forma de manuscritos antiguos), y se asignó a cada vocal un solo sonido independientemente de su lugar en la palabra. Con ello desapareció el principio de la identidad de palabras entre la lengua culta codificada y la lengua espontánea: la ortografía fue la única norma para la pronunciación de las palabras de la lengua culta; la tradición fue descartada.

Naturalmente, no se pudo imponer a la masa de analfabetos ninguno de estos cambios tajantes. Ya les tuvo que haber costado grandes esfuerzos a los clérigos el paso a una pronunciación totalmente diferente. Pero la lengua espontánea siguió su propio camino. De esta forma se llegó (como he explicado en el capítulo 3.5.1., a propósito del ejemplo

/fɛmnə/ : *feminá*/) a una separación básica de los dos idiomas, sin que, o sólo muy poco, se produjera ningún cambio en la distribución de funciones (lengua conversacional, frente a lengua de cultura y ritual), excepto que para una comunicación lingüística efectiva con los profanos (como en los sermones, vista de una causa) sólo era adecuada la lengua espontánea.

5.1.5. LATÍN: ROMÁNICO. UN CASO DE TERMINOLOGÍA

Latinus es, originariamente, el adjetivo que designa la pertenencia al *Latium*, la región de los alrededores de Roma; *romanus* se deriva del nombre de la ciudad de *Roma*. Desde el punto de vista jurídico existía diferencia entre los latinos y los ciudadanos de la ciudad de Roma, *cives romani*; no obstante, hablaban la misma lengua, la *lingua latina*. Posiblemente fue en las provincias, en las que hubo súbditos hasta el año 212 y a los que se reconocía por su propio dialecto (galo, ligur, ibérico, entre otros), donde surgió la expresión adverbial *romanice loqui*, literalmente «hablar como un *civis romanus*»; *romanice* tenía, pues, al igual que *latinus*, un matiz distintivo. Nada aclara el hecho de que después debió designar el idioma más bajo, en oposición al más elevado. Este estado más antiguo de la variación, en parte libre, en parte fraseológica, de las dos palabras se refleja todavía hoy día en el retorrománico del Cantón de los Grisones, donde la lengua se llama en una parte (el valle del Rhin) *rumantsch, romontsch* (< *romanice*), y en la otra (Engadina) *ladin* (< *latinu*); la diversidad de la elección podría descansar en una casualidad histórico-geográfica.

La reforma carolingia dio ocasión a un uso distintivo de la variación existente. Mientras que anteriormente el uso alternativo de lengua espontánea y lengua culta se realizó de acuerdo con reglas generalmente reconocidas y sentidas como naturales, no necesitándose con ello ninguna terminología, se necesitó, después de la Reforma, para la fijación de los sermones (813, Concilio de Tours) un modo de expresión que posibilitara una doble diferenciación semántica: entre lengua espontánea y lengua culta, por una parte, y entre las dos lenguas espontáneas del Imperio carolingio (el otro era el germánico), por la otra. Se evitó el término *lingua vulgaris*, ya que por él podía haberse entendido el latín corrupto de la antigua escuela. Para excluir malas interpretaciones se eligió *lingua romana rustica*, en oposición a *lingua latina*.

Es una paradoja histórica el hecho de que la lengua (espontánea), existente sin interrupción, lleve el nombre de *ladin* sólo en algunos territorios marginales (Engadina, Tirol), mientras que, inversamente, la lengua culta o ritual, manipulada cada vez más en sus sonidos, actualizada artificialmente y aprendida en la escuela, se denomina en general «latín».

De esta paradoja resulta un caso de terminología en el que han obrado a ciegas generaciones de romanistas y en el que aún hoy insisten: se trata de la opinión de que en la evolución del «latín» al «románico» debió haber ocurrido en algún tiempo una *transición*, como, por ejemplo, en forma de un cambio especialmente rápido dentro de un espacio de tiempo muy corto, que nos autoriza a hablar objetivamente de lenguas diferentes. Una transición semejante no ha existido nunca; se trata de un espejismo terminológico.

5.2. Nuevas lenguas escritas en Europa

Con la desaparición de la diglosia en favor de una diferenciación más nítida entre lengua espontánea y latín codificado, primero Francia y el norte de Italia y después, a imitación de su modelo, también otros países románicos, llegaron a una situación bilingüe, como la que ya dominaba en los países germánicos y en algunos otros de Europa occidental. Esta situación está caracterizada por el dualismo latín: lengua nacional.

5.2.1. Época de la fijación escrita

Daremos a continuación un panorama, muy breve, de la época de la fijación escrita de las lenguas europeas. Ésta empieza con el gótico en el siglo IV y el irlandés, aproximadamente en la misma época. A continuación siguen otras lenguas celtas y germánicas, como, empezando por el oeste, el címbrico, luego el inglés, el alemán (final del siglo VIII), y, poco después, también las lenguas escandinavas. El eslavo se escribe entre los años 860 y 870. La primera lengua escrita eslava es el antiguo búlgaro, llamado también antiguo eslavo eclesiástico. Ésta sirvió, como lengua escrita, no sólo en Bulgaria, sino también en el territorio de la actual Checoslovaquia, Ucrania y Rusia. Luego es paulatinamente reemplazada por las lenguas escritas que se formaron a partir de los dialectos nacionales. En todo caso, la tradición escrita eslava empieza con el siglo IX. Para algunas lenguas europeas menores la época de la escritura es muy posterior. Esto vale, por ejemplo, para los idiomas retorrománicos, el vasco, el rumano, para las lenguas bálticas, para el húngaro, estonio y finés. Estas lenguas pasan a ser lenguas propiamente escritas desde los tiempos de la Reforma, o en los tiempos de la misma, es decir, en el siglo XVI.

En este contexto histórico-cultural mayor debe considerarse también la fijación escrita de las lenguas románicas occidentales. Temporalmente es posterior a la época de las lenguas celtas y germánicas vecinas. Esto no es, probablemente, ninguna casualidad, sino que se apoya en el hecho de que en los países no románicos la fijación escrita de las lenguas nacionales representaba un importante medio para la extensión de la alta cultura. Basándose en el modelo de sus vecinos se decidieron los románicos a hacer útil también para ellos la nueva posibilidad de comunicación.

5.2.2. ACULTURACIÓN LINGÜÍSTICA

El concepto de «aculturación» procede de la Etnología; se entiende por aculturación la elevación de grupos inferiores al nivel cultural más elevado de los grupos vecinos. El proceso de aculturación se vio restringido varios siglos en los países germánicos vecinos y en las zonas laterales germanizadas del Imperio romano, realizándose a un ritmo diferente. A esto corresponde también el resultado lingüístico.

El progreso técnico y económico de la Germania en los primeros siglos después de Cristo trajo consigo un incremento de cosas y palabras nuevas (cf. capítulo 4.2.2.), así como de algunos elementos de formación de palabras (cf. capítulo 4.4.4.). También la introducción del Cristianismo en el siglo VIII significó, en primer lugar, un amplio incremento terminológico, es decir, cuantitativo (cf. capítulo 4.3.3.). La cristianización, sin embargo, motiva inmediatamente la escri-

tura de los dialectos germánicos; en general, la escritura
se pensó al principio como medio de extender la fe. De
esta forma surgió un problema totalmente nuevo: la formulación de contenidos cristianos en una lengua no prepa-
rada para ello.

El Cristianismo procede del mundo altamente cultural
del Mediterráneo. No es lo mismo que si se tratara de la
traducción a una lengua del mismo nivel, o que si la lengua
tuviera que crear los presupuestos al mismo tiempo que
recibe los contenidos de la nueva religión. Los primeros
autores en lengua alemana (finales del siglo VIII) tuvieron que luchar con dificultades de las que difícilmente
nos podemos hacer una idea[4]. Tan pronto como, en relación
con la llegada del Cristianismo, apareció la designación de
nuevos objetos concretos (cruz, iglesia), o de personas (Papa,
obispo), o incluso de acciones (bendecir, festejar), se tomaron simplemente en calidad de préstamos de vocabulario
las expresiones latinas ya existentes. Este procedimiento,
que siempre conduce a un enriquecimiento cuantitativo de
la lengua que los toma, ha sido usual en todas partes y en
toda época. Para expresar en lengua alemana, sin embargo,
contenidos abstractos, cuya asimilación debía causar una
reorientación espiritual, no sirvió el procedimiento del préstamo material: los préstamos de vocabulario de significado
abstracto no hubiesen sido entendidos.

Los primeros autores alemanes no podían presuponer
el conocimiento del latín (con más razón el del griego) en
el público al que querían dirigirse. Por esta razón recurrie-
ron a los préstamos de formación y semánticos de diferentes clases (cf. capítulo 4.2.7.), es decir, a la transformación
del vocabulario nacional según la forma latina extranjera.

---

[4] Cf. Betz, Werner, en Maurer-Stroh, *Deutsche Wortgeschichte*, t. I,
Berlín, 1958, págs. 146-147.

Dicho más sencillamente: los préstamos de vocabulario son el resultado de contactos orales, los préstamos de formación de contactos escritos. A esto no se opone el hecho de que también aparezcan préstamos de vocabulario en los escritores. Por ejemplo, si Notker (hacia el año 1000) usa palabras como *chriuze* «cruz» (< *crucem*), *tievel, tiefal* «diablo» (< *diabolum*)[5], que las estadísticas lingüísticas oponen como préstamos de vocabulario frente a los préstamos de formación, debe tenerse en cuenta que los préstamos correspondientes no se deben propiamente a Notker, sino que *chriuze* y *tievel* eran corrientes desde hacía tiempo en la lengua alemana, de forma que Notker las usó por escrito como palabras alemanas. La diferencia entre los préstamos de vocabulario existentes ya en la lengua corriente y los préstamos de formación creados por los escritores se aprecia también por su diferente vitalidad: los primeros perviven casi por completo, los últimos sólo en una parte del alto alemán medio[6].

Los primeros tiempos de la lengua escrita alemana fueron una fase de experimentación, de búsqueda de unión con la alta cultura del mundo mediterráneo. Para la historia del vocabulario alemán significó «un gran paso hacia adelante».

Los problemas de la Romania eran totalmente distintos. En esta parte la aculturación tiene lugar ya en relación con la romanización. Lo que persistió fue el abismo lingüístico, la herencia de la diglosia romana.

---

[5] Cf. Sehrt, Edward H. y Legner, Wolfram K., *Notker-Wortschatz*, Halle, 1955.

[6] Betz, *o. c.*, págs. 139-142.

5.3. INFLUENCIA DEL LATÍN EN EL VOCABULARIO ROMANCE

Como hemos visto (cf. capítulo 5.1.4.), «románico» es otra designación de la fase posterior (aproximadamente desde el 800) del latín espontáneo. Queda por investigar qué efectos léxicos, ya de la época de la diglosia (desde Augusto hasta Carlomagno), ya posteriores, han pasado a la lengua espontánea procedentes de la lengua culta codificada.

5.3.1. RELACIONES DE PRÉSTAMOS DURANTE LA DIGLOSIA

Hemos citado en el capítulo 5.1. como una de las condiciones de la diglosia la identidad parcial del vocabulario de los dos idiomas. Consecuencia de esto es que las relaciones eventuales del préstamo debían de consistir en el hecho de que las palabras que pertenecían, en un principio, a la lengua culta pasaran a la lengua espontánea, o viceversa. Por muy frecuentemente que este proceso pudiera haber ocurrido, de hecho nos resulta difícil en un caso aislado descubrirlo después de mil quinientos años. Generalmente este tipo totalmente normal de relaciones de préstamo dentro de la diglosia queda oculto en nuestra investigación posterior.

Una cosa muy distinta constituyen los casos especiales. El principio de que las palabras de la lengua culta codificada se lean con la misma pronunciación que tienen las mismas palabras en la lengua espontánea puede quebrantarse, si lo exigen motivos concluyentes. Esto se podría aclarar con el ejemplo de la métrica francesa: un sintagma como *tout ce qu'elle dit* se pronuncia y se lee de la misma manera en prosa /*tuskɛldi*/; en cambio, al contar las sílabas en el verso leemos /*tusəkɛlədi*/. En cierta medida hay en francés moderno dos pronunciaciones a la hora de la lectura, una idéntica a la pronunciación espontánea y otra que se apoya en la actualización de una fase pasada.

Una situación parecida existía también en latín, aunque verdaderamente no desde el principio. Antes de la diglosia, los poetas pueden usar en calidad de «licencias» las variaciones fonéticas; de esta forma existía, por ejemplo, para *positum*, además de una «forma plena» /*positū*/, una «forma reducida» /*postū*/. Si la primera parte de esta palabra se encuentra en la tesis de un hexámetro, cualquiera de estas dos pronunciaciones es correcta, pues la sílaba larga /*pos*/ vale como dos breves /*po-si*/. En cambio, si de modo excepcional aparece este conjunto de sílabas en arsis, como en el siguiente verso de Virgilio (Virgilio, *Eneida*, I, 26)

exciderant animo: manet alta mente repostum,

sólo es adecuada la pronunciación reducida /*pos*/, como podemos ver también por la ortografía escolar *repostum* (en lugar de *repositum*). Del mismo modo se explica también el siguiente verso de Virgilio (Virgilio, *Eneida*, I, 2):

Italiam fato profugus Laviniaque *venit.*

El quinto pie -*viniaque* no hay que leerlo como de cuatro sílabas, sino de tres, es decir, /*víññakᵤe*/; también en este caso se trata de una pronunciación reducida.

El uso de tales formas reducidas se limita en la poesía latina a excepciones esporádicas. Tan pronto como la lengua espontánea las generaliza y elimina las formas plenas, los poetas no siguen esta evolución y con ello crean un abismo entre dos tipos de pronunciación, algo parecido a lo que ocurre en Francia actualmente.

En una situación semejante la lengua de la prosa adquiere una posición clave. Tan pronto como en la lectura de prosa las palabras escritas tienen la misma pronunciación que las mismas palabras de la lengua espontánea, la lengua de la lectura del verso juega el papel de un fenómeno especial. Ocurre que los versos se leen igual que la prosa, incluso sin considerar su estructura métrica (por ejemplo, en Francia sin «*e* muet»). Si, por el contrario, la lengua de prosa se rige por la lengua de verso (que coincide mejor con la ortografía), surge una oposición entre lo leído (en general) y lo pronunciado, o bien, aunque la pronunciación siga en la recitación pública el modelo de la pronunciación de la lectura, surge la neutralización del principio de la identidad léxica entre lengua espontánea y lengua culta *para una parte* del vocabulario.

Esta evolución parece haber ocurrido en los primeros siglos después de Cristo en la comunidad diglósica de lengua romance. Ocurre sobre todo en las palabras de tres o más sílabas, en las que aparece la unión de consonante + *i* + vocal, o consonante + *u* + *l* (*Antonius, saeculum, capitulum*); luego en algunos proparoxítonos aislados como *calidus, viridis, positus*. En estos casos, en el curso del desarrollo fonético acaecido, desapareció una sílaba; con esto surgió una discrepancia entre la pronunciación espontánea y el valor métrico de estas palabras en el verso. Como reacción contra esta situación tuvo lugar la elaboración de una *pronunciación culta conservadora de las sílabas* para aquellas palabras afectadas por la desaparición de las mismas. De esta forma aparecieron dobletes de pronunciación, como, por ejemplo, /*kapítulu*/ - /*kapítlu*/, que en algunos casos perviven hasta hoy (it. *capitolo-capecchio*).

Una pronunciación doble como la que acabamos de citar en realidad no es nada especial y no tiene nada que ver, en principio, con la diglosia; existe también, temporalmente incluso antes, como lo muestran los ejemplos de Virgilio. La esencia de este fenómeno se ve fácilmente, si se compara con un paralelo del alemán actual: a la palabra escrita *stehen* corresponden en la pronunciación /ʃte:ən/ y /ʃte:n/; a *ruhen* corresponden /ru:ən/ y /ru:n/. Esta coexistencia de los dos tipos es parte integrante de la norma de pronunciación alemana. Con el método de la transformación sacamos de la forma plena la forma reducida y a la inversa, es decir, /ru:ən/ → /ru:n/, o bien /ru:n/ → /ru:ən/; el proceso de transformación es *reversible*.

De modo muy semejante debemos imaginarnos la pronunciación clásica de palabras latinas como *capitulum, saeculum*: /kapítulu:/ ⇄ /kapítlu:/, /sáekulu:/ ⇄ /sáeklu:/[7]. Desde la época augústea o postaugústea desaparece la reversibilidad. Tres son los factores que entran en juego. Por un lado, lo raro de la combinación de las consonantes -*tl*- (en posición inicial no aparece en palabras latinas) conduce a que se equipare -*tl*- con -*kl*-: /kapítlu:/ > /kapíklu:/; de esta forma, la relación de la transformación es evidente: /kapíklu:/ → /kapíkulu:/ o → /kapítulu:/. A su vez, esto conduce a la eliminación de las formas plenas, que desde ahora ya no son claramente comprensibles, es decir, a la generalización de las formas reducidas con -*kl*-. Por otra parte, esta simplificación no sirve a la métrica clásica. Para leer versos con sentido, esto es, *como versos*, hay que aplicar la antigua pronunciación plena que de esta manera se conserva (constantemente actualizada). Puesto que esta pronunciación coincide con la ortografía mejor que la espontánea, se la utiliza también para la lectura de prosa y para las

---

[7] Sobre la pronunciación de la -M latina cf. Lüdtke, H., «Die lateinischen Endungen -UM/-IM/-UNT und ihre romanischen Ergebnisse», en *Omagiu lui Alexandru Rosetti*, Bucarest, 1965, págs. 487-499.

recitaciones solemnes (en el Foro, en la Iglesia). De esta forma se constituye como pronunciación culta.

La doble pronunciación apareció con la diferenciación de la flexión, atestiguada desde Vitruvio (descrita en el capítulo 5.1.3.), así como también con la matización de la elección de las palabras (evidente en toda lengua de cultura), en el sentido de que *sólo determinadas combinaciones fueron sentidas como adecuadas,* según el esquema del siguiente ejemplo: si el concepto de ir se expresa en la primera persona del presente de indicativo por *vado/imus,* la palabra *capitulum* se pronuncia como /*kapíklu:*/, renunciando también a la diferenciación de *homo* y *vir,* al usar *homo* para los dos conceptos; en cambio, si se usa *eo/imus,* se pronuncia /*kapítulu:*/ y se diferencia *vir:homo* (por lo que *eo, vir* y la pronunciación /*kapítulu:*/ se aprenden en la escuela). Las restantes siete posibilidades combinatorias se proscriben socialmente; quien las usa se manifiesta como una persona inculta o como un advenedizo.

En el proceso de la polarización del latín, sólo esbozado con estos ejemplos, que claramente se perfila desde los primeros siglos después de Cristo, se incluyen, en el transcurso de los tiempos, cada vez más elementos del sistema lingüístico. Así surge la diglosia.

A pesar de los casos fonéticos especiales citados anteriormente, el principio de la identidad léxica se mantuvo como tal. Se llegó a una separación entre los dobletes de pronunciación surgidos, en los que en una serie de casos la forma lingüística culta eliminó totalmente a la espontánea; también podemos decir que la forma lingüística culta pasó como préstamo a la lengua espontánea.

Este proceso del préstamo en época de la diglosia se puede probar todavía en algunas palabras por el hecho de que, después de su paso a la lengua espontánea, han participado en los cambios fonéticos posteriores. Tomemos como ejemplo las palabras continuadoras del lat. *saeculum*: fr. *siècle*, esp. *siglo*, it. *secolo*. Que estas palabras no pertenecen al vocabulario popular, sino que fueron préstamos procedentes de la lengua culta en una época determinada, se conoce en el hecho de que la combinación *-cul-* no da *-cl-*, palatalizándose posteriormente; en una evolución ininterrumpida de la lengua espontánea hubiera dado: fr. **sieu*, esp. **sejo*, it. **secchio*. Pero ¿cuándo ha tenido lugar el préstamo? Debió ser relativamente pronto, precisamente en la época de la diglosia. Esto se deduce de los siguientes datos de la forma fónica: it. *secôlo* (no **seculo*), esp. *siglo* (no **século*; cf., en cambio, port. *século*), fr. *siècle* (no **sécule*). Las formas con asterisco serían las esperadas, si la palabra, después de la separación en latín y romance, es decir, después de la desaparición de la diglosia, hubiera pasado como préstamo a la lengua escrita romance procedente del latín (lo que de hecho sólo es el caso del portugués) [8].

El camino inverso del préstamo, esto es, de la lengua espontánea a la lengua culta, se da igualmente, pero con mucha más rareza. Aparece en palabras del germánico, como, por ejemplo, *helmus* «casco» y *feudum* «feudo» (< germ. **helm* o **fehu*; este último es etimológicamente idéntico al al. *Vieh* «ganado», ing. *fee*). El préstamo al romance se llevó a cabo de un modo oral; posteriormente, las palabras de la lengua espontánea romance se escribieron también, es decir, pasaron a la lengua culta. De esta forma se

---

[8] En la Gramática tradicional (pseudo-)histórica se agrupan en una clase especial las palabras que como préstamos han pasado de la lengua culta a la lengua popular (durante la diglosia), y se las llama palabras «semicultas» (en fr. *mots demi-savants*); término que no hace sino enmascarar la realidad histórica.

partió de las correspondencias usuales entre ortografía y
forma fónica. Así, por ejemplo, si se leía la palabra *fidem*
como /fe: ɵ/ o /feįɵ/, se podía, inversamente, poner una
-*d*- como correspondencia gráfica para un sonido fricativo
sordo como /ɵ/, o uno muy próximo a éste como /*h*/ (para
el que no existía por lo demás ninguna correspondencia en
posición final y que en esta posición fue sustituido por los
románicos probablemente por /ɵ/), esto es, escribir */feᵤɵ/
por *feudum*.

Algo diferentes son las cosas en el caso del lat. tardío
curtis «patio», que es idéntico etimológicamente a *cohors*
«cohorte», pero que, sin embargo, se diferencia de aquél en
muchos textos desde el siglo v, en relación con la ortografía,
flexión (las dos formas son nominativos) y significado[9]. Lo
que ha ocurrido en este caso es una escisión de una palabra
en dos, un proceso que con ayuda de los modelos concep-
tuales de la gramática histórica tradicional no es posible
comprender. El camino de la evolución pasa por la pronunciación /*kórte*/, que correspondía exactamente a la
forma ortográfica del acusativo *cohortem*. Pero como a esta
forma escrita se asociaba algo pasado, un concepto militar
del Imperio romano desaparecido, y no se sabía que la palabra había experimentado un cambio semántico (> «corte»),
se tuvo /*kǫrte*/ por un elemento propio solamente de la
lengua espontánea, al cual habría que dar, para su uso
en la lengua culta, un aspecto ortográfico apropiado. En
vista de los muchos casos paralelos, en los que se repro-
ducía la *u* por una /o/ cerrada acentuada (/*tǫrre*/ *turrim*;
/*kǫrtu*/ *curtum*; /*mǫltu*/ *multum*, etc.), el caso de /*kǫrte*/
curtem estaba muy próximo. Puesto que entre tanto la len-

---

[9] Datos sobre esta cuestión los ofrece Löfstedt, Bengt, *Studien
über die Sprache der langobardischen Gesetze. Beiträge zur frühmit-
telalterlichen Latinität*, Estocolmo, 1961, págs. 77-83.

gua espontánea había explotado en gran medida la declinación parisilábica, se creó para el acusativo /korte/ un nominativo analógico, que dio *curtis* en la escritura, apoyándose en la cantidad de casos paralelos. Esto constituyó una razón suplementaria del distanciamiento de *curtis*/ *curtem* de *cohors*/*cohortem*.

5.3.2. POLARIZACIÓN DEL VOCABULARIO

Si se comparan las situaciones de diglosia que se encuentran hoy día en Europa, norte de África y Asia Menor, se pueden observar algunas coincidencias generales. La lengua culta y la espontánea se diferencian en cada caso tanto en la Morfología y Sintaxis como en el vocabulario; además, el vocabulario de la lengua culta es más rico y está más diferenciado; el vocabulario fundamental es en gran parte idéntico, aunque existen algunas diferencias muy claras, para lo cual citaremos unos cuantos ejemplos del griego y del árabe:

griego	lengua culta	lengua espontánea
blanco	λευκός	ἄσπρος
casa	οἶκος	σπίτι
pan	ἄρτος	ψωμί
agua	ὕδωρ	νερό
¿quién?	τίς	ποιός

árabe	lengua culta	lengua espontánea (argelina)
¿quién?	/man/	/ʃkuːn/
¿qué?	/maː/	/waːʃ/
mucho	/kaθiːr/	/bəzzaːf/
un poco	/qaliːl/	/ʃuja/

No se puede atestiguar directamente que también en la diglosia latina entre Augusto y Carlomagno hayan existido relaciones parecidas, porque no nos ha quedado ningún texto de la lengua espontánea; pero la oposición léxica entre lengua culta y espontánea puede ser reconstruida por medio de la *separación coincidente* del portugués, español, catalán, occitano, italiano, y francés del latín. He aquí algunos ejemplos coexistentes:

latín	lengua culta	lengua espontánea
mucho	*valde*	*multo*
poco	*paulum*	*paucum*
¿por qué?	*cur*	*per quid*
saber	*scire*	*sapere*
narrar	*narrare*	*computare*
sufrir	*pati*	*sufferre*
encontrar	*invenire*	*afflare*
grande	*magnus*	*grandis*
piedra	*lapis*	*petra*
fuego	*ignis*	*focus*
ciudad	*urbs*	*civitas*
cerdo	*sus*	*porcus*
boca	*os*	*bucca*
señor	*dominus*	*senior*
palabra	*verbum*	*parabola*
batalla	*proelium*	*battualia*
cosa	*res*	*causa*
fuerza	*vis*	*fortia*
derecho	*ius*	*directum*

En algunos casos las palabras de la lengua espontánea no están atestiguadas en los textos latinos, pero la coincidencia espacial romance puede aludir a la existencia de las palabras correspondientes en la época de la diglosia. De esta manera se reconstruye la forma ortográfica que tendrían si estuvieran atestiguadas y se las señala con un asterisco. He aquí algunos ejemplos:

comenzar	*incipere*	**cum-initiare*
enseñar	*docere*	**insignare*
avanzar	*progredi*	**abanteare*
esperanza	*spes*	**sperantia*

En algunos casos las palabras de la lengua espontánea reconstruidas son un préstamo o un calco del germánico. Ejemplos:

blanco	*albus*	**blancus*
fresco	*recens*	**friscus*
rico	*dives*	**riccus*
compañero	*socius*	**companio*

El hecho de que existiera en el latín tardío una *super-abundancia léxica* no es nada extraño. También encontramos en alemán *anfangen / beginnen* «comenzar», *senden / schicken* «enviar», *Samstag/Sonnabend* «sábado», *Fleischer/ Schlachter/Metzger* «carnicero», etc., en los que debemos dar una explicación particular para cada uno de estos ejemplos en tanto que se diferencian semántica, estilística, regional y cronológicamente. En el latín tardío, por el contrario (al igual que en griego y en árabe), una parte considerable del vocabulario fundamental *se polarizó*. La relación *ius:directum* es la misma que la de *os:bucca*, o la de *valde:multo*, por citar solamente estos tres ejemplos. La diferenciación estilística del vocabulario se convierte en un sistema fijo, con dos planos claramente diferenciados,

dos repertorios parciales, en cada uno de los cuales son posibles, naturalmente, otras sub-diferenciaciones.

El principio de la polarización, que es la base de la diglosia, puede dominar también la dinámica evolutiva de una lengua. En el alemán moderno actúa una tendencia a la matización semántica (*scheinbar* ≠ *anscheinend*; *Worte* ≠ *Wörter*; *er käme* ≠ *er würde kommen*) y una tendencia a la neutralización de estos matices opuestos. Nacen de distintas necesidades de la comunicación: la primera de la tendencia a un contenido de información más elevado de la manifestación lingüística, la segunda de la exigencia de una mayor redundancia. En la diglosia puede polarizarse también esta dinámica, al tender la lengua culta a una mayor matización, la espontánea a una simplificación. De esta forma encontramos en la lengua culta del latín tardío *urbs* ≠ *civitas*, *vir* ≠ *homo*, *domus* ≠ *casa*, *manus* ≠ *grandis*, mientras que en la lengua espontánea sólo encontramos *civitas*, *homo*, *domus*, *magnus* (Cerdeña), o bien *civitas*, *homo*, *casa*, *grandis* (Italia, Galia, España), es decir, diferenciación regional, pero coincidencia semántica.

A la polarización del vocabulario se une una escisión del sistema morfológico y sintáctico. Nace en una misma comunidad lingüística una coexistencia de dos normas lingüísticas.

5.3.3. Relaciones de préstamos después de la diglosia

La reforma cultural de Carlomagno creó, primero en Francia y norte de Italia, después también en los países románicos meridionales, una situación lingüístico-cultural completamente nueva. En la lengua espontánea (si se prescinde del desarrollo continuo natural) no había cambiado nada, excepto que llevaba un nombre propio: *lingua romana rustica* (cf. capítulo 5.1.5.). Pero para ello la lengua culta había cambiado radicalmente, a consecuencia de la intervención realizada por el Estado: por un lado, la ortografía, flexión, sintaxis y el uso léxico volvieron a normalizarse de forma más estricta y de esta manera se rigieron por modelos antiguos mucho más que en la época merovingia; por el otro, una pronunciación «reformada», completamente nueva, seguía valiendo para el mismo nombre de «latín». Además desapareció el principio de la identidad léxica (=criterio definitorio del concepto de «diglosia»). Resultaron dos idiomas de un solo idioma polarizado, dividido en dos, entre los que existía la relación del parentesco lingüístico.

La *lingua romana rustica*, reconocida en el Concilio de Tours del año 813, era un conglomerado de dialectos, que hasta entonces sólo habían sido usados como idiomas coloquiales y que para la expresión de acontecimientos de importancia espiritual no servían en absoluto, o sólo en medida muy restringida. Se encontraban, pues, en una situación parecida a la de los dialectos germánicos de Inglaterra y del Continente durante la primera fase de la Cristianización. También tuvieron que elevarse al rango de lengua de cultura con ayuda del latín.

Naturalmente, el punto de partida de las lenguas romances era diferente en algunos aspectos al de las lenguas germánicas. En primer lugar existía una diferencia mucho menor con el latín. De este modo, después de la reforma carolingia, y aún hoy, el aprendizaje del latín era mucho más fácil para un románico que para un germano. A esto se añade la larga tradición altamente cultural de la Romania. Estos dos factores debieron motivar que el conocimiento del latín se hubiera extendido por estos países incomparablemente más que en los países germánicos.

Había además otros presupuestos para influenciar el vocabulario popular. Mientras que los escritores alemanes se sometieron necesariamente al penoso experimento de los préstamos de *formación* (cf. capítulo 5.2.2.), pudieron seguir los románicos el camino más sencillo del préstamo de *palabras*. Esto no excluye, naturalmente, el que encontremos también en las lenguas románicas préstamos de formación según modelos latinos[10], aunque casos de este tipo están en una gran minoría frente a los préstamos de vocabulario.

A pesar del efecto distinto de la influencia del latín sobre el vocabulario germánico y el románico (posteriormente), existe unidad en la forma y modo en que se realiza la toma del préstamo: a través de los *textos escritos*, es decir, de la lengua escrita latina a las lenguas escritas regionales. En esta toma los sonidos primarios de una lengua no pasaron a los de la otra (como en el contacto entre dos lenguas vivas), sino letra por letra.

Para el francés la forma natural del préstamo de las palabras latinas era ante todo el tomarlas sin cambio en el contexto francés, siempre que fuera posible con la correcta terminación de la flexión. Este método lo encontramos usado todavía en los textos de Clermont-Ferrand, de hacia el año 1000, la *Passion Christi* y la canción de *Leodegar*.

He aquí algunos ejemplos:

(*Passion* 7) *per tot obred que* verus Deus.
(*Passion* 2) *de* Jesu Christi *passiun*.

---

[10] Por ejemplo, desde el siglo XVI en it. *ragion di stato*, conforme al lat. *ratio reipublicae*; préstamo semántico «ritmo, metro» en it. *nùmero* (al principio sólo «número») conforme al lat. *numerus*.

(*Leodegar* 1) Domine *deu devemps lauder*.
(*Leodegar* 33) perfectus *fud in caritet*.
(*Passion* 136) Jesum *querem* Nazarenum.

Este procedimiento le era ya familiar al poeta de la canción de Eulalia: (14) *Qued auuisset de nos* Christus *mercit*. Aparece también en un ejemplo de la canción de Alexius (*grabatum* «cama, lecho», verso 218); posteriormente es aún frecuente en Philippe de Thaon (principio del siglo xii).

Estas palabras latinas tomadas con la terminación de la flexión estaban acentuadas, conforme a la reforma carolingia de la pronunciación en la lectura, en la última sílaba, es decir, al final. Esto se conoce fácilmente por el modo en que fueron incluidas en el verso francés (por ejemplo, *grabatum* como final de verso en una estrofa con rima asonante en *u*).

Las palabras tomadas en préstamo según este procedimiento se diferencian claramente de los elementos tomados en época de la diglosia, esto es, hasta el siglo viii, de la lengua culta a la lengua espontánea. De manera especialmente clara se muestra en los dobletes del tipo del fr. ant. *avoltire* y *adulterium*, procedentes las dos del lat. *adulterium* [11], pero que ninguna de las dos representan una evolución fonética continua (que hubiera dado **aoltir*), sino que constituyen préstamos de diferentes épocas.

Los elementos tomados con la terminación de la flexión eran fáciles de reconocer como palabras extranjeras por su estructura; representaban bloques erráticos en el vocabulario del francés antiguo, por lo demás homogéneo. Ésta

---

[11] Sobre esto cf. Berger, Heinrich, *Die Lehnwörter in der französischen Sprache ältester Zeit*, Leipzig, 1899, pág. 64. También puede verse, para esta cuestión y sus antecedentes, Heinimann, Siegfried, «Das Abstraktum in der französischen Literatursprache des Mittelalters», en *Romanica Helvetica*, 73, Berna, 1963, págs. 21 y sigs.

es probablemente la razón de por qué todo procedimiento de préstamo cedió paulatinamente ante otro diferente, que permitió una incorporación elástica de numerosos latinismos. Consistía en tomar solamente las raíces latinas letra por letra y abandonar, en cambio, la terminación, o bien adaptarla al sistema francés. De esta forma conservamos *benediction/em* > *bénédiction, natur/a* > *natur/e*, entre otras. Las palabras nacidas así tienen un sello mucho más francés que las tomadas con finales de flexión acentuados.

Un tratamiento especial experimentan los elementos de formación de palabras introducidos entre la raíz y la terminación; es el caso, por ejemplo, de *virgin/itat/em*. En las palabras que pervivían en la lengua espontánea, *-itátem* habría dado, conforme a las leyes fonéticas, *-tét* (leído /teɵ/). Según esta regla, el lat. *-tatem* pasó a *-tét* (posteriormente > *-té*); así encontramos *virginitatem* > *virginitatet, honestatem* > *honestet*.

Las palabras citadas en último lugar aparecen ya en la secuencia de Eulalia. Es posible que el autor de esta primera obra literaria (según nuestro conocimiento) fuera también el introductor del procedimiento de préstamo explicado anteriormente. En cualquier caso, este descubrimiento de la *mot savant*, del cultismo, no fue nada evidente. A alguien debió ocurrírsele la idea de transformar palabras latinas según un sistema de reglas fácilmente aplicable, de tal forma que se adaptasen elásticamente a la estructura de la lengua francesa.

El ejemplo existente en la canción de Eulalia creó escuela en todo el dominio cultural occidental. Fue imitado primero en Francia, después en los demás países románicos. Al mismo tiempo fue un avance muy importante en la formación de las lenguas románicas escritas.

En los tiempos del Renacimiento este procedimiento de préstamo fue adoptado en mayor medida por las lenguas germánicas y, finalmente, también por las eslavas. Cuán decisivo en esto fue el modelo francés lo muestra la historia del sufijo alemán *-tät* < *-tatem*. Hasta el siglo xv dominan formas como *majestât, trinitât*; a partir de entonces encontramos *-tet* (*antiquitet, facultet, majestet*)[12], luego *-tät*, donde el paso de *e* a *ä* se considera como un hecho interno de la historia de la ortografía alemana, es decir, que no tiene nada que ver con las relaciones del préstamo. Pero, ¿cómo se explica el cambio de *-tât* a *-tät*, que concierne tanto al modelo escrito como a la pronunciación? Tenemos que distinguir dos fases diferentes tanto cronológica como materialmente: en la Edad Media se tomó del latín (además de otras muchas) un *número de palabras* que contenía el sufijo *-tatem*; durante el Renacimiento la lengua alemana tomó el *sufijo como tal*, es decir, se tomó del francés el principio de aprovechar el vocabulario latino; aplicado al presente caso, se tomó la posibilidad de formar palabras alemanas de raíces latinas con ayuda del préstamo de sufijo *-tät* sobre la base de las reglas que por primera vez encontramos usadas en la canción de Eulalia (cf. más arriba). En este fenómeno es casi lo mismo que una palabra así construida tenga o no un modelo real en el latín clásico. Tomemos como ejemplo el al. *Italianität*, it. *italianità*, esp. *italianidad*, fr. *italianité*, ing. *italianity*. ¿Existe esta palabra en todas las lenguas citadas? Para contestar a esta pregunta hay que definir previamente el concepto de «existencia de la palabra». En italiano me es muy familiar esta palabra, en ale-

---

[12] Cf. Öhmann, Emil, «Das Suffix *-tät* im Deutschen», en *Neuphilologische Mitteilungen*, 24 (1923), págs. 157-164; Holmberg, J., «Das Suffix *-tät*», en *Beiträge zur Geschichte der deutschen Sprache und Literatur*, 61 (1937), págs. 117-151. Además, H.-F. Rosenfeld, en Maurer, Friedrich und Stroh, Friedrich, *Deutsche Wortgeschichte*, t. I, Berlín, 1959, págs. 346 y sigs.

mán ya la he oído; para las demás lenguas puedo hacer el siguiente razonamiento: si bien falta en los diccionarios, puede, sin embargo, aparecer masivamente en textos especializados; si tampoco es éste el caso, puede usar la palabra mañana un lingüista o un historiador y luego, lo cual me parece más importante, ser entendida sin esfuerzo por sus lectores. En cualquier caso existe potencialmente, está *disponible*.

Esta disponibilidad del vocabulario latino se tomó como principio en Francia por primera vez. Esto condujo a que los elementos latinos hayan pasado a los países germánicos generalmente en forma francesa (en el caso del lat. *-tatem* > fr. ant. *-tet, -teit* > al. *-tät*, hol. *-teit*, ing. med. *teb, -te*, ing. mod. *-ty*).

Una interposición de este tipo de una lengua mediadora se apoyaba en un modelo histórico: el paso de los elementos griegos a las lenguas románicas (y en general a las europeas) tuvo lugar a través del prisma del latín; de esta forma encontramos la siguiente transformación regular: οι > *oe*, αι > *ae*, φ > *ph*, χ > *ch*, etc. Una excepción (en parte) la constituye solamente el territorio de lengua eclesiástica griega o eslava, es decir, Europa oriental (con la inclusión de Rumanía).

Como consecuencia de la aceptación del principio del posible préstamo sin limitaciones del vocabulario latino o griego hay algo así como una liga lingüística europea y un intercambio intereuropeo de los conceptos acuñados con material latino y griego. El hallazgo del «cultismo» constituye una fuente, de la que nos nutrimos todavía hoy, para formar términos técnicos y científicos.

5.3.4. Clasificación del vocabulario latino-romance

La Gramática histórica tradicional distribuye el vocabulario de los idiomas romances, en tanto que sea de origen latino, en tres categorías: voces etimológicas (fr. *mots populaires*), cultismos (*mots savants*) y semicultismos (*mots demi-savants*). Como criterio de clasificación sirve la ortografía en las lenguas románicas actuales: si la raíz latina se ha mantenido sin cambiar ninguna letra, se trata de un *mot savant*; si ha habido un cambio conforme a las leyes fonéticas, tenemos una *mot populaire*; por último, en caso de compromiso, es decir, si ha habido sólo una parte de los cambios esperados conforme a tales leyes, se habla de un *mot demi-savant*. Ejemplos del francés: CAPITALEM > *capital* (*savant*), CAPITELLUM > *chapiteau* (*demi-savant*); CAPITALEM > *cheptel* (*populaire*).

Esta triple distribución, que simplifica esquemáticamente la compleja diversidad de la situación sin desfigurarla, se apoya en una diferenciación cronológica histórico-lingüística. Las voces etimológicas son aquellos elementos léxicos que han seguido existiendo continuamente en la lengua espontánea desde la época precristiana. Los semicultismos son préstamos de la lengua culta a la espontánea en tiempos de la diglosia (esto es, entre Augusto y Carlomagno) y desde entonces siguen existiendo igualmente de forma continua. Los cultismos han pasado del latín a las lenguas románicas escritas de la Edad Media y Moderna; por eso frecuentemente se les llama también «términos literarios».

El hecho de que se establezcan precisamente tres y no más categorías, se justifica sólo en parte. ¿Cómo podemos clasificar, por ejemplo, una palabra del francés moderno que ha existido continuamente desde los tiempos pre-cristianos

hasta la Edad Media en la lengua espontánea, y que ha desaparecido después durante algunos siglos, para ser tomada
en préstamo, finalmente, del francés antiguo por el francés
moderno de los siglos xix y xx? Un caso de este tipo lo tenemos en (*chanson de*) *geste*; el que la palabra no sea *gête,
según las leyes fonéticas (cf. *bête* < *beste*, *tête* < *teste*), se
debe precisamente a esta interrupción de la continuidad.

Esta palabra no representa un caso aislado. A su lado
encontramos palabras como *esprit* y *chaste*, que evidentemente han existido siempre en la lengua francesa, cuya forma ortográfica y fonética, sin embargo, apunta al hecho de
que las formas fonéticamente regulares, *éprit y *châte, han
sido transformadas artificialmente, esto es, de manera consciente para el hablante (precisamente en la época del siglo xii al xvii).

Transformaciones conscientes de palabras parecidas, es
decir, reformas parciales de pronunciación, se han dado
también en los tiempos de la Antigüedad tardía y en los
primeros tiempos de la Edad Media; naturalmente, nuestro
conocimiento de este hecho es tan indirecto como el de los
casos franceses citados anteriormente: deducimos los cambios que hayan tenido lugar a partir de la forma fónica
de los elementos léxicos correspondientes. Citemos como
ejemplo una serie de raíces y sufijos con la *i* o la *u* breves
latinas acentuadas, que muestran de manera regular la *i* o
la *u* en portugués o en español (en lugar de la *e* o la *o*
esperadas), contrario, sin embargo, a las leyes fonéticas
vigentes para la mayor parte del vocabulario, mientras que
en el italiano y, en general, también en el francés, aparece
la evolución normal en *e*, *o*:

portugués	español	italiano	francés
mundo	*mundo*	*mondo*	*monde*
cruz	*cruz*	*croce*	*croix*
culpa	*culpa*	*colpa*	———
fundo	*fundo*	*fondo*	*fond*
missa	*misa*	*messa*	*messe*
bispo	*obispo*	*vescovo*	*évêque*
domingo	*domingo*	*domenica*	*dimanche*
crisma	*crisma*	*cresima*	*chrême*
baptismo	*bautismo*	*battesimo*	*baptême*
-ível	*-ible*	*-ẹvole*	*-ible*
-ismo	*-ismo*	*-ẹsimo*	*-isme*

Sorprende en esta lista la distribución geográfica entre las formas con *i/u* y las de *e/o*. Esto es tanto más llamativo, si se colocan a su lado otros ejemplos con formas en *i* y en *e*, como, por ejemplo, los continuadores del lat. *vĭtium*:

$\breve{\imath} > i$	$\breve{\imath} > e$
port. *vício*	port. *vezo* «hábito»
esp. *vicio*	esp. ant. *bezo* «costumbre»
prov. ant. *vici*	prov. ant. *vetz* «costumbre»
fr. *vice*	———
it. *vizio*	it. *vezzo* «hábito».

Nos encontramos a la vista del típico caso de doblete, es decir, la oposición entre voz etimológica y término literario (cultismo), la última con *i*, la primera con *e* como vocales tónicas. Estos dobletes están más o menos repartidos por toda la Romania (Cerdeña y Rumanía representan casos especiales); una oposición geográfica en este sentido no existe.

Desde el punto de vista histórico-lingüístico, este último caso es totalmente claro. Completamente diferente es el caso de *mundo*: *mondo*, etc. Los ejemplos citados en aquella lista muestran claramente cambios fonéticamente regulares, además de la conservación de la *i* y de la *u*, como, por ejemplo, síncope de la sílaba medial (DOMINICUM > *domingo*, EPISCOPUM > *obīspo*). Esto motiva su introducción a la categoría de los «semicultismos», es decir, aquellas palabras que en tiempos de la diglosia han pasado como préstamos a la lengua espontánea procedentes de la lengua culta. Con esto, sin embargo, no está claro todavía por qué algunas de estas palabras han experimentado una evolución especial del vocalismo sólo en la Península Ibérica (en parte también en el sur de Francia), pero no en Italia. La suposición de que una reforma de la pronunciación (delimitada regionalmente) fuese la causa se apoya en la circunstancia de que en las palabras en cuestión se trata principalmente de las procedentes del dominio *eclesiástico*. Pero los clérigos fueron durante siglos casi los únicos portadores de la cultura y los que más pronto pudieron llegar a la idea de una reforma de la pronunciación.

En algunos casos especiales encontramos en el vocabulario de las lenguas románicas como continuadores de una palabra latina no sólo dobletes, sino también tres e incluso cuatro palabras. Citemos como ejemplo el lat. *rŏtŭla*, *rŏtŭlus* «ruedecilla» (de la familia de *rota* «rueda», *rotare* «girar en círculo»), que sigue existiendo en italiano en cuatro formas: *rocchio* «tronco», *ròtolo* «rollo», *ròtula* «rótula», *ruolo* «lista oficial». De las cuatro formas la última representa un caso especial: *ruolo* es un préstamo desde el siglo XVI del fr. *rôle*, así que procede sólo indirectamente del latín. Las otras tres formas se pueden clasificar regularmente de la siguiente manera: *rocchio* = voz etimológica; *ròtolo* = semicultismo; *ròtula* = cultismo.

Este triplete italiano está al lado de otro caso francés del mismo tipo: fr. med. *roil* «madero»; fr. *rôle* «rollo»; fr. *rotule* «rótula». Con esto tenemos la siguiente relación de correspondencia.

| it. *rocchio* | *rotolo* | *rotula* |
| fr. *roil* | *rôle* | *rotule* |

Para explicar la evolución fonética debemos apoyarnos una vez más en las explicaciones del capítulo 5.3.1. En latín clásico (antes de la diglosia) coexistían en *rotulum* dos pronunciaciones: /*rótlu*:/ (forma reducida)-/*rótulu*:/ (forma plena); /*rótlu*:/ pasó a /*róklu*:/. En relación con la diglosia naciente apareció una polarización de las dos pronunciaciones: /*róklu*:/ valía exclusivamente para la lengua espontánea, mientras que /*rótulu*:/ se convirtió en la única pronunciación solemne y de lectura. Las demás evoluciones fónicas transcurren conforme a las leyes fonéticas: 1.º, mientras que en Italia se mantiene el número de sílabas latinas, se lleva a cabo en Francia la reducción de una sílaba: /*rótulu*/, de tres sílabas, pasa a /*ro-lə*/, de dos sílabas; /*róklu*/, de dos sílabas, da /*ro*λ/, de una sílaba; 2.º, -*kl*- da en italiano /*ki̯*/, en francés /λ/; 3.º, -*u* da en it. /*o*/, en fr. /ə/.

En oposición a esto, en el préstamo de la lengua escrita del lat. *rotul/a* se conserva la raíz letra por letra en las dos lenguas; la terminación se ajusta a las correspondientes reglas (it. *ròtula*; fr. *rotule*).

5.4. Funciones del latín: lengua de cultura y lengua ritual

La reforma cultural de Carlomagno con la desaparición del principio de la identidad de palabras entre lengua culta y lengua espontánea cambió poco, al principio, las funciones comunicativas de los dos idiomas. Al igual que antes, la lengua culta (latín) quedó con el monopolio en el dominio de lo ritual, así como en el de la cultura, mientras que la lengua espontánea (*lingua romana rustica* = *romance*) era un idioma de conversación. La reforma carolingia no tuvo el carácter de una revolución cultural, pero fue una innovación *lingüístico-técnica* por supuesto decisiva.

Con ella la parte cristiano-romana de la Romania se adaptó en la mayor parte de Europa a la situación existente, que se caracterizó por la coexistencia de una lengua de cultura válida supra-regionalmente y de una lengua popular de una validez limitada. En calidad de lenguas de cultura actuaban: el árabe en la mayor parte de la Península Ibérica, así como en Sicilia; el latín en el norte, centro y oeste de Europa [13], en la mayor parte de los Apeninos, así como en el norte de la Península Ibérica; por último, el hebreo, en las comunidades judías diseminadas. La lengua popular correspondiente estaba claramente diferenciada de la lengua de cultura válida en el mismo espacio; podía estar emparentada con ella, pero en la mayoría de los casos no lo estuvo.

---

[13] Los límites culturales latino-griegos durante la Edad Media han sido tratados en el capítulo 4.3.4. y están representados en el mapa de la página 200. En la Edad Moderna, especialmente desde el siglo XVII, pasaron a través de ellos muchos préstamos latinos hacia el Este.

Ésta es la situación lingüístico-cultural de Europa durante la Edad Media. Frente a ella tenemos Grecia y los
países árabes, que se mantienen hasta hoy en la diglosia.

La evolución posterior en Europa se caracteriza por el
paulatino crecimiento de las lenguas populares hacia el
estado de idiomas de cultura y el retroceso de las lenguas
culturales tradicionales procedentes de las esferas de la
cultura. Este proceso dura desde el siglo IX al XVII. Ya en
el siglo XV, pero sobre todo en el XVI, los humanistas nacionales italianos, y según su modelo también los franceses y
españoles, se afanan por dar a su lengua espontánea el rango
de una lengua de cultura con los mismos derechos. Para ello
sirvió frecuentemente la autoridad de los autores latinos,
especialmente Cicerón: utilizaron el mismo, o muy parecido,
argumento con el que Cicerón, por su parte, había defendido
el latín frente al griego. Así, Cristóbal de Villalón sostiene
que «la lengua que Dios y naturaleza nos ha dado no nos deve
ser menos apazible ni menos estimada que la latina, griega
y hebrea», lo cual, sin embargo, como él escribe, presupone
un cultivo y un enriquecimiento de las lenguas propias según
el modelo de las lenguas de cultura clásicas [14]; del mismo
modo, du Bellay, apoyándose en una feliz formulación de
Cicerón, exige la libertad de los neologismos cultos: ya los
griegos y romanos *ont concedé aux doctes hommes user
souvent de motz non acoutumés és choses non acoutumées* [15].

---

[14] Cita de Lapesa, R., *Historia de la lengua española*, Madrid, 1959[4],
pág. 204.

[15] *La Deffence et Illustration de la Langue Françoyse*, STFM, París,
1948, pág. 139. Esta cita alude igualmente a la más importante razón
de la formación de los *mots savants*: las lagunas en el vocabulario de las lenguas populares. Por otra parte, influyen también razones de estilo: a consecuencia del prestigio de las lenguas y culturas
antiguas, forman o eligen los autores los *mots savants* (en primer
lugar, latinismos), si pretenden una altura estilística especial. Así,

Desde el siglo XVII desapareció el árabe de Europa occidental; el latín, griego y hebreo son sólo lenguas rituales. En la misma época, puesto que estas antiguas lenguas de cultura perdieron su más importante función como *sistemas de comunicación* (código), los *elementos* de su vocabulario se incorporan por miles a las nuevas lenguas de cultura de altas aspiraciones. Así como la mayoría de las lenguas germánicas y romances están llenas de préstamos latinos (y griegos), el yiddish está lleno de hebraísmos; finalmente, en las lenguas eslavas se cruza la influencia latina con la directamente griega.

Esta coincidencia temporal del retroceso de las antiguas lenguas de cultura con su efecto sobre las nuevas no es algo así como una paradoja histórica. Las dos están necesariamente juntas. El *tertium comparationis* es la constancia de las necesidades de comunicación, la actividad comunicativa de las lenguas y su continuidad histórica.

---

por ejemplo, en italiano encontramos en concurrencia con *oste* y *diceria* palabras como *esercito* y *orazione* y han terminado por eliminar totalmente a aquéllas.

6. HISTORIA DEL LÉXICO ROMÁNICO EN LAS «LENGUAS MIXTAS»

6.1. ZONAS DE INTERFERENCIAS Y LENGUAS MIXTAS

Si dos o más movimientos ondulatorios entrechocan en el mismo espacio y se superponen, como se puede ver en determinadas condiciones en la superficie del agua, habla el físico de interferencia. Este concepto ha pasado a la Lingüística por medio de Uriel Weinreich y André Martinet[1]. Parten de un grupo cualquiera de personas. Si tales personas hablan la lengua A en una situación determinada, por ejemplo, en la conversación familiar, puede suceder que usen normas gramaticales y léxicas de la lengua B. Esto ocurre al principio en la *parole* casual e involuntariamente, luego se convierte en norma. Así, por ejemplo, la palabra del suizo alemán *bur* «campesino» se convirtió en sobreselvano en la palabra normal para «campesino»: *pur*. En la frase *El pur va en igl uaul* «El campesino va al bosque», son románicos los artículos, la preposición y el verbo, pero los sustantivos son préstamos de vocabulario del alemán.

---

[1] Cf. Weinreich, Uriel, *Languages in Contact. Findings and problems*, Nueva York, 1953¹; La Haya, 1966⁴. Martinet, André, *Éléments de linguistique générale*, París, 1966⁶, 5-28.

Una «superposición» semejante de dos lenguas la denominamos interferencia.

El concepto de interferencia puede designar, además de las influencias léxicas, también las fonéticas, morfológicas y sintácticas. Así pues, es más amplio que el concepto de préstamo hasta ahora empleado, que asignamos a la influencia de una lengua tanto en su vocabulario como en su formación de palabras. Tenemos necesidad de este nuevo concepto, porque ahora pasamos a lenguas que han experimentado una influencia mayor y más profunda, una influencia que no se detuvo en el vocabulario, sino que pasó, por ejemplo, a su estructura morfológica y sintáctica. Así el meglenítico, que se habla al norte de Salónica, no sólo muestra numerosos préstamos en el léxico, sino también, por ejemplo, los afijos de flexión búlgaros (en este caso, los morfemas de terminación) en la primera y segunda persona del singular de los verbos. Los antiguos morfemas -*u* e -*i* han sido sustituidos por las terminaciones de origen búlgaro -*um*(-*ăm*) e -*iš* (como, por ejemplo, en *aflum* «yo encuentro», *afliš* «tú encuentras»). Lo mismo ocurre en la siguiente frase del sobreselvano, para dar un ejemplo de Sintaxis: *Era leusi ei la primavera arrivada* «También allí había llegado la primavera». No se necesita mucha imaginación para notar que en esta frase la posición final del participio es un calco del alemán. También es sospechoso ese comienzo de frase con *era*. Comparemos ahora esta posición de era con otra frase: *Nossas vaccas dattan bia latg e nossas cauras era* «Nuestras vacas dan mucha leche y nuestras cabras también». En esta frase el *era* está al final, como en alemán. Puesto que en los *dos* casos la posición es la misma que en alemán, difícilmente se puede dudar de la influencia germánica en la sintaxis.

Como consecuencia de la interferencia secular en las zonas bilingües, desde los tiempos remotos ha surgido la cuestión de si determinadas lenguas pertenecen a una o a otra familia lingüística, es decir, a la románica o la germánica. Hoy día se puede contestar estar cuestión en la mayoría de los casos. Puesto que toda lengua (*langue*) representa un sistema más o menos fijo de normas interdependientes (cf. capítulo 1.1.), *este sistema decide sobre el parentesco*. El sistema está formado de varias capas:

1.ª de su Fonología;
2.ª de sus «functivos»;
3.ª de sus normas morfológico-sintácticas.

Especialmente en los dos últimos dominios la terminología vacila aún mucho. El concepto de «functivos» (ing. *functors*) es un concepto que abarca preposiciones, conjunciones, adverbios, pronombres, artículos, formas verbales, como fr. *suis, est,* y afijos de flexión, como fr. *-ons* (primera persona del plural), o lat. *-us* (nominativo masculino). No incluye las raíces verbales, adjetivas y sustantivas, como, por ejemplo, lat. *domin-,* de *dominus.* El concepto de «functivos» necesita una mayor explicación, que el tema de este curso, sin embargo, no permite. Por ello remito al lector al libro de Charles H. Hockett, *A Course in Modern Linguistics,* Nueva York, 1958, especialmente páginas 261-267.

Si analizamos la frase del sobreselvano *El pur va en igl uaul,* entre otras cosas podemos determinar lo siguiente: los functivos *el, va, en, igl,* son románicos. Así pues, el sobreselvano es una *lengua romance.*

De la misma forma podemos estudiar, por ejemplo, dos frases del yiddish, con relación a la cuestión de si el yiddish es una lengua germánica o eslava: *tsu mett španien*

*bleiben neitral? Maura iz mit einige teg tsurikk arausgetro-
ten in a red un gezagt, az španien keun ništ bleiben neitral*
(«¿Permanecerá España neutral? Hace unos días, Maura ha
dicho en un discurso que España no puede permanecer neutral»[2]). La mayoría de los functivos incuestionablemente son
germánicos, pero hay uno que es eslavo: *tsu* < pol. *czy*, partícula interrogativa (cf. al. *ob*?). La Sintaxis muestra fuertes
influencias del eslavo: las construcciones *einige teg tsurikk*
y *arausgetroten in a red* son traducciones literales del ruso,
así como el orden de palabras de la primera frase procede
igualmente de la Sintaxis eslava. En este caso la influencia
es muy fuerte. Lo único que podemos decir es que el yiddish
es una lengua predominantemente germánica.

Comparemos ahora una frase criolla (del criollo de la
Martinica, de origen francés) con una frase del sobreselvano:

    criollo de la Martinica: *gasõ mwẽ grã pase fi mwẽ* (en
        traducción francesa: *mon garçon [fils] est plus grand
        [âgé] que ma fille*).
    sobreselvano: *miu fegl ei pli gronds che mia feglia.*

En la frase criolla el material léxico, a partir del cual se
han formado los functivos *mwẽ* y *pase*, son de origen francés (*moi, /muè/* en el siglo XVII, y *passer*). Pero su función
y su posición en la frase muestran una influencia africana.
Para la expresión del comparativo sirve, al igual que en las
lenguas africanas occidentales, un verbo, *pase* (no una par-
tíula como en el fr. *que*), y el pronombre posesivo aparece
después del nombre. Una posición semejante del pronombre
posesivo no ha habido ni hay en francés, del cual deriva

---

[2] Cf. «Sprachen», en la colección Fischer-Lexikon, Francfort, 1961,
págs. 100-101. Este Lexikon informa bien en algunos artículos, en
otros, sin embargo, es deficiente.

precisamente el criollo de la Martinica. En cambio, esta posición se da en las lenguas africanas occidentales; posiblemente hubo alguna influencia adicional de algún idioma iberoamericano. En cualquier caso, podemos ver una notable interferencia, como hemos visto en el yiddish.

La frase correspondiente del sobreselvano, por el contrario, es del más puro romance en todos los aspectos. Esto no se podía notar en la frase del sobreselvano citada al comienzo del capítulo. Resumiendo, podemos, pues, decir que el sobreselvano parece un idioma con muchas interferencias, pero seguramente no hasta el mismo punto que el yiddish o el criollo de la Martinica.

Casos de interferencias se encuentran en todas las zonas y lenguas de la tierra. Pero la magnitud de la interferencia es, sin embargo, muy diversa: en francés y alemán es normal, en el sobreselvano, es decir, en el retorrománico del valle alto del Rhin, en cambio, y en el criollo de la Martinica es notable, y en estas dos lenguas no en la misma medida, como hemos podido ver. Todos los territorios con fenómenos similares muy frecuentes podemos recogerlos bajo un concepto común y caracterizarlos como zonas de interferencias. En tales zonas numerosos habitantes pueden hablar más o menos bien dos lenguas y, con ello, diariamente las normas de una pueden afectar a las normas de la otra, sin que los hablantes se den cuenta de ello. Naturalmente, existen muchas zonas de interferencias en los límites lingüísticos entre dos o más idiomas. Esto vale, por ejemplo, para la zona de Lieja y el valle del Rhin, que se encuentran situados en los límites germánico-romances, para los dialectos galeses en los límites lingüísticos celta-inglés, que han tomado, por ejemplo, el plural inglés en -s, y para muchos territorios de los Balcanes. Pero hay también límites lingüísticos naturales claros, que se han formado, por ejemplo, por la altura de las montañas, la extensión de los mares o la anchura de los ríos. En estos casos se habla en un lado sólo la lengua A, en el otro sólo la lengua B, de suerte que nunca pueden surgir zonas de interferencias, sino a lo más interferencias léxicas a causa de una comunicación ocasional.

Finalmente, habría que citar aquí las *islas lingüísticas*. Éstas han nacido, como sucede con los barrios antiguos de las ciudades eslavas del este de Europa, por la emigración, libre o forzada, de un grupo nacional, racial o religioso. También pueden ser testimonios (restos) de un idioma ampliamente extendido en una época anterior, como sucede con las islas lingüísticas griegas del sur de Italia. Con frecuencia tales territorios son también zonas de interferencias. En algunas zonas de interferencias (no en todas) han surgido lenguas mixtas. El concepto de lengua mixta (fr. *langue mixte*) se usa a veces para los siguientes idiomas:

la lingua franca (tratada en el capítulo 3.6.1.);

el judeo-español, la lengua de los judíos perseguidos y expulsados de España en tiempos de los Reyes Católicos (Isabel de Castilla y Fernando de Aragón), que buscaron asilo en la Península de los Balcanes y en el norte de África, sobre todo; esta lengua, además de palabras españolas, contiene numerosas palabras de otro origen, como portugués, hebreo, griego [3];

el yiddish, que, partiendo de los dialectos del alto alemán medio de los emigrantes judíos, se ha desarrollado en Polonia y Rusia, esto es, bajo influencia eslava [4];

---

[3] Lapesa, Rafael, *Historia de la lengua española*, Madrid, 1959[4], págs. 335-339. En esta obra están citados los más importantes trabajos sobre este idioma.

[4] Weinreich, Uriel-Weinreich, Beatrice, *Yiddish Language and Folklore. A Selective Bibliography for Research*, La Haya, 1959.

el maltés y algunas lenguas criollas, como el papiamento.

Sobre los dos idiomas citados en último lugar insistiremos más adelante.

(Otras varias lenguas _no_ pueden ser consideradas como lenguas mixtas, pero se aproximan mucho. Esto vale tanto para la mayoría de los Pidgin y de las lenguas criollas que están extendidas por todo el mundo, pero sobre todo en la zona del mar Caribe y del Océano Pacífico [5], como también para el sobreselvano y el dialecto valón oriental de la zona de Lieja-Malmedy.)

La lingua franca, que se habló desde la Edad Media hasta el siglo XVIII, en algunas partes hasta el siglo XIX, era posiblemente un idioma en el que participaban dos grupos lingüísticos (romance y árabe) en igual medida aproximadamente. Seguramente algo parecido sucede en el russenorsk (lengua mixta ruso-noruega) y en el chinookjargon [6]. Pero para todos los demás idiomas citados una lengua servía como base, como el francés para el criollo hablado en la isla de Haití, o el español para el judeo-español. El concepto de «lengua mixta», que frecuentemente se aplica a tales lenguas, tiene un valor de uso muy limitado, porque toda lengua que nos es conocida ha tomado préstamos de otras.

---

[5] Hall, Robert A., _Pidgin and Creole Languages_, Ithaca (Nueva York, 1966; Carvalho, José O. Herculano de, _Sobre a natureza dos crioulos e sua significação para a linguistica geral_, Coimbra, 1966; Valkhoff, Marius F., _Studies in Portuguese and Creole. With special reference to South Africa_, Johannesburgo, 1966; Hollyman, K. J., «Bibliographie des créoles et dialectes régionaux français d'outre-mer modernes», en _Le français moderne_, 33 (1965), 117-132.

[6] Broch, Olaf, «Russenorsk», en _Archiv für slawische Philologie_, 41 (1927), 209-262; para el _chinookjargon_, cf. Jespersen, Otto, _Die Sprache. Ihre Natur, Entwicklung und Entstehung_, Heidelberg, 1925, 211-214. Cf. además otras lenguas auxiliares en el artículo «Sprachen» de la colección Fischer-Lexicon.

A pesar de ello, el término «lenguas mixtas» se aplica, pero sólo en el sentido de que muestran un *influjo extraordinariamente grande* de otra lengua (o varias lenguas), es decir, que poseen una *interferencia extrema* [7].

6.2. EL MALTÉS

En algunas lenguas existe la posibilidad de que haya habido una fuerte influencia por parte de otras lenguas, sin que, sin embargo, pueda probarse de forma convincente, porque poseemos muy pocos testimonios de esas otras lenguas. En el caso del maltés no existe esa dificultad. Casi la totalidad de su vocabulario puede atribuirse a lenguas que nos son conocidas y que no necesitan ninguna derivación de lenguas pre-románicas desconocidas. Por otra parte, se ha comprobado que la mayor parte de su vocabulario fundamental, así como también su estructura gramatical, con algunas excepciones, procede del árabe. Así, pues, el dialecto actual de la isla de Malta es un dialecto árabe. Al mismo tiempo constituye una lengua mixta, porque está muy influenciado por otras lenguas. Esto se puede comprobar, en lo que se refiere al vocabulario básico, en un considerable tanto por ciento de palabras que se remontan a lenguas

---

[7] Weinreich, U. infoma sobre los intentos realizados hasta ahora de medir las interferencias en las manifestaciones de personas bilingües, en *Languages in Contact*, La Haya, 1966⁴, pág. 63. La comprensión de la gramática y vocabulario fundamentales son requisitos imprescindibles para una exacta comparación de las lenguas habladas en las zonas de interferencias en lo que se refiere a la extensión de la interferencia (y con ello también a la calificación de lengua mixta). La investigación de la frecuencia, que sería pertinente en este caso, se ha aplicado hasta ahora sólo a las lenguas europeas más conocidas y dentro de ellas, la mayoría de las veces, al vocabulario.

romances, y en lo que se refiere a la Gramática, en diversos elementos de las lenguas románicas.

Estos hechos se explican fácilmente por la historia de la Isla, llena de vicisitudes. Malta perteneció al Imperio romano y se incorporó en el siglo VI al Imperio bizantino, en relación con la reconquista en tiempos de Justiniano. En el año 870 los árabes procedentes de la actual Túnez ocuparon la isla, es decir, en una época en que la parte occidental y sur de Sicilia estaba ya en manos de los árabes. Hasta el 1090 permaneció Malta bajo el dominio árabe, siendo conquistada entonces por los normandos, que habían incluido poco antes en sus dominios el sur de Italia y toda Sicilia. Según esto, el hecho de que se hable árabe en Malta podemos fecharlo claramente en la época comprendida entre el 870 y el 1090. La revolución lingüística tuvo que haber ocurrido en estos doscientos años. Posteriormente, la isla se unió a Sicilia durante siglos y fue dominada por normandos, los Staufen, la Casa de Anjou y, finalmente, la de Aragón, que poco después se incorporó a Castilla y su imperio. Carlos V regaló la isla a la Orden de Malta en el año 1530, en cuyas manos permaneció hasta el año 1798. En el año 1800 cayó en poder de la Gran Bretaña.

La relación de Malta con Sicilia pone en claro el hecho de que las palabras románicas del maltés son en su mayoría préstamos de vocabulario procedentes del siciliano. Malta estuvo estrechamente vinculada a Sicilia, y con ello también a Italia no sólo hasta el año 1590, sino incluso hasta el 1800. Incluso después del 1800 no perdió el contacto. Así, por ejemplo, el italiano permaneció hasta el año 1940 como lengua de la Iglesia, por supuesto no en la Liturgia, sino en la comunicación de los sacerdotes con los creyentes. Una gran parte de la población fue bilingüe durante siglos: hablaban maltés e italiano; naturalmente, el italiano constituía en cierto modo la lengua de cultura. En el siglo XIX, y sobre todo en el XX, es cuando empezó el inglés a adquirir la supremacía. Es significativo que el más importante representante de la lingüística del maltés, Joseph Aquilina, haya escrito en inglés la mayor parte de su obra [8]. Actualmente esto es lo corriente en Malta. Hoy día las lenguas oficiales son el inglés y el maltés.

Es en el vocabulario del maltés donde se muestra más claramente la fuerte influencia del siciliano y del italiano. He aquí algunos ejemplos tomados de ciertos dominios vitales:

Dominio de los nombres del parentesco:

missier «padre < sic. *misséri*. A su vez, la palabra siciliana ha sido tomada en préstamo del fr. ant. *mi sire* en la época del dominio normando;
neputi «sobrino»;
ziju «tío»; en estas palabras reconocemos fácilmente las correspondientes palabras italianas *nipote* (sic. *niputi*) y *zio* (sic. *ziu*).

Dominio de los fenómenos de la naturaleza:

arja «aire;
temp «tiempo»;
tempesta «tempestad»;
terremot «terremoto».

Nombres de metales:

azzar «acero», correspondiente al it. *acciaio*; en el italiano del sur la combinación $-c\underset{.}{i}$ + vocal da en general

---

[8] *The Structure of Maltese*, Malta, 1959; *Papers in Maltese Linguistics*, Malta, 1961.

/ts/, en cambio en toscano /tʃ/; el lat. /akịariu/ > it. del sur /attsaru/, en cambio tosc. /attʃajo/; así, pues, la palabra del maltés /atsar/ se apoya simplemente en la forma normal del italiano del sur y con ello también en la siciliana correspondiente al it. *acciaio*; *landa* «estaño» < sic. ant. *landa* < lat. *lamina*.

Una serie de ejemplos nos recuerda, en inglés, los nombres de animales y su carne; en esta serie encontramos siempre, para los animales vivos, nombres germánicos, mientras que, para la carne, nombres franceses. En lo que se refiere al maltés podemos cotejar, por ejemplo, nombres de profesiones procedentes del italiano y palabras básicas procedentes del árabe:

orfebre: *induratur* < it. del sur *induraturi* (it. *indoratore*, de *dorare*); en cambio, la palabra para «oro» es *deheb* < ar. *đahab*;

platero: *argentier* < it. *argentiere*; plata: *fidda* < ar. *fiḍḍa*;

panadero: *furnar* < sic. *furnaru*, un derivado del lat. *furnus* con el sufijo *-arius*, que da el it. del sur y sic. *-aru*, it. *-aio* (it. *fornaio*); pan: *ħobz* < ar. *xubz*; librero: *librar* < sic. *libraru* (it. *libraio*); libro: *ktieb* < ar. *kita:b*;

peluquero: *barbier* < it. *barbiere*; la forma básica correspondiente no es *barba*, «barba», sino *leħja* < ar. *liħya*.

Si, en una lengua, han sido tomados en préstamo tantos nombres de profesiones, podría sospecharse que estos dominios eran, originariamente, extraños a la población; podría pensarse en un estado cultural bajo, al principio, que hubiera llegado a un estadio de mayor diferenciación con la

influencia de las lenguas románicas. Pero ya que el maltés
posee nombres de cosas como *deheb* «oro», *fidda* «plata»,
ktieb «libro», los cuales proceden directamente del árabe
y siguen existiendo en su evolución normal, de acuerdo
con las leyes fonéticas, las cosas correspondientes debieron
haber sido conocidas también ya en los tiempos primitivos,
aunque no los trabajos manuales correspondientes, pero sí
cosas como oro, plata y libros. Así, pues, Malta tenía un
cierto grado cultural cuando penetró la influencia romance.
Esta influencia es tan fuerte sólo porque los contactos con
el mundo árabe se interrumpieron prácticamente con la
conquista de Malta por los normandos en el año 1090 y el
pueblo maltés se orientó culturalmente a Europa, especialmente a la gran isla de Sicilia, su vecina. Esto se puede
aplicar sobre todo a la cristiandad romano-católica. En
Malta vivió una comunidad cristiana ya en los tiempos del
dominio árabe, a la que seguramente pertenecían muchos
hablantes árabes[9]. Algo parecido sucede en España con los
«mozárabes». Pero desde la conquista normanda aumentó
la influencia cultural, sobre todo eclesiástica, de Sicilia y
de Italia. Toda Malta fue cristianizada, convirtiéndose el
italiano en la lengua de la Iglesia. De esta forma nos encontramos con el caso, casi insólito, de que una comunidad
lingüística cerrada, que habla un dialecto árabe, sea totalmente cristiana[10]. Y esto explica, en último término, por
qué encontramos en la lengua de Malta una simbiosis tan
propia.

Un caso paralelo al maltés, tipológicamente interesante,
lo representa el dialecto árabe que hablan en Chipre los

---

[9] Cf. Aquilina, J., *Papers in Maltese linguistics*, pág. 46.
[10] También hay en los países árabes, especialmente en Líbano y
Siria, grupos diseminados de cristianos con lengua materna árabe
y que tienen en común esta lengua con sus vecinos islámicos.

maronitas, inmigrantes cristianos procedentes del Líbano. En este caso es el griego el que juega el papel de lengua de cultura influyente [11].

No siempre coincide la pronunciación de los préstamos de vocabulario románicos en maltés con la pronunciación del siciliano moderno. Hay casos como, por ejemplo, el mal. *landa* «estaño», sic. *lanna*, en los que la -*nd*- del maltés corresponde a la -*nn*- del siciliano. Tales formas con -*nd*- están también atestiguadas en la literatura del antiguo siciliano y se encuentran además en el extremo sur de Calabria. Por tanto, algunos préstamos de vocabulario sicilianos del maltés tienen los rasgos arcaicos de un *area laterale*.

Sin embargo, con mucha frecuencia, el elemento siciliano del maltés se ha transformado de acuerdo con las leyes fonéticas nacionales y las reglas de la Morfología del maltés. (Por el contrario, aquellas palabras cuya estructura no corresponde a la Fonología del maltés son reconocibles externamente como préstamos de vocabulario por su no coincidencia) [12].

Seguidamente voy a ofrecerles un ejemplo de la actuación de las leyes fonéticas nacionales. El siciliano conoce sólo tres vocales en posición final: /-a/, /-u/ e /-i/. En las palabras asimiladas totalmente por el maltés sólo se ha conservado /-a/, las demás vocales en posición final han desaparecido. Ésta es una ley fonética árabe general. En todo

---

[11] Cf. Newton, Brian, «An Arabic-Greek Dialect», en *Papers in Memory of George C. Pappageotes*, issued as a *Supplement* to *Word*, 20 (1964), págs. 43-52.

[12] Una exposición detallada de tales criterios con respecto a los préstamos de vocabulario la ofrece Aquilina, J. en *The Structure of Maltese*, págs. 116-136. El conocimiento del sistema fonológico y de las reglas de la estructura léxica de una lengua, en este caso del maltés (cf. *o. c.* 1-115), es un requisito fundamental para la identificación de los préstamos de vocabulario no asimilados por métodos puramente fonológicos.

el mundo árabe desaparecen las vocales finales excepto la
/-a/ en la época comprendida entre el siglo VII y el X, aproximadamente. Esta desaparición de la -*i* y de la -*u* se da además en maltés en posición medial en diversos casos (algo
parecido a los dialectos magrebíes), a veces también en las
sílabas iniciales. De esta forma, en el actual maltés una consonante doble puede estar en posición inicial, exactamente
igual que en los dialectos árabes modernos. He aquí algunos
ejemplos del maltés:

> *kćina* «cocina» < sic. *cucina* (igual en italiano);
> *gvern* «gobierno» < sic. *guvernu* (cf. it. *governo*);
> *lvant* «este», análogo al it. *levante*;
> *vgura* «figura» < it. *figura*.

En determinados casos, por ejemplo en los adjetivos que
han sido tomados en préstamo, la terminación de la flexión
romance se ha conservado, de suerte que sintagmas compuestos por sustantivos y adjetivos muestran una flexión
mixta:

> /*ra:dʒel bra:vu*/ «hombre inteligente»;
> /*rdʒiel bra:vi*/ «hombres inteligentes».

Por tanto, el sustantivo se declina en plural según el
modelo árabe, mientras que el adjetivo según la forma
románica.

Algo parecido encontramos en el femenino:

> /*mara bra:va*/ «mujer inteligente»;
> /*nisa bra:vi*/ «mujeres inteligentes».

El sustantivo muestra la formación irregular del plural
del árabe, el adjetivo plural femenino es en -*i*, lo cual es

totalmente normal en Sicilia y en la parte más al sur de Italia. Esto alude de nuevo a la influencia siciliana; la terminación italiana sería *-e* (*donne brave, case nuove*).

Tales influencias, no sólo en el vocabulario, sino incluso en la flexión, muestran de la manera más clara el carácter de lengua mixta del maltés.

Una interferencia de este tipo, sin embargo, sólo raramente se encuentra también en los sustantivos y verbos tomados en préstamos, conjugados la mayoría de las veces según las reglas nacionales y árabes. Así, el plural de *forn* (< it. *forno*) «horno» es /fra:n/, el plural de *vers* «verso» es /vru:s/. También en lo que se refiere a la flexión se ve que el maltés es una lengua mixta, pero que en lo esencial se apoya en el árabe.

El maltés es interesante no sólo desde el punto de vista histórico-cultural, sino también tipológicamente. En calidad de lengua mixta se encuentra en un plano medio entre algunos pidgins como el chinookjargon y el russenorsk, en los que ha habido una interferencia extrema, y lenguas como el albanés, que ha tomado muchísimo vocabulario del latín, y quizá también el inglés que acusa influencias romances mucho menos fuertes que el idioma de Malta.

6.3. PIDGINS Y LENGUAS CRIOLLAS

¿Qué son los pidgins, cómo han nacido? Un *pidgin* (también *sabir*) no es la lengua materna de un grupo, sino sólo un idioma de comprensión internacional usado para la comunicación entre individuos pertenecientes a diferentes comunidades lingüísticas. Por esta razón podría denominarse también «lingua franca» (en sentido figurado). Pero si termina por convertirse en la lengua exclusiva de un grupo heterogéneo, de suerte que las futuras generaciones lo aprendan como si fuera su lengua materna, entonces nos encontramos con una lengua criolla [13].

Lo característico de estos dos tipos lingüísticos es la enorme «simplificación» en comparación con el caso corriente de las lenguas europeas, sobre cuya base se han formado. Esto nos lleva a la cuestión de sus orígenes. La simplificación de las lenguas pidgins y criollas no se debe a un grado menor de inteligencia de sus hablantes, sino que tiene, según Jespersen y Hall [14], la siguiente explicación: quien tiene una posición social más elevada, como es el caso de la mayoría de los europeos, utiliza su propia lengua cuando entra en relación con los nativos y piensa que sólo por medio de una simplificación radical puede hacerse comprender en sus manifestaciones [15]. Los oyentes nativos creen que así es la lengua original extranjera y la toman en esta forma. Casi todo pidgin y también casi toda lengua criolla se apoyan en este cómico malentendido que se da en contacto con los extranjeros. Únicamente no se da semejante malentendido cuando se trata de dos individuos de semejante grado social, por ejemplo, entre rusos y noruegos. Pero en este caso no tenemos un pidgin, sino una auténtica lengua mixta. Esto es lo que sucede con el russenorsk y con el chinookjargon, que

---

[13] La palabra Pidgin se considera en general deformación del ing. *business* en boca de los hablantes no-ingleses del primitivo Pidgin inglés usado en China. Sin embargo, Hall quiere ver aquí una palabra india, que en la forma de *Pidian*, luego *Pidgin*, pasaría a Asia oriental a través de Londres, procedente de alguna colonia inglesa de Sudamérica (*Pidgin and Creole Languages*, pág. 7). *Criollo* procede del fr. *créole* (esp. *criollo*), palabra que designaba la lengua materna de los esclavos negros en los territorios franceses de las Indias occidentales y de la Lousiana (cf. *o. c.*, pág. XIII).

[14] Jespersen, *o. c.*, pág. 207; Hall, *o. c.*, pág. 58.

[15] Cf. la lengua de las nodrizas (en el índice de la obra de Hall bajo el epígrafe de «baby-talk»).

nació del contacto entre pueblos indios libres y de la comunicación entre europeos e indios. No se puede decidir si la lingua franca, desarrollada especialmente entre árabes y romanos, fue una lengua mixta árabe-románica o un pidgin de origen romance.

Existe una concepción digna de tenerse en cuenta, cuyo representante es Keith Whinnom, según la cual esta lingua franca medieval está en relación histórica con los actuales pidgins y lenguas criollas. Según Whinnom, todos los pidgins extra-europeos se remontan a la lingua franca a través de un pidgin portugués del África occidental de los siglos xv y xvi [16]. Esta argumentación no es imposible. Los numerosos rasgos comunes de las lenguas criollas y pidgins esparcidas por el mundo pueden explicarse, posiblemente, en el sentido de un parentesco genético, y las diferencias de vocabulario pudieran explicarse por el hecho de que los nombres portugueses fueron sustituidos después paulatinamente por elementos de origen francés o inglés [17]. Si falta el material histórico que es el que decide, y en este caso falta, porque es desde el siglo xix y, en parte, desde el siglo xx, cuando han aparecido las lenguas pidgins y criollas, entonces se puede suponer mucho, pero probar poco. Sólo queremos insistir aquí en que, al lado de la tesis general, expuesta al comienzo, cuyos autores son Jespersen y Hall y que es bastante probable, existe esa otra hipótesis de un origen histórico.

Especialmente instructiva es la relación que se da hoy en varios lugares de la Tierra entre el idioma criollo correspondiente y la lengua culta de ese mismo lugar. Es algo parecido a la relación existente entre lengua espontánea y lengua culta latina hasta la alta Edad Media, e incluso hasta

---

[16] «The Origins of the European-based Creoles and Pidgins», en *Orbis*, 14 (1965), págs. 509-527.

[17] Hall llama a este fenómeno *relexification* (cf. *o. c.*, págs. 121-122).

el Renacimiento. Hoy el criollo aparece como indigno de la más alta función de la lengua, al igual que sucedía con la lengua *volgare*, la *lingua romana rustica*, de suerte que el derecho, la educación y la literatura quedan reservados al francés, español, portugués, holandés o inglés, es decir, lenguas que en su día tuvieron que luchar ellas mismas por su escaso prestigio (frente al latín). A este respecto es significativo, por ejemplo, el polémico escrito literario que du Bellay escribió en el siglo XVI: *La Deffence et Illustration de la Langue Françoyse*. En la primera parte, e incluso en la segunda, hay un capítulo cuyo título muestra ya la posición del autor: *Que la Langue Françoyse ne doit estre nommée barbare*, o bien: *Que la Langue Françoyse n'est si pauvre que beaucoup l'estiment*.

En esta época la elevación de una lengua materna a lengua culta y lengua escrita en general trajo como consecuencia el origen de una norma gramatical y ortográfica codificada, así como el paulatino nacimiento (o renacimiento en el siglo XVI) de una literatura en lengua popular. Este proceso se puede observar actualmente, sobre todo, en el criollo de Haití, que nació de un pidgin francés, en el papiamento de las Antillas holandesas y, finalmente, en el neomelanesio de Nueva Guinea, que se apoya en un pidgin inglés de los Mares del Sur. También en estas lenguas se opone la lengua popular a la lengua culta, también se forma en la lengua popular paulatinamente una norma lingüística supra-regional y una Literatura. La situación es parecida, en el tiempo, a la coexistencia pacífica de los siglos IX y X; no, en cambio, a la lucha consciente entre lengua popular y lengua culta durante el Renacimiento [18].

---

[18] En Haití, por supuesto, la conciencia lingüística popular es ya más fuerte. Hall cita en la página 141 de su obra *Pidgin and Creole Languages* un significativo refrán de Haití: /pale frãse pa-di lespri

Así, pues, la *situación* de los actuales idiomas criollos es comparable a la de los idiomas románicos de la Edad Media. La *estructura de la lengua*, por el contrario, muestra una diferencia fundamental: una reducción tan considerable de la morfología y del vocabulario, tal y como muestran los pidgins y, siguiendo su ejemplo, las lenguas criollas, no ha tenido lugar nunca en el latín hablado ni en las lenguas romances populares.

Bien es verdad que no sólo debemos observar las lenguas criollas en lo que respecta a la «reducción», sino que más bien debemos investigar lo que como instrumentos de comunicación crean con sus propios medios. Entonces se comprueba que son capaces de expresiones muy matizadas, precisamente por medio de sus afijos. Así, por ejemplo, «él vio» se dice en el criollo de Haití /lite-wε/, li < lui, te < été o était, wε < /vwεr/, la antigua pronunciación de *voir*. El imperfecto se expresa, pues, por el afijo *te* (*t* ante *vocal*). Como signo de futuro sirve (*a*)*va* o bien *a*.

Todo esto no es casual; en cambio, parece asombroso que este idioma pueda formar también un condicional con la combinación de partícula de imperfecto y de futuro: /li t-a-kapab/ sería en francés *il serait capable*. (De forma análoga se ha formado el condicional en el transcurso del desarrollo de las lenguas romances.) Por medio de otros afijos pueden las lenguas criollas expresar incluso aspectos, como, por ejemplo, un aspecto durativo, que en los idiomas de origen francés está caracterizado por /ap(r)/ < fr. *après*, y un aspecto perfectivo, expresado por /fεk/< fr. /(n)fεk/, (*ne*) *fait* [o *fais*] *que*, como en el criollo de Haití /m-apr-ale/ «acabo de salir» y /m-fεk-šãte/ «acabo de cantar».

---

pu-sa/, esto es, en traducción francesa casi literal: *parler français* (*ne veut*) *pas dire qu'on ait beaucoup d'esprit*.

¿Son estas formas creaciones nuevas autónomas? Sin duda no. Sufijos aspectuales exactamente con la misma función se encuentran también al Este del Atlántico, en las lenguas de los países de donde proceden los antepasados de la población criolla, como la de Haití, por ejemplo. En esta zona nos encontramos con una influencia africana; únicamente el material léxico es de origen francés [19]. Esto es totalmente seguro en lo que se refiere al criollo de Haití *apr-* y *fɛk-*. En el prefijo de imperfecto *te-* y de futuro *(a)va-* hay además, desde el punto de vista del léxico, una influencia africana (no tan rara) a causa del parecido fonético que no hemos mencionado anteriormente: los prefijos correspondientes *ti-* y *(a)va* (o *bia*) se encuentran también en África occidental.

Se muestra igualmente en tales formas gramaticales y léxicas, que podrían multiplicarse con numerosos ejemplos, en qué medida las lenguas indígenas, además del idioma europeo correspondiente, han contribuido a la estructura de las lenguas pidgins y criollas. Pero en tanto que estas lenguas se apoyan en una lengua europea, parcialmente en la gramática y casi totalmente en el léxico, es cuestionable si las podemos llamar lenguas mixtas. Con seguridad sólo algunas lenguas criollas pueden considerarse lenguas mixtas, porque su estructura está determinada por varias (dos o tres) lenguas europeas.

6.4. EL PAPIAMENTO

A las lenguas criollas pertenece también el papiamento [20], que se habla en Curaçao, Aruba y Bonaire, tres islas de

---

[19] Cf. Hall, *o. c.*, págs. 60-61.
[20] El nombre se deriva de *papia* «hablar, decir» < port. *papear*

las Antillas, al norte de Venezuela. Este grupo insular, en principio español durante el siglo xvi, después de su descubrimiento (en 1499), luego holandés, es un verdadero crisol, tanto en lo que respecta a su población como a su lengua: en ellas se reunieron esclavos negros procedentes de África, judíos portugueses, habitantes del Brasil, misioneros españoles y colonos holandeses. Más detalles sobre la historia del Archipiélago, interesante, pero política y lingüísticamente muy complicada, podemos encontrar en H. L. A. Wijk, «Orígenes y evolución del papiamento», en *Neophilologus*, 42 (1958), págs. 169-182.

Según Wijk, el papiamento nació sobre la base del portugués que hablaban los esclavos negros oriundos de África. Desde entonces estuvo fuertemente españolizado por los misioneros españoles, no sólo en la fonética, sino también en el vocabulario. Son frecuentes los cruces léxicos del tipo *palomba* «paloma» < port. *pomba* y esp. *paloma*, y *heru* «hierro» < port. *ferro* y esp. *hierro*; la mayoría de las veces no se puede decidir en absoluto si existe una forma portuguesa o española. Como consecuencia de la continua influencia de los colonos holandeses y, desde el siglo xix también de las escuelas holandesas, penetró una fuerte influencia del holandés en esta lengua mixta hispano-portuguesa. Esto lo muestran préstamos de vocabulario como *waak* < hol. *waken* «vigilar» y *men* < hol. *menen* «pensar», así como numerosos préstamos de formación y semánticos del tipo *sinja* «enseñar» (< esp. *enseñar*) que, según el modelo del hol. *leren*, también tiene el significado de «aprender». En la frase *nos kas lo worde geferf door di e mehor ferfdó di nos isla* (traducida literalmente, «nuestra casa será pronto pin-

---

«conversar, charlar». También procede del portugués el sufijo *-mentu* (*-mento*). Así, pues, papiamento significa propiamente «charla».

tada por el mejor pintor de nuestra isla») la mayoría de los elementos son de origen portugués o español, pero la pasiva se ha formado según el modelo del holandés (*worde* < hol. *worden* «ser», *door di* < hol. *door*, en port. y esp. *de*), y *ferfdó* «pintor» procede de *ferf* < hol. *verven* (cf. al. *färben* «pintar») y del sufijo *-dor*. Puesto que esta influencia del holandés, en calidad de lengua oficial en la administración y en la escuela, actúa constantemente, podría terminar por pasar de lengua mixta hispano-portuguesa a una lengua iberorrománico-holandesa.

Por lo demás, desde hace tiempo el papiamento no se limita a la población de color, sino que se ha convertido en la lengua materna de todas las capas sociales, incluso de los habitantes de origen holandés. Ya han aparecido los primeros diarios, revistas e incluso obras literarias, escritas en esta lengua.

Todas las lenguas criollas que se hablan actualmente en las zonas marginales de la Romania nova, y, naturalmente, también el criollo de Haití y el papiamento, se remontan, en último extremo, así como la Romania nova misma, a la época de los descubrimientos que cambió totalmente el mapa lingüístico de la tierra.

6.5. Dos dialectos romances en los límites lingüísticos germánicos

Los dos dialectos románicos de los que queremos hablar a continuación sobresalen en su estructura y características por su situación en los límites lingüísticos germánicos. No son, por supuesto, lenguas mixtas, en sentido propio, si nos basamos en el modelo del maltés o del papiamento para nuestra definición de «la influencia, extraordinariamente fuerte, por parte de otra lengua».

El dialecto valón de la zona de *Lieja-Malmedy* aparece en los límites lingüísticos que van desde Calais hasta el sur de Bruselas, pasando al norte de Lieja, para torcer hacia el Sur. Lieja se encuentra casi en la punta de un triángulo, en el ángulo más exterior de la zona lingüística románica. En el norte, este triángulo limita con el territorio de habla holandesa, en las cercanías del paso del Mosa; por el sur, con la zona de habla alemana (Eifel, Hohes, Venn), aunque bien es verdad que se trata de una zona que no estuvo poblada, o lo estuvo escasamente, hasta finales de la Edad Media. La influencia llegó del norte, muy poco del este. De aquí que los préstamos de vocabulario germánicos sean holandeses, no de la zona del Rhin, y, según esto, no muestran la mutación consonántica del alto alemán.

El sobreselvano, del que ya hemos dado algunos ejemplos al principio, hay que situarlo en el conjunto de los dialectos retorrománicos. Bajo la denominación de «retorrománico» se agrupan tres grupos dialectales heterogéneos: *friulano*, en el nordeste de Italia, entre Venecia y Trieste, con su centro en Udine, hablado por millón y medio de habitantes; *el ladino de los dolomitas* (*ladin* < *latinum*), en un pequeño territorio al sur del Tirol italiano, con unos 50.000 habitantes; *el románico del Cantón de los Grisones* (Suiza), hablado por unos 40.000 habitantes.

El sobreselvano pertenece a aquellos dialectos romances del Cantón de los Grisones que más influenciados han estado por el germánico. Se habla en el valle alto del Rhin, entre la ciudad de Chur y el paso de San Gotardo, llamándose primitivamente *galés de Chur*. De aquí procede, lo cual es muy significativo, la palabra peyorativa alemana *Kauderwelsch* «galimatías», que expresaba en principio la fuerte interferencia románico-germánica en el sobreselvano. Hoy la población de Chur es de lengua alemana; los límites lingüísticos pasan por el oeste de la ciudad.

La población del valle alto del Rhin y de la zona en torno a Lieja, que es bilingüe ya desde hace siglos total o parcialmente, utiliza en el dialecto románico, esto es, en su lengua materna, numerosos germanismos.

En lo que respecta al vocabulario nos encontramos con las siguientes influencias:

1.º préstamos directos (préstamos de vocabulario);
2.º préstamos indirectos por medio de préstamos de formación y semánticos.

En este caso concreto los préstamos indirectos son mucho más frecuentes que los directos. Esto no constituye, sin embargo, ninguna particularidad del sobreselvano y del dialecto de Lieja. Una relación parecida habíamos determinado ya, por ejemplo, en los préstamos del latín procedentes del griego y del alemán procedentes del latín. Más bien lo sorprendente es que encontramos en el sobreselvano y en el dialecto de Lieja una *gran cantidad* de préstamos indirectos no sólo entre los nombres, sino también entre los verbos. En este caso, pues, la lengua expansiva ha influido sobre la lengua que recibe el préstamo en mucha mayor medida que en el caso del latín o del alemán.

Sobre la influencia germánica, principalmente holandesa, sobre el dialecto de Lieja y Malmedy podemos encontrar algunas referencias en el libro, ya citado, de Louis Deroy, *L'emprunt linguistique*, pág. 76. A base de un fenómeno aislado quisiera mostrar en qué medida el holandés ha influido sobre este dialecto. Como ejemplo tomaremos el prefijo *for-* que procede del lat. *foris* o *foras*, las dos formas existen en la Romania. En cualquier caso procede claramente del latín. El mismo prefijo aparece también en algunos compuestos franceses, como, por ejemplo, en *fourvoyer* «extraviar», propiamente «desviarse del camino» (*foris viare*). Actualmente este prefijo es mucho más frecuente en el dialecto de Lieja que en la lengua culta francesa. En el préstamo de las palabras germánicas, este *for-*, en razón del parecido fónico y semántico, se ha equiparado con el prefijo germánico *ver-*, que existe tanto en holandés como en alemán. Así encontramos préstamos directos como *forzoûmer* < hol. *verzuimen* «descuidar» y *si forlôper* < hol. *zich verlopen* «extraviarse» [21].

(La escritura de estas palabras se basa en las reglas de pronunciación del sistema ortográfico francés, pero algo modificado; por ejemplo, *oû* es /u/, pero el acento circunflejo expresa que se trata de una /u/ larga. El tono, la mayoría de las veces, cae en la penúltima sílaba, es decir, /forzú:me/ y /si forló:pe/, lo cual, sin duda alguna, no suena ya a francés.)

Mucho más frecuentes que los préstamos de vocabulario del tipo *forzoûmer* son los préstamos de formación con el prefijo *for-*. A éstos pertenece el verbo *si fordwermi*. La raíz *dwermi* corresponde al fr. *dormir*; en este dialecto, la *o* breve latina, posteriormente abierta, diptongó en /ue/, también en posición cerrada, convirtiéndose en /we/. Haust glosa la palabra con *dormir au-delà de l'heure voulue*; un equivalente en francés no existe. La palabra se ha formado,

---

[21] La primera palabra se glosa con *négliger* en el *Dictionnaire liégeois* de Jean Haust, Lieja, 1933; en este caso es mucho más exacta la referencia semántica alemana del verbo *versäumen*. El significado de la segunda palabra lo explica Haust con *donner trop par erreur, se tromper*, lo cual puede aludir a un cambio de significado después del préstamo.

naturalmente, según el modelo del hol. *zich verslapen* «dormir demasiado».

También tenemos un verbo reflexivo como *si forpagnî* (cf. fr. *poing, poignée*), según el hol. *zich vergrijpen* «equivocarse», un participio en función adjetiva *forvîli* (*vîl* corresponde al fr. *vieux, vieille*), significando «viejo», según el hol. *verouderd*, e incluso un reflexivo *si forpârler*, según el hol. *zich verspreken*. Con estos ejemplos vemos en qué medida puede organizarse una lengua según otra, genéticamente muy distinta. En este caso se puede realmente hablar de una lengua mixta.

A este fenómeno análogo del *sobreselvano* lo denominó Ascoli, hace ya casi cien años, *materia romana e spirito tedesco*, que podríamos traducir por «espíritu alemán y materia romance» [22]. A continuación ofrecemos de nuevo una serie de ejemplos de compuestos verbales, pero esta vez formados por la misma raíz y preposición o adverbio diferente.

«Decir» es *dir* < lat. *dicere*. ¿Cómo es «pre-decir»? Al al. *vor* corresponde en sobreselvano *avon*; pensemos en el fr. *avant* o it. *avante*: *dir avon* es lo mismo que en al. *vorsagen*, que correspondería al fr. **dire avant*. Algo semejante significa *dir ora* «expresar». El material procede del lat. *dicere* y *foras*. También se pueden unir dos preposiciones: el al. *voraussagen* da *dir ordavon*; considerado etimológicamente daría **dicere foras de ab ante*.

Si se quiere rehusar un puesto o una visita, se expresa esto por medio de una preposición, que en su tiempo sig-

---

[22] Ascoli, G. I., «Saggio di morfologia e lessicologia soprasilvana», en *Archivio Glottologico Italiano*, 7 (1880-1883), págs. 406-602, especialmente págs. 556-563. Naturalmente, Ascoli notó también la equiparación de los préstamos de vocabulario alemanes en la estructura románica del sobreselvano, por ejemplo, *grada* < al. *gerade, lubir* < alt. al. med. *louben* «permitir». A este fenómeno de equiparación lo denominó *materia tedesca e forma romana* (o. c., págs. 536-570).

nificaba algo así como el al. *ab* o *hinab*: *giu* < lat. *deorsum*;
(cf. it. *giù*). Así que «rehusar» es en sobreselvano *dir giu*.
El antónimo de *ab* es *auf*, al igual que el it. *giù* y *su* <
lat. *sursum*, sobres. *giu* y *si*: *dir si* significa «recitar», por
ejemplo, una poesía. No es de extrañar tampoco que otro
compuesto alemán, *nachsagen*, en el sentido de «repetir»,
se exprese por *dir suenter* (*suenter* < lat. *sequenter*).

Si tomamos el verbo *ziehen* (traer), lat. *trahere*, sobres.
trer, encontramos compuestos como

> *trer giu*, según el al. *abziehen* «deducir» (también en el
> cálculo);
> *trer si*, según el al. *aufziehen* «dar cuerda», por ejemplo,
> a un reloj;
> *trer ora*, según el al. *ausziehen* «sacar»;
> *trer en*, según el al. *anziehen* «vestir».

Para el al. *an* no había ninguna correspondencia útil, de
forma que se ha tomado *en*, que suena de manera semejante,
y que en su día significaba «in». También tenemos verbos
reflexivos: el *se* se aglutina a la raíz verbal como en:

> *setrer en — sich anziehen* «vestirse»;
> *setrer ora — sich ausziehen* «desvestirse»,

que etimológicamente sería *se trahere foras*, lo cual, naturalmente, no tendría ningún sentido para una persona que
piense en lengua romance.

La profunda influencia del alemán se ve con mayor claridad todavía en *curdar* «caer» (*fallen*), un verbo que probablemente se emparenta con el fr. *crouler*:

> *curdar atras — durchfallen* «caer», «fracasar», por ejem-
> plo, en un examen;

curdar en — hineinfallen «desplomarse»;
curdar ora — ausfallen «acabar».

Para terminar, citemos una construcción impersonal con *curdar*. En el románico del Cantón de los Grisones hay tres pronombres (*él, ella, ello,* con diferencia, pues, entre el masculino y el neutro); «ello» es *ei* < lat. *illum*. La expresión alemana *es fällt* es en sobreselvano (con la metátesis normal) *ei croda. Es fällt auf* se imita literalmente por *ei croda si.* Ascoli ha caracterizado acertadamente a este fenómeno como «materia romana e spirito tedesco».

7. RESUMEN

He intentado dar al lector una idea de la variada diversidad de fuerzas y corrientes que han formado la historia del vocabulario. Nuestra observación no pudo detenerse en los límites de la Romania: la historia de las lenguas románicas es, por lo menos, la historia de las lenguas europeas.

Dentro del espacio cultural europeo, separado de otras altas culturas por el Cristianismo, cada lengua ha ejercido una influencia, de uno u otro modo, al menos sobre otra lengua vecina. Esto es, por supuesto, un hecho evidente. La intensidad y la forma de la influencia ejercida son decisivas para su análisis histórico. En esto la Romania juega un papel clave. La alta cultura que florece entre el Nilo y el Tigris ha encontrado su primera expresión europea en las orillas del Egeo, pero su posterior irradiación por todo el continente se la debe, sobre todo, a la ciudad de Roma y a la comunidad lingüística formada por ella. En los tiempos posteriores Francia es quien marca la pauta. La diglosia desaparece por medio de una decisiva reforma de la lengua de lectura. Esta medida (hasta hoy no se ha dado entre los griegos y árabes) abre el camino para la formación de las lenguas escritas románicas. Con el hallazgo del *mot savant* se convierte el francés en el idioma motriz de la elevación de las lenguas populares y es el primero que consigue una valoración suprarregional. La conciencia de esta nueva posición jerárquica y el convencimiento de la supremacía política y cultural de Francia (cf. capítulo 3.5.), la expresa Chrétien de Troyes con las siguientes palabras (*Cliges*, versos 38 y sigs.):

> *Ce nos ont nostre livre apris*
> *Qu'an Grece ot de chevalerie*
> *Le premier los et de clergie.*
> *Puis vint chevalerie a Rome*
> *Et de la clergie la some,*
> *Qui or est an France venue.*

Alemania, a causa de su posición central, se convierte en mediadora de las conquistas occidentales al norte y al este; la cultura del mar Mediterráneo se convierte, con esto, en una cultura europea común. Finalmente, en los tiempos modernos, son, sobre todo, los estados laterales, orientales y occidentales, los que extienden por todo el globo terráqueo la cultura y la lengua europeas.

Mi exposición no pudo agotar, ni siquiera de forma aproximada, tan amplio tema. Tampoco se pudo conseguir una consideración equilibrada de todos los fenómenos históricamente importantes. El modo de explicar por medio de ejemplos me pareció el único apropiado al objeto y a mis posibilidades. Por esto podría disculpárseme que haya habido mucha arbitrariedad y mucha casualidad.

Todavía quisiera citar otra limitación: la historia del vocabulario es historia de cultura y de estructura. Ambos aspectos debieran ser descritos propiamente en relación, como las dos caras de una medalla. Nuestra exposición sólo pudo referirse a uno solo de los dos aspectos. El otro, ciertamente, no es menos importante.

APÉNDICE A LA PARTE PRIMERA

Capítulo 3.2.1.

Vittore Pisani, en *L'etimologia. Storia-questioni-metodo,* Brescia, 1967, pág. 75, sostiene que el lat. *oleum,* en razón de su estructura fonética, puede ser un préstamo del gr. *élaion.* Para otras muchas palabras que designan nombres de plantas (por ejemplo, lat. *rosa,* gr. *rhódon*) no existe tal posibilidad: deben haber pasado en préstamos al latín y al griego independientemente de las lenguas de la cuenca mediterránea.

Capítulo 3.3.7.

El lat. *septimana* se ha formado del ordinal *septimus* con ayuda del sufijo *-ānus, -a, -um.* Modelo era el griego *hebdomás* (acusativo *hebdomáda*), que igualmente se deriva del ordinal *hébdomos* «séptimo» con un sufijo tónico.

ABREVIATURAS

alb.	albanés
al.	alemán
alt. al. ant.	alto alemán antiguo
alt. al. med.	alto alemán medio
alt. al. mod.	alto alemán moderno
ár.	árabe
aram.	arameo
búlg.	búlgaro
cat.	catalán
cel.	celta
cím.	címbrico
cor.	corso
cr. h.	criollo de Haití
cro.	croata
dan.	danés
eng.	engadino
eslav. ecl. ant.	eslavo eclesiástico antiguo
eslov.	esloveno
esp.	español
esp. ant.	español antiguo
eston.	estonio
fin.	finés
fr.	francés
fr. ant.	francés antiguo
fr. mod.	francés moderno
fra.	franco
friu.	friulano
galu.	galurés

germ.	germánico
gót.	gótico
gr.	griego
hol.	holandés
húng.	húngaro
ie.	indoeuropeo
ind.	indiano
ing.	inglés
ing. ant.	inglés antiguo
ing. med.	inglés medio (medieval)
ing. mod.	inglés moderno
irl. ant.	irlandés antiguo
it.	italiano
it. ant.	italiano antiguo
lat.	latín
lat. clás.	latín clásico
lat. med.	latín medio (medieval)
let.	letón
log.	logudorés
long.	longobardo
luc.	lucanés
malt.	maltés
norm.	normando
occ.	occitano (provenzal)
pol.	polaco
port.	portugués
port. ant.	portugués antiguo
prov.	provenzal
prov. ant.	provenzal antiguo
prov. mod.	provenzal moderno
rum.	rumano
rus.	ruso
sa.	sardo
saj. ant.	sajón antiguo
sic.	siciliano
sobres.	sobreselvano
su.	sueco
tosc.	toscano
vasc.	vasco
vén.	véneto

ÍNDICE DE CONCEPTOS Y PALABRAS

ÍNDICE GENERAL

II

FENÓMENOS DE IRRADIACIÓN Y ZONAS DE INTERFERENCIAS

BIBLIOTECA ROMÁNICA HISPÁNICA

Dirigida por: DÁMASO ALONSO

I. TRATADOS Y MONOGRAFÍAS

1. Walther von Wartburg: *La fragmentación lingüística de la Romania*. Segunda edición aumentada. 208 págs. 17 mapas.
2. René Wellek y Austin Warren: *Teoría literaria*. Con un prólogo de Dámaso Alonso. Cuarta edición. Reimpresión. 432 págs.
3. Wolfgang Kayser: *Interpretación y análisis de la obra literaria*. Cuarta edición revisada. Reimpresión. 594 págs.
4. E. Allison Peers: *Historia del movimiento romántico español*. Segunda edición. Reimpresión. 2 vols.
5. Amado Alonso: *De la pronunciación medieval a la moderna en español*. 2 vols.
6. Helmut Hatzfeld: *Bibliografía crítica de la nueva estilística aplicada a las literaturas románicas*. Segunda edición, en prensa.
9. René Wellek: *Historia de la crítica moderna (1750-1950)*. 3 vols. Volumen IV, en prensa.
10. Kurt Baldinger: *La formación de los dominios lingüísticos en la Península Ibérica*. Segunda edición corregida y muy aumentada. 496 págs. 23 mapas.
11. S. Griswold Morley y Courtney Bruerton: *Cronología de las comedias de Lope de Vega*. 694 págs.
12. Antonio Martí: *La preceptiva retórica española en el Siglo de Oro*. Premio Nacional de Literatura. 346 págs.
13. Vítor Manuel de Aguiar e Silva: *Teoría de la literatura*. 550 págs.
14. Hans Hörmann: *Psicología del lenguaje*. 496 págs.

II. ESTUDIOS Y ENSAYOS

1. Dámaso Alonso: *Poesía española (Ensayo de métodos y límites estilísticos)*. Quinta edición. Reimpresión. 672 págs. 2 láminas.
2. Amado Alonso: *Estudios lingüísticos (Temas españoles)*. Tercera edición. Reimpresión. 286 págs.
3. Dámaso Alonso y Carlos Bousoño: *Seis calas en la expresión literaria española (Prosa - Poesía - Teatro)*. Cuarta edición. 446 págs.
4. Vicente García de Diego: *Lecciones de lingüística española (Conferencias pronunciadas en el Ateneo de Madrid)*. Tercera edición. Reimpresión. 234 págs.

41. Eugenio G. de Nora: *La novela española contemporánea (1898-1967)*. Premio de la Crítica. Reimpresión. 3 vols.

42. Christoph Eich: *Federico García Lorca, poeta de la intensidad*. Segunda edición revisada. 206 págs.

43. Oreste Macrí: *Fernando de Herrera*. Segunda edición corregida y aumentada. 696 págs.

44. Marcial José Bayo: *Virgilio y la pastoral española del Renacimiento (1480-1550)*. Segunda edición. 290 págs.

45. Dámaso Alonso: *Dos españoles del Siglo de Oro*. Reimpresión. 258 págs.

46. Manuel Criado de Val: *Teoría de Castilla la Nueva (La dualidad castellana en la lengua, la literatura y la historia)*. Segunda edición ampliada. 400 págs. 8 mapas.

47. Ivan A. Schulman: *Símbolo y color en la obra de José Martí*. Segunda edición. 498 págs.

49. Joaquín Casalduero: *Espronceda*. Segunda edición. 280 págs.

51. Frank Pierce: *La poesía épica del Siglo de Oro*. Segunda edición revisada y aumentada. 396 págs.

52. E. Correa Calderón: *Baltasar Gracián. Su vida y su obra*. Segunda edición aumentada. 426 págs.

53. Sofía Martín-Gamero: *La enseñanza del inglés en España (Desde la Edad Media hasta el siglo XIX)*. 274 págs.

54. Joaquín Casalduero: *Estudios sobre el teatro español*. Tercera edición aumentada. 324 págs.

55. Nigel Glendinning: *Vida y obra de Cadalso*. 240 págs.

57. Joaquín Casalduero: *Sentido y forma de las «Novelas ejemplares»*. Segunda edición corregida. 272 págs.

58. Sanford Shepard: *El Pinciano y las teorías literarias del Siglo de Oro*. Segunda edición aumentada. 210 págs.

60. Joaquín Casalduero: *Estudios de literatura española*. Tercera edición aumentada. 478 págs.

61. Eugenio Coseriu: *Teoría del lenguaje y lingüística general (Cinco estudios)*. Tercera edición revisada y corregida. 330 págs.

62. Aurelio Miró Quesada S.: *El primer virrey-poeta en América (Don Juan de Mendoza y Luna, marqués de Montesclaros)*. 274 págs.

63. Gustavo Correa: *El simbolismo religioso en las novelas de Pérez Galdós*. Reimpresión, 278 págs.

64. Rafael de Balbín: *Sistema de rítmica castellana*. Premio «Francisco Franco» del C. S. I. C. Segunda edición aumentada. 402 páginas.

178. Dámaso Alonso: *En torno a Lope (Marino, Cervantes, Benavente, Góngora, los Cardenios)*. 212 págs.

179. Walter Pabst: *La novela corta en la teoría y en la creación literaria (Notas para la historia de su antinomia en las literaturas románicas)*. 510 págs.

180. Antonio Rumeu de Armas: *Alfonso de Ulloa, introductor de la cultura española en Italia*. 192 págs.

181. Pedro R. León: *Algunas observaciones sobre Pedro de Cieza de León y la Crónica del Perú*. 278 págs.

182. Gemma Roberts: *Temas existenciales en la novela española de postguerra*. 286 págs.

183. Gustav Siebenmann: *Los estilos poéticos en España desde 1900*. 582 págs.

184. Armando Durán: *Estructura y técnica de la novela sentimental y caballeresca*. 182 págs.

185. Werner Beinhauer: *El humorismo en el español hablado (Improvisadas creaciones espontáneas)*. Con un prólogo de Rafael Lapesa. 270 págs.

186. Michael P. Predmore: *La poesía hermética de Juan Ramón Jiménez (El «Diario» como centro de su mundo poético)*. 234 págs.

187. Albert Manent: *Tres escritores catalanes: Carner, Riba, Pla*. 338 páginas.

188. Nicolás A. S. Bratosevich: *El estilo de Horacio Quiroga en sus cuentos*. 204 págs.

189. Ignacio Soldevila Durante: *La obra narrativa de Max Aub (1929-1969)*. 472 págs.

190. Leo Pollmann: *Sartre y Camus (Literatura de la existencia)*. 286 páginas.

191. María del Carmen Bobes Naves: *La semiótica como teoría lingüística*. 238 págs.

192. Emilio Carilla: *La creación del «Martín Fierro»*. 308 págs.

193. Eugenio Coseriu: *Sincronía, diacronía e historia (El problema del cambio lingüístico)*. Segunda edición, revisada y corregida. 290 págs.

194. Óscar Tacca: *Las voces de la novela*. 206 págs.

195. J. L. Fortea: *La obra de Andrés Carranque de Ríos*. 240 págs.

196. Emilio Náñez Fernández: *El diminutivo (Historia y funciones en el español clásico y moderno)*. 458 págs.

197. Andrew P. Debicki: *La poesía de Jorge Guillén*. 362 págs.

198. Ricardo Doménech: *El teatro de Buero Vallejo (Una meditación española)*. 372 págs.

199. Francisco Márquez Villanueva: *Fuentes literarias cervantinas*. 374 págs.

200. Emilio Orozco Díaz: *Lope y Góngora frente a frente*. 410 págs. 8 láminas.

IV. TEXTOS

1. Manuel C. Díaz y Díaz: *Antología del latín vulgar.* Segunda edición aumentada y revisada. Reimpresión. 240 págs.
2. María Josefa Canellada: *Antología de textos fonéticos.* Con un prólogo de Tomás Navarro. Segunda edición ampliada. 266 páginas.
3. F. Sánchez Escribano y A. Porqueras Mayo: *Preceptiva dramática española del Renacimiento y el Barroco.* Segunda edición muy ampliada. 408 págs.
4. Juan Ruiz: *Libro de Buen Amor.* Edición crítica de Joan Corominas. Reimpresión. 670 págs.
5. Julio Rodríguez-Puértolas: *Fray Íñigo de Mendoza y sus «Coplas de Vita Christi».* 634 págs. 1 lámina.
6. *Todo Ben Quzmān.* Editado, interpretado, medido y explicado por Emilio García Gómez. 3 vols.
7. *Garcilaso de la Vega y sus comentaristas (Obras completas del poeta y texto íntegro de El Brocense, Herrera, Tamayo y Azara).* Edición de Antonio Gallego Morell. Segunda edición revisada y adicionada. 700 págs. 10 láminas.

V. DICCIONARIOS

1. Joan Corominas: *Diccionario crítico etimológico de la lengua castellana.* En reimpresión.
2. Joan Corominas: *Breve diccionario etimológico de la lengua castellana.* Tercera edición muy revisada y mejorada. 628 págs.
3. *Diccionario de Autoridades.* Edición facsímil. 3 vols.
4. Ricardo J. Alfaro: *Diccionario de anglicismos.* Recomendado por el «Primer Congreso de Academias de la Lengua Española». Segunda edición aumentada. 520 págs.
5. María Moliner: *Diccionario de uso del español.* Reimpresión. 2 vols.

VI. ANTOLOGÍA HISPÁNICA

1. Carmen Laforet: *Mis páginas mejores.* 258 págs.
2. Julio Camba: *Mis páginas mejores.* Reimpresión. 254 págs.
3. Dámaso Alonso y José M. Blecua: *Antología de la poesía española. Lírica de tipo tradicional.* Segunda edición. Reimpresión. LXXXVI + 266 páginas.
6. Vicente Aleixandre: *Mis poemas mejores.* Tercera edición aumentada. 322 págs.
7. Ramón Menéndez Pidal: *Mis páginas preferidas (Temas literarios).* Reimpresión. 372 págs.